VERSPRECHEN

Dieses Buch ist in britischem Englisch geschrieben.
Dieses Buch ist für ein erwachsenes Publikum bestimmt und enthält Gewalt und Obszönitäten.

EINGEHALTENE VERSPRECHEN

Eine süße Werwolf-Romanze

TERRI S. STERN

Kapitel 1

Einen Laden zu leiten, selbst einen so heruntergekommenen wie den "Page Turner", hatte etwas wunderbar Ordentliches an sich. Ich war seit fünf Jahren dort, umgeben von Büchern und Zeitungen und nur ein wenig Schreibwaren, um das Interesse der Stammkunden aufrechtzuerhalten, und ich hatte mich gut auf den Tagesrhythmus eingestellt.

Das beste Geschäft an diesem Ende des Haupteinkaufsviertels, "Page Turner", nahm die gesamte untere Etage des Gebäudes ein, während im oberen Stockwerk eine sehr nette Mieterin wohnte, die dafür sorgte, dass ich alle Pakete bekam, die zu unregelmäßigen Zeiten eintrafen. Mrs. Wilson war ein Schatz, auch wenn sie ständig versuchte, mich mit ihrem zu jungen Enkel zu verkuppeln.

Von Zeit zu Zeit bekam ich neue Bestände und machte mir das Vergnügen, die gebrauchten Bücher, die bei mir abgegeben wurden, zu durchstöbern. Es gab ein paar seltene Schätze, die in der Regel von einem der übermäßig aggressiven College-Tutoren aufgeschnappt wurden, aber meistens bekam ich Bücher, die die Leute nicht mehr liebten, sei es, weil ihre Besessenheit verging oder ein Verwandter dasselbe tat.

Avon-on-Lee war nicht gerade eine geschäftige Stadt, aber sie war vorsichtig und regelmäßig, und die Menschen versuchten, miteinander auszukommen. Es war ein guter Ort, um Gemeinschaft zu suchen, als ich nach dem Tod meiner Mutter allein war, und obwohl man mich immer noch für ungewöhnlich hielt, wurde ich als Teil des Ortes willkommen geheißen, sobald ich ein paar Jahre durchgehalten hatte.

Das bedeutete, dass ich wusste, wenn sich die Tür zehn Minuten vor Ladenschluss öffnete, dass es nicht einer meiner Stammkunden war, der meinen Laden betrat. Keiner von ihnen würde mir das antun.

Ich blickte vom Zählen des Geldes auf und setzte mein bestes Kundenbetreuungslächeln auf, doch es erstarb auf meinen Lippen. Bastian Weir stand in meiner Tür und nahm den ganzen Platz ein, seine breiten Schultern versperrten den Blick auf seine Begleiter. Es war unwahrscheinlich, dass er allein sein würde - in Anbetracht seiner Position durfte er nicht oft unbeaufsichtigt sein - aber als er die Tür schloss und näher trat, bemerkte ich, dass er den Anstand hatte, allein hereinzukommen. Nun, Wunder gibt es immer wieder.

Er war so lässig, wie ich ihn noch nie gesehen hatte: dunkle Jeans und eine Lederjacke, die offen hing und ein weinrotes Hemd zeigte.

"Guten Abend", sagte er. Auch sein Haar war gepflegter als bei unserem letzten Treffen, das dunkelblonde Haar war jetzt zu einem Business-Cut getrimmt und sogar zu einer gewissen Ordnung gestylt. Es war alles ein wenig ungewohnt, ein wenig zu untypisch für die übliche förmliche Präsentation, die wir bisher gemeinsam hatten, aber es steckte eindeutig Mühe dahinter. "Es ist schön, dich wiederzusehen, Kat."

"Bastian." Ich nickte und machte mich wieder daran, das Geld zu zählen. "Wir haben nur bis acht Uhr geöffnet, Sie kommen also zu spät zum Stöbern."

"Mein Vater ist vor zwei Wochen gestorben."

Verdammt. Ich blieb stehen und sah auf. Er hatte ein grimmiges Gesicht, aber er war zurückhaltend, keine Tränen oder Wut. Er verweilte immer noch an meiner Tür. "Es tut mir leid, das zu hören. Ich weiß, dass ihr euch nahe gestanden habt. Wie geht es deiner Mutter?"

"Der Kummer ist schwer. Sie erträgt sie gut, aber es war viel. Sie wohnt im Moment bei Marie."

"Ich wäre zur Beerdigung gekommen, wenn ich das gewusst hätte."

"Danke." Sein Lächeln war zwar kurz, schien aber echt zu sein. "Sein Tod bedeutet, dass ich die Familienangelegenheiten übernehmen muss."

"Ich denke schon." Ich schaute mich in meinem kleinen Laden um, und mein Herz sank immer tiefer, je länger das Schweigen andauerte. "Alle von ihnen?"

"Ja."

"Richtig." Ich schluckte, meine Antworten verpufften in der Wüste zwischen Kehle und Zähnen. Ich hatte es geschafft, elf Jahre von ihnen getrennt zu sein. *Elf Jahre.* Es war dumm zu glauben, dass es ewig so weitergehen würde. Aber die Hoffnung stirbt immer zuletzt, und von Bastian hatte ich in der Zwischenzeit nichts mehr gehört. Die Chancen standen also gut.

"Ich weiß, es ist schon eine Weile her, dass wir uns versprochen haben." Er trat näher und schaute sich im Laden um, als er sich dem Tresen näherte.

"Jahre."

Er nickte. "Du hast es gut gemacht, dich selbständig zu machen. Ich weiß, dass das nicht einfach ist."

"Danke." Ich bemühte mich um einen ruhigen Tonfall, doch es gelang mir nicht. Mein Gesicht erhitzte sich, eine Röte begleitete den Wortschwall, den ich wie einen knurrenden Damm hinter meinen Zähnen gefangen hielt, und ich blinzelte die wütenden Tränen zurück, die hinter meinen Wimpern aufblitzten. Ich würde dieses Gespräch mit ihm jetzt *nicht* führen.

"Meine Familie hätte es mir leichter machen können."

"Nicht wirklich." Ich schloss die Kasse zu fest, das Geld darin ungezählt und unausgewogen, und wandte mich von seiner sich nähernden Gestalt ab.

Ich zog mich in das Hinterzimmer zurück und überließ ihm den Laden, während ich meinen Mantel und meine Tasche holte. Er erschien auch an der Tür und blieb dort stehen, um mich nicht in den Raum zu drängen. "Kat-"

"Hätte ich dir sagen sollen, du sollst bleiben? Funktioniert das?" Ich drehte mich zu ihm um, eine Hand auf der Hüfte und den Mantel in die Ellenbeuge gestützt.

Er lachte und zog die Unterlippe ein, während er den Kopf über mich schüttelte. "Mit fünfzehn warst du noch nicht so unhöflich."

"Meine Mutter hat auf Manieren bestanden. Ich hatte eine Weile Zeit, sie zu verlernen."

Bastian neigte den Kopf. "Ich habe gehört, dass sie gestorben ist."

"Ja. Vor fünf Jahren."

"Es tut mir leid. Es ist ein besonderer Schmerz."

Ich hielt kurz inne und nickte, als mein Vorwurf in meiner Kehle erstarb. "Ja, das ist es. Das Gleiche gilt für dich, nehme ich an."

"Andere Umstände. Jemand hat meinen Vater angegriffen."

"Er wurde getötet?" Er zuckte bei dieser Frage zusammen, nickte aber. "Verdammt. Das ist unglaublich dumm. Weißt du, wer es getan hat?"

"Nein, deshalb bin ich hier. Wir gehen der Sache nach, aber bis das geklärt ist, musst du bei uns wohnen."

"Pardon?" Meine Tasche rutschte von meiner Schulter und landete mit einem lauten Knall auf dem Boden. Ich bückte mich nicht, um sie aufzuheben, zu sehr war ich auf Bastian konzentriert.

"Wir müssen heiraten, und zwar schnell, denn der Mond rückt näher. Das weißt du."

"Aber mit dir leben? Ich habe hier ein Leben."

Er zog die Brauen zusammen und legte den Kopf schief, als er mich ansah. "Hast du erwartet, dass wir getrennt leben, wenn wir verheiratet sind?"

"Ja! Ich übe nicht einmal wie mein Vater. Ich bin dir nicht von Nutzen. Ich dachte, du hättest dir einen anderen Wolf gesucht, mit dem du dich tummeln kannst, und wir wären eine technische Ehe, die deinen Ansprüchen genügt."

Er öffnete seinen Mund und schloss ihn wieder, seine Zunge fuhr heraus, um über seine Oberlippe zu lecken, als er den Kopf senkte. Seine Augenbrauen zogen sich nachdenklich nach unten, ich sah, wie sie eine dunkle kleine Haarlinie bildeten, bevor er wieder zu mir aufsah, mit angespanntem Gesicht. "Richtig. Das wird dann wohl ziemlich unangenehm werden. Es tut mir leid. Aber ich muss darauf bestehen, dass du zu mir kommst und während der Ehe bei mir lebst, zumindest bis der Mörder meines Vaters gefunden ist."

"Was ist mit meinem Geschäft? Soll ich das alles fallen lassen?"

"Für den Moment, ja. Nicht für immer, aber es wäre ein offensichtlicher Ort für jemanden, der es auf Sie abgesehen hat."

"Du gehst davon aus, dass sie überhaupt von mir wissen. Über uns. Was auch immer das ist." Ich winkte mit einer Hand zwischen uns, den Abstand, den ich unbedingt wahren wollte.

"Das Rudel weiß, dass wir versprochen wurden. Mein Vater wusste, wo du warst, so habe ich dich gefunden."

Mein Gesicht wurde so rot wie mein Temperament, und die kleine Stichelei reichte fast aus, um mich aus der Fassung zu bringen. "Oh, ich erinnere mich." Ich spuckte die Worte aus, schnappte mir meine Tasche und schob mich an ihm vorbei zur Tür hinaus.

"Was soll das heißen?" Bastian packte mich am Ellbogen, um mich zu bremsen, und ich riss meinen Arm los und stürzte mich auf ihn.

"Spielen Sie nicht den Schüchternen und sagen Sie nicht, dass Sie es sich leichter machen. Ich weiß noch, wie sehr meine Mutter geweint hat, wenn dein Vater zu Besuch kam, er oder seine Freunde."

Er trat von mir weg, die Hände nach oben und die Handflächen mir zugewandt, um nichts Böses zu zeigen. "Ich weiß nicht, wovon Sie reden."

"Verschone mich, Bastian. Du übernimmst das Amt; ich bin sicher, dass dich jemand über die richtige Etikette der Einschüchterung aufklären wird."

Ich stürmte von ihm weg und ging zur Tür. Er kam hinter mir her, wobei er ein paar Schritte zwischen uns blieb, anstatt wieder nach mir zu schnappen.

"Du musst trotzdem mit mir kommen, Kat", sagte er, als ich nach dem Griff griff. "Du bist ein potenzielles Ziel, wenn jemand hinter dem Rudel her ist. Und ich kann mir keinen Grund vorstellen, warum mein Vater getötet werden sollte, wenn nicht das."

Ich ballte meine Fäuste, als Bastian näher kam, und zwang mich, nicht zu schreien, während ich über meine Schulter blickte. "Gibt dir sein Beruf nicht ein paar Hinweise?"

"Wir sind nur Vollstrecker, nichts, was einen Mord erforderlich machen würde. Selbst wenn jemand über die Art unserer Arbeit verärgert wäre, wäre das offensichtlicher."

"Normalerweise gibt es Tells, ja. Visitenkarten." Ich drehte mich um und sah ihn wieder an. Er war mir so fremd im Vergleich zu dem Jungen, den ich als Teenager gekannt hatte, der sich schick gemacht hatte, um einen guten Eindruck zu machen. Das alles fühlte sich nicht richtig an. Ich wusste nicht, ob es das jemals würde. Eine arrangierte Ehe, wenn alle, die sie arrangiert hatten, tot waren. Irgendetwas daran erschien mir erbärmlich und grausam, dass wir an die Versprechen der Toten gebunden sein würden.

Bastian machte einen kleinen Schritt auf sie zu und lächelte ein wenig. Es war nicht sehr warm, es erreichte nicht seine ohnehin schon dunklen Augen, aber er war so vorsichtig. Selbst in meiner Wut konnte ich das sehen. "Ich weiß, das kommt plötzlich. Es tut mir leid. Aber ich muss dafür sorgen, dass du in Sicherheit bist, und das kann ich nur, wenn du bei uns bist. Für den Moment. Es muss ja nicht für immer sein, und ich will nicht, dass du dein ganzes Leben aufgibst. Daran glaube ich nicht."

Ich schluckte und warf einen Blick auf die Tür. Keine lauernden Leibwächter, keine wartenden Schwerverbrecher, nur meine kleine Veranda. "Wer ist mit dir hier?"

"Ich bin auf mich allein gestellt."

Ich drehte mich wieder zu ihm um und verschränkte meine Arme. "Schwachsinn. Sie haben dich nie allein rausgelassen."

"Das tun sie jetzt." Er grinste und steckte die Hände in die Taschen. "Es ist schon eine Weile her. Ich bin nicht mehr an der Leine. Zumindest nicht auf dieselbe Art und Weise. Natürlich gibt es welche, die als Schutz dienen können, aber ich dachte nicht, dass dir das bei dieser Neuigkeit gefallen würde."

"Du bist also alleine hierher gefahren, in der Hoffnung, dass ich hier bin. Und wenn ich im Urlaub gewesen wäre?"

"Dann hätte ich dir einen Zettel hinterlassen." Bastian holte ein kleines Notizbuch aus seiner Gesäßtasche.

Ich lachte, biss mir aber trotzdem auf die Lippe und rollte mit den Augen. "Charmant. Zeit zum Heiraten, schick mir eine SMS"?

"So weit hatte ich noch nicht gedacht. Ich bin sicher, mir wäre etwas eingefallen." Er trat wieder ein wenig näher heran. "Kommst du mit mir zurück?"

"Ich weiß es nicht. Ehrlich gesagt, ich will es nicht." Ich seufzte und sah mich wieder im Laden um. "Ich muss darüber nachdenken. Und ich will mehr darüber wissen, was hier passiert ist. Du warst nicht der Nächste, der ermordet wurde, als unsere Familien noch befreundet waren."

"Es ist schon eine Weile her."

Ich zuckte mit den Schultern und zog meine Tasche an ihrem Gurt hoch. "Meine Mutter wollte nicht, dass wir damit in Verbindung gebracht werden, nach dem, was passiert ist."

"Dein Vater war ein guter Mann. Loyal. Es tat auch meinem Vater weh, ihn zu verlieren."

"Loyal bis zum Umfallen." Ich schüttelte den Kopf, weil ich nicht bereit war, diesen Weg wieder einzuschlagen. Ich atmete tief ein, ließ die Schultern hängen und kaute auf meiner Lippe, bevor ich wieder sprach. Das passte nicht zu mir. Auch wenn ich jetzt allein war, hatte man mir als Kind Manieren beigebracht, und Bastian trauerte. Das Mindeste, was ich tun konnte, war, höflich zu sein. "Komm, du kannst zu mir nach Hause kommen. Hast du schon gegessen?"

Er rümpfte die Nase. "Nein."

"Gut, dann koche ich eben für uns beide. Und du kannst mich auf den neuesten Stand bringen."

"Ich kann dich hinfahren?" Er zog ein paar Schlüssel aus seiner Tasche und schüttelte sie ein wenig.

"Sicher. Es sind nur ein paar Meilen, also gehe ich normalerweise zu Fuß, aber Sie werden problemlos parken können."

"Ja. Mir ist aufgefallen, dass es hier nicht viele Autos gibt."

Ich schniefte und wandte mich zum Gehen. "Es ist eine ruhige Stadt. Das gefällt mir."

"Ein seltsamer Ort für eine Hexe."

"Ich übe nicht. Jetzt schalte um, ich muss abschließen."

"Interessante Wortwahl", sagte er mit einem breiten Grinsen in der Stimme. Oh, er würde *unausstehlich* sein.

Kapitel 2

Bastian folgte mir aus dem Laden und stand näher, als mir lieb war, als ich abschloss, als wäre er ein verweilender Schatten. Es wurde dunkler, aber nicht dunkel - die Herbstabende waren immer noch hell genug, um andere Leute zu sehen, falls das seine Sorge war - und obwohl es kühl war, brauchte ich seine Körperwärme kaum, um sie zu vertreiben. Wenn überhaupt, dann wurde mir dadurch zu warm, und eine Hitzewelle lief mir den Rücken hinauf. Ich drehte mich zu ihm um und er bot mir seinen Arm an, bevor er zurücktrat.

"Nein, danke", sagte ich.

"Man muss sehen, dass ich dir den Hof mache, zumindest ein bisschen."

"Bist du deshalb hier und siehst so schick aus?" Ich kippte mein Kinn auf sein Jackett, die ordentlichen Haare.

Er gluckste. "Ich bin kein Teenager mehr, Kat. Ich versuche, auf mein Aussehen zu achten."

"Hrm." Ich rümpfte die Nase. Es war logisch, dass er nicht mehr derselbe sein würde wie damals, als wir Teenager waren. Er hätte sein Leben mit dem

Rudel gehabt, so wie meine Mutter und ich unseren eigenen Weg gegangen waren. Elf Jahre. Wahrscheinlich hatte er studiert; sein Vater war immer darauf bedacht gewesen, dass die Kinder eine Ausbildung bekamen. "Darüber musst du mir mehr erzählen."

"Mein Aussehen? Davon kannst du dich selbst überzeugen." Er grinste und zog sein Jackett ein wenig weiter, so dass ich das rote Hemd darunter sehen konnte.

Ich rollte mit den Augen. "Igitt, du bist ja noch schlimmer als damals als Teenager. Dachtest du, das wäre einfach?"

"Zumindest geschmeidiger als ich damals." Er lachte leise und schüttelte den Kopf über mich. "Komm schon, es wird kühl hier draußen."

Er führte mich auf die Straße, wo ein schnittiger schwarzer BMW auf uns wartete. Er war sauber, sauberer als ich erwartet hatte, weil er in der Wildnis lebte, und obwohl ich nicht leicht von Autos zu beeindrucken war, war es sicher nicht das alte Auto seines Vaters.

"Magst du jetzt Autos?" fragte ich.

"Ich mag ein Fahrzeug, von dem ich weiß, dass es funktioniert. Mir ist etwas Nützliches lieber als etwas Auffälliges."

"Schön." Ich nickte und lachte, als er mir folgte, um die Tür zu öffnen. "Umwerben?"

"Umwerben".

Ich ließ mich in den Sitz gleiten und lachte, als Bastian die Tür schloss und herumging. Es war süß, wenn auch ein wenig altmodisch.

"Kann ich Ihnen die Adresse geben oder einfach mein Telefon als GPS benutzen?" sagte ich und hielt mein Telefon hoch.

"Ich kenne Ihre Adresse." Er drehte den Schlüssel im Zündschloss und fuhr sanft auf die leere Straße hinaus.

"Das ist überhaupt nicht unheimlich, Bastian." Ich hob die Augenbrauen zu ihm. Er schaute auf die Straße, aber seine Lippen verzogen sich fast zu einem Lächeln, das sich zwischen Schüchternheit und einem Grinsen bewegte.

"Mein Vater hat nach dem Tod deiner Mutter ein Auge auf dich geworfen. Dazu gehörte auch, dass er deine Adresse kannte. Ich war allerdings noch nie hier, also wenn es ein Einbahnsystem oder so etwas gibt, lass es mich wissen." Er hielt inne und kaute einen Moment auf seiner Unterlippe. "Außerdem nennen mich die meisten Leute jetzt Seb."

"Wie bitte?"

"Anstelle von Bastian. Du kannst dich förmlich ausdrücken, wenn du willst, aber das Rudel wird mich Seb nennen, also kannst du das auch gerne tun."

Seb? *Lässig*? Das hat mein Gehirn durcheinander gewirbelt, weil mir die formale Struktur, die wir als Teenager hatten, völlig fremd war. Ich glaube, wenn ich ihn anders als Bastian genannt hätte, wäre mein Vater in Flammen aufgegangen. "Richtig. Zur Kenntnis genommen."

"Du hast doch nicht etwa angefangen, nach Kathryn zu gehen, oder?"

"Nein, immer noch nur Kat."

"Toll, dann können wir zusammenpassen." Er zwinkerte mir zu, als wir an eine rote Ampel fuhren. "Und wenigstens können wir uns mit Namen anfreunden."

Ich ließ es mir auf der Zunge zergehen und versuchte, den Klang an ihn anzupassen. "Wie lange fährst du schon mit Seb?" fragte ich, als die Ampel umschaltete.

"Ziemlich viel sogar. Das war der Name, den viele der anderen Wölfe benutzt haben, und er ist hängen geblieben."

"Mein Vater wäre damit nicht einverstanden gewesen."

Er schnaubte. "Nein, wahrscheinlich nicht. Aber er war ein bisschen förmlich. Diese ganze rituelle

Magie, ich wette, sie sorgt für ein gewisses Maß an Anstand."

"So könnte man es ausdrücken, ja. Wie geht's deiner Schwester?"

"Marie geht es gut. Sie genießt es, unsere Mutter bei sich zu haben, das lindert den Kummer ein wenig."

"Das kann nicht einfach sein, wenn es ein Angriff war. War es ein Wolfsangriff oder ein normaler Angriff?"

"Normal?"

"Menschlich, meine ich. Es ist ein Unterschied, ob einem der Hals herausgerissen wird oder ob jemand auf einen schießt." Ich bedauerte die Worte, als ich sie sagte, zu sehr an meinen eigenen Schmerz gewöhnt, um die Schlagkraft der Frage zu nutzen.

"Ah." Er lachte um das Stottern herum, seine Zunge glitt heraus, um seine Lippe zu befeuchten. "Du meinst, ob es ein Kampf war?"

"Ja. Tut mir leid."

"Nein, verständlich bei dem, was passiert ist. Ich hätte das nicht im Unklaren lassen sollen. Sie haben ihn als Mensch angegriffen, ohne die üblichen Anzeichen, dass es sich um einen Rivalen handelt."

Ich nickte und schluckte den Kloß in meinem Hals hinunter, während wir weiterfuhren. "Ich weiß nicht, ob das für dich besser ist oder nicht. Für uns wäre es besser gewesen."

"Das bedeutet, dass es mehr Verdächtige gibt, aber weniger Schwierigkeiten zwischen den Rudeln. Theoretisch."

"Oh?"

"Ein Wechsel in der Führung ist immer mit Schwierigkeiten verbunden. Es wird nicht besser, wenn er durch einen Mord ausgelöst wird."

"Nein, ich denke nicht. Es tut mir leid." Ich legte kurz meine Hand auf Sébs Rücken, als er nach dem Schaltknüppel griff. "Es ist sowieso ein schwerer Verlust, und noch schlimmer, wenn er ungewiss ist."

"Danke." Er lächelte, und ich zog meine Hand zurück, als wir näher an mein Haus kamen.

"Es ist gleich da vorne. Sie können in der Einfahrt parken, niemand sonst benutzt sie."

"Keine Nachbarn?"

"Keine, an die ich meine Einfahrt vermiete. Dafür ist die Stadt nicht groß genug."

"Gut, ich wollte nur nicht, dass du mit jemandem Probleme bekommst."

"Danke." Ich lächelte ihn an und rümpfte die Nase über die Leichtigkeit, mit der er in die Einfahrt fuhr. Angeber.

"Willst du eine Minute, bevor ich reinkomme?"

"Nimmst du an, dass mein Haus unordentlich ist?" Ich lachte und öffnete die Tür, bevor er antworten konnte.

"Du hast keinen Besuch erwartet. Schien nur höflich."

"Wie du willst. Brauchst du noch Zeit, bevor ich mit dir zurückkomme, oder putzt da jemand eifrig, während du hier bist?"

"Ich habe ein gemütliches Haus, aber es ist sauber. Größtenteils." Er streckte wieder den Arm nach mir aus, und ich schüttelte den Kopf und joggte vor ihm her, um zuerst die Treppe hinaufzukommen. Seb folgte mir dicht auf den Fersen, während ich die Tür aufschloss.

"Folgst du mir wie ein Schatten, um mich zu umwerben?" fragte ich, als wir in den Flur traten. Unsere Körper verdunkelten das schwindende Licht an der Tür, und ich tastete nach einer meiner Lampen, um sie anzuknipsen.

"Ich will dir nur den Rücken freihalten. Bis wir die Ursache für den Tod meines Vaters kennen, ist es besser, davon auszugehen, dass wir alle Zielscheiben sein könnten."

"Das heißt, du auch, nehme ich an?" Ich legte meine Jacke ab, hängte sie an die Garderobe, die ich in der Ecke hinter der Tür versteckt hatte, und hielt meine Hand nach seiner aus.

"Ja. Es besteht der Verdacht, dass auch ich ins Visier genommen werden könnte."

"Wer hält Ihnen denn den Rücken frei?"

"Daniel war die meiste Zeit bei mir."

"Der kleine Daniel?"

Seb schnaubte und schüttelte den Kopf, als er mir die Jacke überreichte. "Nennen Sie ihn nicht so. Du musst gegangen sein, bevor er seinen Wachstumsschub hatte. Er ist jetzt größer als ich."

"Oh wow, er war so ein schlaksiger kleiner Junge, als ich dabei war. Natürlich ist er gewachsen, das ist einfach...."

"Daran hast du noch nicht gedacht?" Seb lehnte sich gegen die Tür, um seine Schuhe auszuziehen, ein schönes Lederpaar und keine Jagdstiefel. Er hatte sich wirklich herausgeputzt, um mich zu sehen. Ein Schmerz durchfuhr meine Brust, ein kleines, schweres Zittern, das ich beiseite schob.

"Nicht viel. Der Laden nimmt die meiste Zeit in Anspruch."

"Und Freunde? Partner?"

"Ähm. Nun. Ich hatte noch nicht viel Glück mit Freunden, ehrlich gesagt."

"Ich kann nicht sagen, dass ich traurig bin, das zu hören."

Ich spottete über seine Bemerkung und rollte mit den Augen, als ich wegging. "Davon will ich noch nichts hören, Seb. Wir haben uns seit einem Jahrzehnt nicht mehr gesehen. Ich bin sicher, du hattest ein paar nette Damen, die mit deinem Schwanz gewedelt haben, oder wie du es ausdrücken würdest."

"Hey!"

"Was? Du warst der Sohn des Rudelführers. Es gab eine Menge Mädchen, die Augen für dich hatten." Ich schaltete das Licht in der Küche an und drehte mich um, um sicherzugehen, dass er mir folgen würde. Er kam nicht, sondern verweilte in dem offenen Wohnzimmer, das mit Büchern und meinem kleinen Fernseher vollgestopft war. Vielleicht hätte man da mal aufräumen können, aber es war ja nicht so, dass da Unterwäsche zum Trocknen lag oder so. Das war das Gästezimmer im Obergeschoss. Es war zum Esszimmer hin offen, das an die Küche grenzte und eine kleine Tür zwischen den beiden hatte, um den Kochgeruch draußen zu halten, was mir etwas Deckung gab, um benutzte Tassen etwas unauffällig in die Spüle zu werfen. "Ich habe dort gewohnt, ich wusste, was dort vor sich ging, und-"

"Komm her, sofort!" Ein Schrei hallte durch die Küche, als ein Mann durch die Tür ins Wohnzimmer stürzte. Er hatte ein Messer vor sich, das auf mich gerichtet war, als er näher kam, und ich schrie, ohne es zu wollen.

Seb rannte auf das Geräusch zu, durch die Tür, als der Kerl mich erreichte, und stürzte sich auf die sich bewegende Gestalt, und ich hob die Hände zur Abwehr, als das Messer auf mich zuflog.

Der Mann erstarrte, dann schrie er auf, als seine Hände durch die Feuerwand glitten, die mich umhüllt hatte. Blaues Feuer, Magie; es juckte in meinen Händen, aber es würde mich nie verbrennen. Es gehörte mir, und eine Klinge, die auf meine Brust zuflog, war so gut wie jeder andere Grund. Mehr als die Verheißung der Flammen brannte die Scham, dass Seb sie sah, nachdem ich ihn angelogen hatte, und dass ich mich darauf verließ, anstatt tatsächlich zu kämpfen. Ich könnte einen Schlag landen, wenn ich es wirklich müsste. Aber das war die Gabe meiner Familie. Die Gabe meines Vaters, obwohl sie auch in mir lauerte.

Der Mann packte ihn am Arm; das Messer klapperte auf den Boden, bevor er sich umdrehte und an Seb vorbei zur Eingangstür stürmte.

Ich ließ mich zitternd gegen den Tresen fallen, die Flammen tanzten immer noch auf meinen Händen, während ich immer wieder schluckte und versuchte, die Schreie wieder in meine Kehle zu stopfen.

"Kat, geht es dir gut?" Seb trat näher an mich heran, die Hände so erhoben, dass ich sie sehen konnte. Ich blinzelte ihn an, mein Gehirn arbeitete noch immer und ich schüttelte den Kopf.

"Du solltest ihm nachgehen."

"Vergiss ihn, du blutest." Er trat näher, und ich wich zurück und drückte mich in die Ecke.

"Nein, nicht. Es wird dir wehtun."

"Nein, das wird es nicht." Er trat näher, nahm ein Handtuch von der Theke und ließ den Heißwasserhahn laufen.

"Wovon reden Sie?" Ich starrte ihn an und versuchte, meine Angst wieder in mich hineinzuziehen, sie zu beruhigen, damit das Feuer zurückging. Es kam immer am schlimmsten zum Vorschein, wenn ich verängstigt war.

"Das ist doch das gleiche Zeug, das dein Vater immer benutzt hat, oder?", fragte er. Er tauchte das Handtuch unter das heiße Wasser, aus dem Dampf aufstieg.

"Ja."

"Er hat es mir vorher gezeigt. Sogar bevor wir versprochen wurden. Es tut mir nicht weh."

"Das ist unmöglich." Ich lachte, aber es war ein gebrochenes Ding, kurz und zu spröde in dem geschlossenen Raum der Küche.

"Versuchen Sie es." Er hielt seinen Arm hoch. Sein Unterarm war dick, die Muskeln angespannt, und ein kleiner Flaum aus dunkelblondem Haar reflektierte das flackernde Blau meiner Flammen.

"Was?"

"Fassen Sie meinen Arm an. Oder leg nur einen Finger darauf, wenn du wirklich Angst hast. Das Feuer deines Vaters hat mir nicht wehgetan. Ich denke, deines wird es auch nicht."

"Das ist..." Ich konnte die Worte nicht finden. Seb schob seinen Arm ein wenig näher, und ich streckte vorsichtig zwei Finger aus, um die Haut in der Nähe seines Ellbogens zu berühren, wo der Muskel am dicksten war und vielleicht nicht wehtat. Nichts geschah. Die Flammen waren da, glitten über seine Haut, wie sie es bei mir taten, aber sie fielen zu Boden und verschwanden wie Nebel. "Was?"

"Karl hat es mit mir gemacht. Es dauerte eine Weile, bis wir einander versprochen waren, vielleicht ein paar Monate. Er hat mir gezeigt, wie es sicher ist, damit ich keine Angst vor dir habe. Ich glaube, er hat es nicht wirklich erklärt."

Ich sah zwischen seinem Gesicht und seinem Arm hin und her und biss mir auf die Lippe. "Darf ich noch mehr anfassen?"

"Sicher."

Ich griff nach seinem Arm, die Finger glitten über die Oberseite seines Unterarms, um den Muskel näher am Ellbogen zu greifen. Es ging ihm gut. "Das macht keinen Sinn."

"Nein?"

Ich schüttelte den Kopf. "Die Flammen sollen uns im Wesentlichen schützen. Es ist mehr als das, aber wenn es um jemanden geht, der nicht zur Familie gehört, tun sie weh. Meiner Mutter haben sie nicht wehgetan, denn sie war Dads Liebe."

"Es ist immer Liebe." sagte Seb.

"Hm?" Ich ließ seinen Arm los, als meine Flammen erloschen und das Hämmern meines Herzens langsam nachließ.

"Es ist immer Liebe, mit Magie. Liebe, die Dinge zusammenhält und Menschen vor Schaden bewahrt. Die Liebe hält die Magie in Gang, selbst wenn jemand gestorben ist. Das sollte keine Überraschung sein."

"Ich denke schon. Er war uns treu ergeben. Natürlich würde es Liebe sein."

"Darf ich dich jetzt ansehen? Du blutest und ich will sicher sein, dass es nur oberflächlich ist."

Ich schaute nach unten und sah, dass sich eine rote Linie über meinen blauen Pullover zog. Die Farben trafen aufeinander. "Es tut nicht weh."

"Das ist das Adrenalin, das wird es auch. Ziehen Sie das aus und ich schaue es mir an."

"Was für eine Art, mich beim ersten Date oben ohne zu erwischen", sagte ich. Er sah mich stirnrunzelnd an und wrang das Tuch aus. "Tut mir leid."

"Es ist in Ordnung." Er schüttelte den Kopf, die Augenbrauen tief gesenkt, als er sich umdrehte und in die andere Richtung sah. Nett von ihm, dachte ich.

Kapitel 3

Ich trat von der Theke weg und zog mir den Stoff über den Kopf, wobei ich die Luft durch die Zähne zischte. Die Bewegung tat weh, der brennende Stich kräuselte sich an meinem Oberkörper, als ich die Schicht abstreifte, und die Haut war kalt, wo bereits Blut heraussickerte.

"Das tut ein bisschen weh, jetzt, wo ich es merke." Ich setze das Verdeck ab und halte es mit einer Hand fest, als ob das Loslassen etwas Schreckliches auslösen würde.

Seb drehte sich um und holte tief Luft, als er mich ansah. "Das war ja zu erwarten. Ich bringe dir gleich ein paar Schmerzmittel. Darf ich näher kommen?"

"Ja." Ich drehte mich mehr zu ihm hin und stöhnte ein wenig über das Ziehen der sich bewegenden Haut.

"Ganz ruhig, Kat. Lass mich dich durchchecken. Ich muss es sauber wischen." Ich nickte zustimmend und legte meine andere Hand auf den Tresen, damit er freie Sicht hatte. Wenigstens hatte ich heute einen schönen BH getragen. Das war ein so dummer Gedanke, dass ich fast lachen musste. Es würde ihn auf keinen Fall stören, und mich sollte es auch nicht stören, aber es wäre irgendwie noch lächerlicher, wenn ich einen meiner Waschtags-Bralettes anhätte.

Er hielt das Handtuch erneut unter das heiße Wasser und wrang es aus, bevor er sich vor mich stellte. Sébs Berührung war federleicht, als er mich festhielt und mit schnellen kleinen Halbkreisen über die Wunde strich, um das Blut wegzuwischen. Jedes Mal, wenn der Lappen über die Wunde fuhr, brannte es, aber es war eher ein kleiner, scharfer Stich als der anhaltende Schmerz darunter.

"Ich wusste nicht, dass Sie medizinisch veranlagt sind", sagte ich.

Er blickte zu mir auf und lächelte schief. Seine Wimpern waren so dunkel, dass ich sie aus der Nähe hätte zählen können. "Das bin ich nicht wirklich. Erste-Hilfe-Zertifikat und ein paar zusätzliche Kurse. Es zahlt sich aus, wenn man in der Lage ist, Dinge zu flicken, wenn ein Job schief läuft."

"Ihr Rudel hatte einen Magier als Berater und keinen Arzt?"

"Wir haben einen Arzt, aber du willst sie nicht mit Beulen und Kratzern belästigen." Seb lächelte richtig, sein Griff wurde etwas fester. "Das muss gründlich gesäubert und ein Verband angelegt werden. Wo ist dein Erste-Hilfe-Kasten?"

"Unter dem Waschbecken." Ich zeigte auf die Schranktür.

"Großartig. Du musst dich jetzt hinlegen, damit ich das richtig machen kann. Können wir das auf der Couch machen?"

"Sicher." Er legte das Handtuch ab und bot mir seinen Arm an, den ich dieses Mal nahm. Nicht, dass ich nicht laufen konnte - das Zittern in meinen Beinen hatte aufgehört - und obwohl meine Vorderseite schmerzte, war der Schnitt nur oberflächlich. Sie blutete nur sehr stark, wie alle oberflächlichen Wunden. Aber es war schön, sich ein wenig an seine Seite zu lehnen, als wir ins Wohnzimmer gingen.

Er warf die Wurfkissen vom Sofa, bis auf eines, das er mir für meinen Kopf anbot. Ich nahm es eher als etwas, das ich mit meinen Händen machen konnte, die Armlehne des Sofas reichte aus, um meinen Kopf zu stützen, und er drückte meine Hand ein wenig.

"Geht es dir gut?"

"Ehrlich gesagt, war ich noch nie so glücklich wie jetzt.

Er lachte und nickte. "Das ist vernünftig, meine Schöne. Du hältst still und ich hole den Erste-Hilfe-Kasten. Ich säubere die Wunde mit einem Alkoholtuch, dann mache ich einen Verband, und du kannst ein paar Schmerzmittel bekommen. Ist das in Ordnung?"

"Klingt gut." Er verließ schnell das Zimmer, und ich spielte mit dem Wurfkissen, um mich von der bitteren Schmerzenslinie abzulenken, die sich von unterhalb meines Brustbeins bis zur Mitte meiner Brust zog. Wenigstens war er über den Verbindungsgurt meines BHs gestolpert. Ich glaube, ich wäre vor lauter Verlegenheit gestorben, wenn noch ein Nippel dazugekommen wäre.

Seb eilte zurück, ein Glas Wasser in der einen und den Koffer in der anderen Hand. "Kannst du dich für mich anlehnen?"

"Sicher." Ich stützte mich auf einen Ellbogen, damit ich nicht zu viel von meinem Rumpf bewegte, und er gab mir ein Paar kalkweiße, runde Tabletten.

"Schmerztabletten wie versprochen."

"Danke." Ich schlug sie zurück, und er reichte mir das Wasser, das ich in kleinen Schlucken trank, bis etwa die Hälfte des Glases leer war. Er nahm es weg und stellte es zur Seite, und ich ließ mich hinunter, wobei ich meinen Arm an der Innenseite der Couch hinuntergleiten ließ, da ich ihn nirgendwo anders abstellen konnte.

"Das Alkoholtuch wird brennen, aber dann trockne ich es ab und lege den Verband an, also haben Sie bitte Geduld mit mir."

"Ich hatte schon mal Wunden. Sei nicht so pingelig."

"Du bist verletzt. Ich werde so pingelig sein, wie ich sein muss." Seb kniete sich neben die Couch, klappte den Deckel der Schachtel auf und nahm die

Teile heraus, die er brauchte. "Wir sollten auch über etwas anderes sprechen."

"Sollen wir?" Ich sah ihn nicht an, mein Blick war auf die Decke über mir gerichtet. Das Haus hatte noch immer Stuckdecken; ich hatte gesagt, ich würde das ändern, wenn ich einziehe. Irgendwann hatte ich sie liebgewonnen, so hässlich sie auch waren. Außerdem waren sie schrecklich zu putzen. Aber sie hatten Charakter, eine der Eigenheiten des Hauses. Wenn ich dort wohnte, konnte ich genauso gut ein paar Macken haben.

"Ja. Du sagtest, du würdest keine Magie praktizieren."

"Ich nicht."

"Kat." Er warf mir einen Blick zu. "Du kannst so vorsichtig sein, wie du willst, aber lüg mich nicht an."

"Du hast nichts gesehen. Wenn du willst, dass ich mitkomme und bei dir bleibe, was ich in Anbetracht dessen, was passiert ist, wohl tun muss, dann hast du das nicht gesehen."

"Was habe ich denn gesehen?" Seb nahm das kleine gefaltete Stück Watte heraus und legte eine Hand auf meine Rippenwölbung, während er schnell über die Schnittwunde wischte.

Ich zischte wieder nach Luft, das Brennen des Alkohols war anders als bei der Reinigung. Es war wie ein erneuter Schnitt, der schnell und kalt über der

Wunde aufblühte, und ich biss mir auf die Lippe, bevor ich ihm antwortete. "Der Kerl schlug nach mir, und ich traf ihn mit meiner Tasche. Das hat seine Hand in den Herd geschleudert, der an war, weil ich für dich gekocht habe. Uns. Und das hat sich in seiner Kleidung verfangen. So kam es, dass er in Flammen aufging."

"Sehr beeindruckend." Seb warf das Tuch in den Deckel der Schachtel, nahm ein sauberes Wattepad und trocknete die Wunde. Er holte einen Verband aus der Verpackung und prüfte ihn an der Wunde, bevor er einen zweiten für den oberen Teil nahm. "Ich bin froh, dass ich eine Frau habe, die so gute Reflexe hat, um das durchzuziehen."

"Es muss einen Grund geben, warum sie mich dir versprochen haben. Schnelle Reflexe sind so gut wie jeder andere."

Er brummte, nahm den ersten Verband heraus und legte ihn auf meine Haut, bevor er ihn mit Mikroporenband fixierte. "Ich glaube, es gab noch andere Gründe, aber es ist so gut wie jeder andere auch."

"Danke."

"Ist alles in Ordnung, Kat?" Er legte den zweiten Verband auf die Haut an meiner Brust und maß kleine Streifen ab, um sie vorsichtig außerhalb meines BHs zu fixieren. "Das klang fast so, als würdest du dich bei mir bedanken."

"Sie haben mir einen Gefallen getan. Es scheint nur richtig, höflich zu sein."

"Wir können doch mehr als höflich sein, oder?" Er zwinkerte mir zu, bevor er mir einen leichten Kuss auf den Rand des Klebebandes drückte.

Ich schlug ihm auf den Kopf und rollte mit den Augen. "Ganz ruhig, du Muffin. Du könntest mich in Ohnmacht fallen lassen."

"Du liegst bereits auf einer Couch. Es ist der richtige Ort für dich, wenn du das tust."

Ich kicherte und schob ihn weg. "Soll ich mich jetzt besser fühlen?"

"Ich dachte, es könnte für Lacher sorgen." Er lehnte sich zurück und schaufelte den Müll vom Deckel der Schachtel. "Das ist eine gute Ausrüstung, die du hast."

"Danke. Wenn man allein lebt, ist es vernünftig, einen guten Vorrat zu haben."

Seb klappte den Deckel zu und stand auf. "Ich mache mir Notizen für das Gespräch im Haupthaus. Wirst du heute Abend kommen? Mit mir, meine ich."

Ich rümpfte die Nase, nickte aber. "Wenn sie schon wissen, wo ich wohne, scheint das auch sinnvoll zu sein. Nicht, dass ich lange bleiben will, aber getrennt sind wir offenbar nicht sicher."

"Und die Heirat? Wir werden in Kürze zur Hochzeit erwartet."

Ich setzte mich auf und zog eine der Decken aus meinem Vorrat an Decken um mich herum. Das geschah sowohl aus Bescheidenheit als auch wegen der Kälte, die mir den Rücken hinaufkroch. "Ich werde die Zeremonie durchführen, dem Rudel zuliebe. Aber ich will keine stubenreine Gefährtin sein. Ich werde gehen, sobald diese... Situation geklärt ist."

"Richtig." Er nickte, dann machte er auf dem Absatz kehrt und ging zurück in die Küche. "Wenn Sie nach oben gehen und packen wollen, lassen Sie mich zuerst fegen. Ich nehme an, dass sie inzwischen etwas unternommen hätten, aber der andere hat gewartet, also ist es besser, auf Nummer sicher zu gehen."

"Sicher. Wir können zusammen hochgehen."

"Guter Plan. Du solltest vielleicht wieder einen von ihnen mit deiner Tasche schlagen", rief er. Ich holte meine Hände aus der Decke und drehte sie um, um nach Spuren des Feuers zu suchen. Es würde mich nicht verbrennen, aber Magie konnte andere Dinge bewirken. Aber es ging mir gut. Besser, denn er hatte mich zusammengeflickt.

"Bist du bereit?" Seb erschien wieder an der Tür und nickte mit dem Kopf in Richtung Treppe.

Ich schaute zu ihm hinüber, der in einem anderen meiner Eingänge stand. Er war entspannt, selbst angesichts einer potenziellen Bedrohung, und füllte den Raum mit seinen verschränkten Armen und seinem vorsichtigen Blick aus. Besser er als ein weiteres Messer, dachte ich. "Sicher."

Kapitel 4

Der Rest des Hauses war geräumt, keine lauernden Männer mit Messern mehr, die mich davon abhalten konnten, das zu packen, was in einen Koffer und ein paar Reisetaschen passte. Es war traurig, mein Leben auf diese Dinge zu reduzieren, aber es gab keine Haustiere, für die ich Futter hätte liegen lassen können, und keinen Partner, für den ich eine Nachricht hätte hinterlassen können, also funktionierte es. Und ich würde nach einer Weile zurückkommen, also musste ich nicht alles mitnehmen. Das habe ich mir immer wieder gesagt.

Ich habe meinen Schmuck mitgenommen - den würde ich für die Zeremonie brauchen - und genug Kleidung, Make-up und Bücher, dass ich wahrscheinlich alle zukünftigen Angreifer abwehren könnte, falls sie auf dem Weg vom Haus auftauchen sollten. Viel Glück beim Weglaufen, wenn dich eine dieser Taschen trifft. Seb hatte sie für mich zum Auto getragen, als ob wir verreisen wollten, er lächelte leicht und ließ mich nichts heben. Aus Höflichkeit, versteht sich.

Wir fuhren in Richtung von Sébs Haus, in die abnehmende Dämmerung und durch die lange Reihe von Bäumen, die die Straßen säumten wie alte Wächter, die uns beim Verlassen der Stadt beobachteten. Ich schaute ihnen hinterher, die Augen auf den grünen Fleck gerichtet, der vorbeihuschte, die Schatten, die zwischen den schweren Ästen hin und her hüpften, als würde etwas neben uns herlaufen.

"Wir sollten einen Zwischenstopp einlegen, bevor wir ankommen", sagte er.

Ich drehte meinen Kopf zurück in den Innenraum des Wagens, mein Gehirn war noch immer ein wenig aufgewühlt von vorhin. "Wie bitte?"

"Wir sollten dir etwas zu essen besorgen. Und mich, nehme ich an. Essen ist immer besser in Gesellschaft."

"Du hast gesagt, du hättest noch nichts gegessen." Ich spielte mit meinen eigenen Händen und streckte meine Beine im Fußraum aus, um meine Zehen zu spitzen und zu beugen. Die Wunde an meiner Stirn tat weh, aber ich verdrängte den Stich; konzentrierte sich stattdessen auf das Gefühl, wie mein Daumen über meine Knöchel rieb. "Du hättest etwas trinken sollen, bevor du gekommen bist. Es ist eine lange Fahrt."

"Ich war zu nervös." Er saß so leicht auf dem Fahrersitz, als wäre er daran gewöhnt. Er hatte nichts von der angespannten Konzentration mancher Leute in der Stadt oder dem wütenden Grummeln der Straßenrowdys, die sich die Schultern um die Ohren zogen. Ich fragte mich wieder, was er wohl getrieben hatte, während wir getrennt waren.

"Warum?"

"Ich wusste nicht, wie du die Nachricht aufnehmen würdest. Es ist nicht gerade romantisch, hier aufzutauchen und dir von einem Mord zu erzählen. Den Kummer über alles zu verteilen."

"Ich kenne mich mit Trauer gut aus. Darüber musst du dir keine Sorgen machen." Ich tätschelte kurz seine Hand am Lenkrad. "Es ist kein Problem, deine Gefühle zu spüren, Bastian. Seb." Ich rümpfte die Nase. Das war ich immer noch nicht gewohnt.

"Ich weiß. Das ist nichts, wofür wir uns im Rudel schämen. Aber es ist auch kein schöner Vorschlag für dich."

Ich schnaubte und hielt mir den Mund mit dem Handrücken zu. "Du hast mir nie einen Antrag gemacht, wir waren uns versprochen. Du kannst dir die ganze Planung sparen."

"Wäre es dir lieber, ich hätte dir einen Ring mitgebracht?"

"Ich meine, wenn es das wäre oder ein Mann, der mich in der Küche angreift, hätte ich den Ring genommen, ja. Aber er ist unnötig. Ich habe meinen eigenen Schmuck gekauft, seit mein Vater gestorben ist. Und es ist ja nicht so, dass ich deine erste Wahl bin. Da bin ich praktisch veranlagt."

"Sagen Sie das nicht so." Seb sah stirnrunzelnd zu mir herüber und schüttelte den Kopf. "Ich war immer stolz darauf, dass wir versprochen waren."

"Wirklich?" Ich drehte mich im Sitz und bedauerte das Ziehen an meinen schorfigen Wunden. Aber das Klebeband knackte nicht, er hatte es gut befestigt, also musste ich vorsichtig sein.

"Warum sollte ich das nicht sein?"

"Da du der Sohn des Rudelführers bist, könntest du alle möglichen potenziellen Ehefrauen haben. Vor allem Wölfe. Ich bin nicht jemand, der mit dir unter dem Mond rennen oder mit dem Rudel herumtollen kann. Du könntest dir ein schönes... Fell aussuchen? Nein, das klingt düster. Schwänze? Frauen, die mehr wie du sind." Ich winkte mit der Hand, um alle Möglichkeiten abzudecken.

Seb kicherte über meinen Erklärungsversuch und ein schiefes Lächeln umspielte seine Lippen. "Hexen sind auch an den Mond gebunden, oder? Dein Vater war einer."

"Das war er, er liebte das Mondlicht. Manchmal las er mir *Der Wegelagerer* vor, wenn er mich ins Bett brachte, oder er zitierte die Zeilen, wenn wir spazieren gingen."

"Mit dem Mond bist du also nicht so weit weg. Ich wette, du kannst das Gedicht noch zitieren."

Der Gedanke an die Worte meines Vaters entlockte mir ein Lächeln und einen sanften Trost, der sich in meiner Brust einnistete. "Du hast Recht, das kann ich. Aber ich kann mich nicht in einen Wolf verwandeln."

"Ich weiß es nicht. Du kannst ziemlich gut mit Krallen umgehen."

"Das ist wohl netter als zu sagen, dass ich zickig bin."

"Das würde ich nie tun." Er blickte in meine Richtung, sein Lächeln war meinem eigenen sehr ähnlich. "Das Rudel braucht dich nicht, um ein Wolf zu sein. Es braucht dich, um du zu sein."

"Die Meute hat mich seit elf Jahren nicht mehr gesehen. Sie erinnern sich wahrscheinlich nicht einmal an mich."

"Das tun sie. Marie hat mir die Hölle heiß gemacht, weil ich dich nicht früher abgeholt habe. Sie kann es nicht erwarten, dich wiederzusehen."

"Wirklich?"

"Aber sicher doch." Seb nickte und betätigte den Blinker, um uns an eine Tankstelle zu fahren. "Meine Mutter war ähnlich, obwohl ich glaube, dass sie ein bisschen mehr Toleranz für meine Verspätung hatte.

Sie hätte mich auch Rosen und eine Champagnerflasche mitbringen lassen."

"Das ist..."

"Altmodisch?"

"Das ist dir gegenüber nicht fair", sagte ich und schüttelte den Kopf vor mich hin. "Du trauerst. Du solltest nicht so ein Theater machen müssen, wenn du noch nicht lange trauerst. Es war immer klar, dass ich mit dir zurückkomme."

"Was um alles in der Welt soll das bedeuten, Kat?" Er drehte den Schlüssel, um den Motor abzustellen, und das Auto war plötzlich sehr still.

Ich schluckte und sah mich auf dem Parkplatz um, anstatt ihn anzusehen. "Wir sind versprochen. Es ist nicht so, dass ich eine große Wahl hätte. Oder dass einer von uns eine hätte. Es gibt keinen Grund, die Sache weiter auszuschmücken, das ist unvermeidlich. Ich habe meinen Laden behalten, und du hattest deine freien Jahre, und jetzt müssen wir tun, was von uns erwartet wird, bis die Dinge sicherer sind. Das muss auch für dich schwer sein." Ich versuchte, ihm ein Lächeln zu schenken, aber es war nur ein halbgeformtes Lächeln, ohne echte Freude.

Er legte seine Hand auf meine, sein breiter Daumen strich über die Spitzen der Knöchel. "Der Gedanke, dich zu heiraten, ist mir nie schwergefallen. Ich vertraue darauf, dass du ein so guter Mensch bist, wie es dein Vater war."

"Ich bin nicht bereit, für das Rudel zu sterben." Ich sah ihn an, die Unterlippe zwischen die Zähne gepresst. "Verlange nicht von mir, dass ich das sage, denn dann kann ich nicht mehr lügen. Ich habe gesehen, was mit meinem Vater passiert ist, und ich bin nicht so wie er."

"Niemand war sich sicher, was mit deinem Vater passiert ist."

"Meine Mutter war es." Ich verschränkte die Arme und versuchte, mein Temperament wie eine widerspenstige Wolke zurückzuhalten. Seine Hand verweilte auf meinem Oberschenkel und bewegte sich so, dass sein Handrücken darauf lag. Sehr gentlemanlike.

"Ich weiß, dass es Theorien gab." Er war so sanft, und plötzlich hasste ich ihn dafür, dass er mich anders behandelte, wenn es um alte Schmerzen ging. Ich war wieder fünfzehn, und man sagte mir, sie hätten bereits alle Entscheidungen für mich getroffen und ich solle zufrieden sein.

Ich schnalzte mit der Zunge, um den Schmerz in meiner Kehle zu vertreiben. "Nicht doch, Bastian. Wir sollten uns nicht streiten, bevor wir überhaupt zu dir nach Hause kommen. Ich weiß, dass dein Vater das Rudel verteidigt hat, und ich weiß, dass meine Mutter gegangen ist, weil sie sich nicht mehr sicher fühlte, nachdem man ihren Mann mit aufgeschlitztem Hals gefunden hatte. Mehr brauchen wir nicht zu sagen."

Sébs Brauen zogen sich wieder nach unten, bevor er sich räusperte. "Ich möchte nur nicht, dass du dich bei uns unsicher fühlst, das ist alles."

"Unsicher wie ein Überfall in meinem Haus? Da sind wir uns einig. Ich bin lieber bei dir, als dass mich jemand in meiner Küche umbringt."

Er neigte den Kopf zur Seite und zuckte dann leicht mit den Schultern. "Es ist eine niedrige Hürde, aber wir haben sie genommen. Ein guter Anfang. Kommen Sie, wir können hier etwas besorgen, bevor wir den Rest des Weges fahren.

Er drückte meinen Oberschenkel, öffnete seine Tür und glitt hinaus, um auch mir die Tür zu öffnen. Die Luft hier war kühler, die Kühle der Nacht raubte die Wärme, die sich zwischen uns im Auto aufgebaut hatte. Ich fröstelte ein wenig, als ich ausstieg - das Ersatzoberteil, das ich angezogen hatte, war nicht so dick wie mein ruinierter Pullover. Ich hätte eine andere Jacke mitnehmen sollen als den Mantel, den ich in den Koffer gehängt hatte.

"Hier." Er lehnte sich ins Auto und griff nach seiner Jacke. "Die kannst du tragen, bis wir drinnen sind."

"Danke. Aber wird dir nicht kalt?"

Er zuckte mit den Schultern. "Ich laufe warm. Das war schon immer so. Jedenfalls gefällt mir die Vorstellung, dass es nach dir riecht. Das ist eine süße Pärchensache."

Ich nickte und zog das weiche Leder an. Es war gut eingelaufen, an den Handgelenken abgenutzt und roch nach Schmutz und dem Parfüm, das er trug, etwas Sauberes und Frisches. Ich holte tief Luft, als ich den Kragen enger zog, und merkte dann, was ich tat. "Ich mag, was du trägst, vom Duft her. Passt zu dir."

"Danke." Seb reichte mir seinen Arm, und ich nahm ihn, um meine Verlegenheit zu verbergen, die ich zu diesem Zeitpunkt hatte. Es gab ein paar andere Autos in der Raststätte, aber nicht zu viele, gerade genug, um ein wenig zu plaudern, sobald wir drinnen waren. Wir konnten fast so aussehen wie jedes andere Paar, das zum Essen einkehrt, und es war leicht, in diese Rolle zu schlüpfen, als wir uns den großen Glasfenstern näherten, die in der einbrechenden Dunkelheit leuchteten.

Kapitel 5

Das Restaurant war die übliche Service-Affäre: helles, luftiges Dekor und eine Speisekarte voller Fleisch und Kohlenhydrate. Burger und eine Vielzahl von Kartoffelsorten, Tortillas mit allen möglichen Belägen, Stroganoff und Curry mit genug Reis, um sich den Weg in einige Lokale zu erkaufen. Wir saßen uns in einer gemütlichen Kabine gegenüber, perfekt für Paare, wie die freundliche Kellnerin sagte, und Bastian bestellte für uns beide alkoholfreie Getränke, während wir uns die Speisekarte ansahen.

"Ich möchte einen klaren Kopf behalten, während ich fahre", sagte er, als die Kellnerin verschwand.

Ich lächelte und blickte zu ihm auf. "Das ist kein Problem. Mir ist es lieber, Sie tun es. Ich hasse Leute, die betrunken fahren."

"Ich hätte dich gefragt, ob du einen Wein möchtest, wenn du nicht schon Schmerzmittel genommen hättest."

Ich lachte über den dünnen Druck seiner Lippen, wie er zur offenen Theke und dann wieder zu mir blickte. "Ich könnte mir ein Glas Wein bestellen, wenn ich das wollte. Aber das will ich ja nicht. Du bist so pingelig."

"Sie haben dich in deinem Haus angegriffen, während ich dort war, meine Schöne. Lass mich das machen."

"Das ist das zweite Mal, dass du mich so nennst." Unsere Getränke kamen und wir bestellten, bevor ich fortfuhr. "Gibt es einen Grund dafür?"

"Weil ich dich schön nannte? Das bist du. Und ich möchte ein paar Kosenamen für dich haben. Ich kann dich nicht die ganze Zeit Kat nennen. Das klingt spießig."

"Heißt das, ich darf dasselbe tun?" Ich stieß das Eis und die Zitronenscheibe mit dem Papierstrohhalm in mein Glas und genoss es, wie sie aneinander klirrten.

Ein Grinsen lag in seiner Stimme, als Seb antwortete, gerade noch am Rande einer Stichelei. "Das hängt davon ab, was hast du dir vorgestellt?"

"Ich weiß es nicht. Fido? Spot? Spot ist gut, besser als Clifford oder Lassie."

Er nahm einen langen Schluck von seinem Getränk, bevor er es absetzte. "Nicht Liebling? Liebe? Süße? Honig?"

"Alles ein bisschen zu vertraut, nicht wahr?" Ich nahm einen Schluck durch meinen Strohhalm und klimperte ihm unschuldig mit den Wimpern.

Er nahm mir das keine Sekunde lang ab und schüttelte den Kopf, als er sein Glas absetzte. "Kat, wir werden buchstäblich heiraten."

"Das sind wir, und du machst mir nur Komplimente für mein Aussehen. Kaum ein Zeichen für einen hingebungsvollen Verlobten. Was magst du angeblich noch an mir? Wir sollten uns etwas für das Ehegelübde ausdenken." Ich stützte meinen Ellbogen auf den Tisch, legte mein Kinn auf den Handrücken und starrte ihn mit hochgezogenen Brauen an.

"Das hört sich so an, als ob es sich um eine Visa-Vereinbarung oder so etwas handelt."

"Nein, aber vielleicht sollten wir uns daran ein Beispiel nehmen und uns darauf vorbereiten, dass sie uns Fragen stellen könnten. Du kannst dich wahrscheinlich nicht mehr an viel aus meiner Kindheit erinnern, und meine Erinnerungen sind offensichtlich veraltet, also können wir auf der Fahrt nach oben Neuigkeiten austauschen. Wir müssen eine Vorstellung von den Dingen haben, in die wir uns unsterblich verliebt haben, wenn wir es verkaufen wollen. Genauso, wie du mir den Hof machst."

"Ich würde dir den Hof machen, wenn ich damit diese Diskussion beenden könnte."

Ich zwinkerte ihm zu, und er hatte den Anstand, verwirrt zu schauen. "Kein Glück, tut mir leid, Kumpel."

"Spot war besser." Seb nahm noch einen Schluck und betrachtete das Glas stirnrunzelnd, als ob er sich wünschte, es würde mehr als Limonade enthalten.

"Spot ist es. Ich kann sagen, es ist wie Sweet Spot, aber du wirst die Wahrheit wissen." Ich setzte mich auf, wobei die schlaffe Haltung von vorhin die Haut an meinem Brustbein schmerzen ließ. "Mir gefällt, dass du in Erster Hilfe ausgebildet bist. Das zeigt, dass du dich gerne um andere kümmerst."

Er blinzelte mich an und lachte fast. "Was?"

"Ich finde es gut, dass du das gemacht hast. Das muss vor dem Tod deines Vaters gewesen sein, oder?" Er nickte. "Du hast dich also nicht darauf vorbereitet, seine Rolle zu übernehmen, sondern du hast es getan, um den Leuten zu helfen, mit denen du arbeitest. Das ist schön."

"Ich denke schon. Nun, wenn wir die Sache aus diesem Blickwinkel betrachten, gefällt mir Ihre Buchhandlung. Sie hat eine schöne Auswahl an Artikeln, und Sie haben sie über den üblichen Drei-Jahres-Zeitpunkt hinaus am Laufen gehalten, also müssen Sie sich sehr um sie kümmern."

"Danke." Ich lächelte ihn an und neigte meinen Kopf zur Seite, als ich ihn ansah. "Mir gefällt, dass du auch beim Fahren vorsichtig bist, du bist ein geschickter Fahrer."

"Warum klingen Sie so überrascht darüber?"

"Warst du jemals mit deinem Vater in einem Auto? John fuhr alles, als hätte er es gestohlen."

Seb schnaubte in seinen Drink und wischte sich mit einer Hand über das Kinn, als er ihn wegzog. "Sagen Sie das nicht vor meiner Mutter. Du hast recht, aber sie hat immer das Gleiche gesagt."

"Meine Lippen sind versiegelt." Ich fuhr mit Daumen und Zeigefinger darüber, als wollte ich sie schließen. "Versprochen."

"Mir gefällt, dass du deinen eigenen Weg gegangen bist, nicht nur mit dem Laden. Dein Haus ist ein freundlicher Ort. Heimelig. Das ist schwierig, wenn man allein lebt."

"Ich bin mir sicher, dass ich daran Anstoß nehmen sollte, aber ich werde es nicht tun."

Unser Essen kam und unterbrach seine Antwort, und als die Kellnerin ging, waren wir wieder kurz davor, uns fast freundlich zu fühlen. Fast. Wir sahen auf unsere Teller, dann auf den anderen, bevor wir zu essen begannen.

"Hast du jemals daran gedacht, zu mir zu kommen? Bevor du es musstest?", fragte ich. Ich stahl einen Zwiebelring von seinem Burger, während er eine Antwort formulierte, biss in den zu heißen Teig, kaute aber trotzdem. Ich könnte mich genauso gut darauf einlassen.

"Ja." Sein Lächeln war dieses Mal anders, weicher, als er seine Serviette nahm und sie über seine Schenkel legte. "Als ich mit dem Studium fertig war, wollte ich zu dir kommen und dir erzählen, was ich gemacht habe. Ich war der erste in der Familie, der es direkt nach der Schule geschafft hat, und ich habe mich damit gebrüstet, als wäre es etwas, womit man prahlen könnte."

"Das ist großartig. Da hätte ich mich gefreut, dich zu sehen."

"Ich habe vom Tod deiner Mutter erfahren, bevor ich dich besucht habe. Es wäre mir ... unsensibel erschienen, hier aufzutauchen und damit zu prahlen, während du mit deiner Trauer zu kämpfen hattest. Ich wusste nicht, wie ich diesen Unterschied in den Gefühlen ausgleichen sollte."

"Aber dieses Mal hast du es getan."

"Ja." Seb verstummte, ließ seinen Blick über mein Gesicht schweifen und griff dann über den Tisch hinweg nach meiner Hand. "Seit dem Tod meines Vaters habe ich deswegen ein schlechtes Gewissen. Ich hätte trotzdem kommen sollen, auch wenn es chaotisch war, aber ich bin nicht gekommen. Das war schlecht gemacht."

"Trauer ist eine große Sache. Sie kann sehr einschüchternd sein, wenn man auf der anderen Seite davon steht. Und ich war nicht gerade nett zu deinem Vater und Victor, als sie zu Besuch kamen."

"Was?"

"Hast du nie mit deinem Vater über mich gesprochen oder so?" Ich zog meine Hand zurück und hob meinen Burger auf, um einen Bissen zu nehmen. Es war unbedeutend, ihm das vorzuwerfen, aber er schüttelte nur den Kopf, während er sein eigenes Brötchen aufhob.

"Ehrlich gesagt, nicht sehr. Er hat nie davon gesprochen, dass wir heiraten sollten, es sei denn, ich hätte mein Studium beendet, also habe ich die Sache auf sich beruhen lassen. Wann haben sie dich besucht?"

"Hm." Ich war zu müde, um zu entscheiden, ob ich ihm glaubte. "Nachdem sie gestorben war, kamen die beiden zu Besuch. Sie brachten eine Lasagne deiner Mutter mit, die sehr geschätzt wurde, und boten an, die Kosten für die Beerdigung zu übernehmen."

Seb runzelte die Stirn und setzte seinen Burger ab. "Was haben sie dir angeboten?"

"Sie saßen in der Wohnung, die wir gemietet hatten, und boten an, alles zu bezahlen, den Sarg, die Zeremonie und das Grab. Sterben ist teuer, wissen Sie. Nun, das hast du sicher schon gemerkt, tut mir leid. Aber ja, sie kamen und setzten sich auf das hässliche kleine Sofa, das wir dort hatten, nahmen den ganzen Platz zwischen ihnen ein. Sie tranken den billigen Kaffee, den ich im Schrank hatte, und boten mir eine Menge Geld."

"Und du hast nein gesagt."

"Ich glaube, ich habe Victor sogar gedroht, ihm eine Tasse Kaffee ins Gesicht zu schütten, wenn er auf der Beerdigung auftaucht." Plötzlich wurde *mir* heiß im Gesicht, und ich biss mir auf die Lippe, um ein beschämtes Lachen zu unterdrücken. Ich war nicht anmutig gewesen, in den dunklen Tagen nach dem Tod meiner Mutter war ich scharf und spröde wie ungehärtetes Glas gewesen. "Es war nicht lange nach ihrem Tod, und ich war noch sehr verwundet. Er war immer noch schärfer als dein Vater."

"Victor ist ein guter Mann, aber ja. Gewalttätig. Er hat immer noch mit dem Rudel zu tun, damit du es weißt."

Ich nickte und winkte mit der Hand, während ich mir einen weiteren Bissen von meinem Burger gönnte. "Natürlich, das habe ich vermutet. Wenn ich ihn sehe, werde ich mich entschuldigen."

"Ich bin sicher, er wird es dir nicht übel nehmen, du warst jung und verletzt. Warum hast du Nein gesagt?"

"Ich wollte dem Rudel nichts schulden. Ich war bereits gebunden, als das Unvermeidliche eintrat, aber ich wollte das selbst für sie tun. Es gab Versicherungspolicen, um die Beerdigung zu bezahlen, und ich hätte sowieso meinen eigenen Weg gehen müssen, also kam es mir irgendwie wie Betrug vor, es anzunehmen. Als würde ich ihre Wünsche ignorieren."

"Du hättest nicht alles selbst machen müssen."

"Was hätte ich denn sonst tun sollen, mit einundzwanzig, ganz allein auf der Welt? Die Familie meines Vaters hat seit seinem Tod nichts mehr mit uns zu tun, und mütterlicherseits gab es keine andere Familie."

"Du hättest zu uns zurückkommen können." Seb sagte es so deutlich, als wäre es offensichtlich und ich ein Narr, weil ich es nicht sah.

"Das Rudel?" Ich ließ fast meinen Burger fallen und verschluckte mich an nichts, bevor ich wieder sprach. Mein Gehirn verfing sich in der Idee, die Option nistete sich in meinem Kopf ein, als hätte sie sich vor uns auf dem Tisch ausgebreitet. "Es ist mir ehrlich gesagt nicht in den Sinn gekommen. Ich hatte nie erwartet, dass ich zurückkommen würde, außer um unser Versprechen zu erfüllen, und selbst dann dachte ich, es wäre nur Show. Dass du jemand anderen haben würdest, der dein richtiger Partner ist."

"Wir hätten dich sofort wieder zurückgenommen. Du bist kein feindlicher Einwanderer, Kat, du warst eine von uns, bis du gegangen bist."

Ich sah auf meinen Teller hinunter und überlegte, was ich antworten sollte. Ich wollte nicht unnötig grausam zu ihm sein, aber seine Einschätzung der

Situation war so weit von meiner entfernt, dass mir schwindelig wurde durch die Entfernung . "Das war nicht so, wie es schien, als ich mit deinem Vater und Victor sprach. Es schien so, als ob sie durch mein Alleinsein belastet waren, und eine Rückkehr wäre das Mindeste gewesen, was man erwartet hätte, um die Indiskretion meiner Mutter wiedergutzumachen. Dass sie in Sicherheit sein wollte."

"Sicher?"

"Nun, so sehr sie auch starb, keinem von uns wurde in den dunklen Wäldern die Kehle herausgerissen. Ich weiß nicht, ob wir dasselbe sagen könnten, wenn wir geblieben wären."

"Kat, keiner von uns hätte dir etwas getan."

Ich setzte meine Gabel zu hart ab; das Metall klirrte auf dem Teller wie eine wütende Note. "Jemand hat meinen Vater getötet. Ich weiß, ihr habt geschworen, dass es keiner aus dem Rudel war, aber selbst wenn nicht, sollte er beschützt werden. Stattdessen lag er tot unter dem *kostbaren* Mondlicht. Und wir waren allein."

Seb gab einen gequälten Laut von sich. "Du hättest nicht allein sein müssen. Ich wollte nicht, dass du allein bist. Du hast dich so abgeschottet, nachdem es passiert ist."

"Ich frage mich, warum." Ich biss in den Burger, um mich daran zu hindern, noch etwas Grausames zu sagen, altes Gift sickerte zwischen meinen Zähnen hindurch. Wir sollten nicht darüber reden, das hatte ich schon im Auto gesagt.

"Ich weiß. Tut mir leid." Er nahm sein Getränk in die Hand und schwenkte die Flüssigkeit ein paar Augenblicke lang, während er die Blasen betrachtete, die sich drehten und taumelten. "Ich wusste nicht, dass sie dieses Angebot gemacht haben. Keiner von uns hat an der Beerdigung teilgenommen, aber mir wurde gesagt, das läge daran, dass sich bereits um alles gekümmert worden sei."

"Das waren sie."

"Ja, das sehe ich. So wurde es nicht dargestellt, aber ich verstehe, was Sie meinen. Ich glaube, ich weiß, was sie mit ihrem Angebot beabsichtigten, aber offensichtlich wurde es nicht gut vermittelt." Er seufzte und stellte sein Glas ab, als er versuchte, meinen Blick zu erhaschen. "Das tut mir leid. Ich hätte mich gerne früher mit Ihnen in Verbindung gesetzt, wenn das eine Möglichkeit gewesen wäre."

"Danke. Ich habe mich auch schon ein paar Mal über dich gewundert."

"Ja?"

"Genau das, was du getan hast. Wenn Sie sich die Hörner abstoßen oder auf Reisen sind. Ich hätte nicht gedacht, dass du als Goldjunge so weit weg dürftest. Als wir klein waren, durftest du nie viel allein sein. Aber vielleicht würdest du ein paar andere Dinge tun können. Autoreisen und so."

"Das klingt, als würde dir das gefallen." Seb begann wieder seinen Burger zu essen und beobachtete mich beim Kauen.

"Ich würde gerne reisen. Ich hatte immer einen Plan, wohin ich reisen wollte, mit dem Rucksack, um an Orten abseits der Landkarte zu übernachten. Städte für ein paar Tage am Stück erkunden, vielleicht auf Farmen arbeiten, zum Beispiel Orangen pflücken oder was auch immer ich finden könnte, irgendwo eine Weile leben, bevor man weiterzieht."

"Das ist nicht die sicherste Art, Dinge zu tun, weißt du?"

"Ich weiß." Ich schüttelte den Kopf und schob den Beilagensalat vor mir her. Die Kirschtomaten waren in Ordnung, aber das Grünzeug war schlaff und hatte zu dieser späten Stunde offenbar schon das Schlimmste aus dem Kühlschrank gesehen. Ich spießte eine Tomate auf meine Gabel und wickelte etwas Salat darum, als wäre es ein Geheimnis. "Ich dachte, es wäre eine gute Art, die Welt zu sehen."

"Du bist aber nicht hingegangen?"

Ich schüttelte den Kopf. "Nein. Nachdem meine Mutter ihren ersten Schlaganfall hatte, brauchte sie tagsüber Hilfe, und das kostet Geld. Es war wichtiger, dass wir das bezahlen konnten, als dass ich mit durch die Gegend ziehen konnte. Ich arbeitete tagsüber und besuchte abends Kurse, um etwas Besseres zu erreichen. Wie auch immer, in der Zukunft habe ich viel Zeit dafür. Es ist ja nicht so, dass nur Teenager auf Reisen gehen."

Er brummte und aß seinen Burger zu Ende. "Es war gut, dass du dich um sie gekümmert hast."

"Das tun wir doch auch, oder? Marie macht das Gleiche mit deiner Mutter und ihrem Kummer. Du bist hier und bringst mich zurück ins Rudel, damit die notwendigen Dinge erledigt werden können. Wir alle versuchen, uns um die Menschen zu kümmern, die wir lieben."

"Ja, du hast recht." Er neigte den Kopf in die andere Richtung, als würde er etwas abwägen, dann hustete er, bevor er wieder sprach. "Warst du bei ihr, als sie starb?"

Ich stieß einen zittrigen Seufzer aus, das Klopfen meines Herzens in meiner Brust war ein vertrauter, aber unwillkommener Schmerz. "Ich war zu Hause, ja. Das bedeutete, dass ich bei der Leiche sitzen konnte, bis das Bestattungsinstitut sie abholen konnte. Es hat etwas Erdendes, wenn man sieht, dass die Person nicht mehr da ist. Dass sie weg ist. Es ist schwierig, aber es hilft dir, deinen Frieden zu machen.

"Oh, Kat." Er erhob sich von seinem Sitz und schob sich neben mich, um einen Arm um meine Schultern zu legen. "Kleines Mädchen, es tut mir so leid."

"Das ist mir neu", sagte ich und schnappte nach Luft, während ich versuchte, nicht zu weinen. Es war alles alter Schmerz, ich hatte schon genug Tränen gehabt, als sie starb, aber mit all dem Gerede von früher drängte es sich plötzlich auf. In der Öffentlichkeit zu weinen war jedoch absolut nicht das, was ich tun wollte, und selbst in der Privatsphäre einer Kabine würde es eine Szene verursachen. Ich atmete tief durch und beruhigte meine Schultern.

"Ich nenne dich, wie du willst, oder ich kann sie weiter drehen, was immer dich zum Lachen bringt. Komm her." Er zog mich näher an sich heran und fuhr mit seiner freien Hand an meinem Arm auf und ab. "Du warst so mutig, das zu tun. Ich weiß nicht, ob ich das damals hätte tun können. Ich könnte es jetzt kaum tun."

"Musstest du das?"

Er hustete und umarmte mich einen Moment lang fester, bevor er sprach. "Ich habe ihn gefunden. Na ja, seine Leiche. Er war verschwunden, kam nach einem Treffen nicht zurück, und ich bin die beste Spürnase. Natürlich bin ich losgezogen, um zu suchen."

"Ich erinnere mich daran, dass du die beste Spurensucherin bist. Es tut mir leid, Seb, das ist furchtbar."

"Das war es, aber wenigstens war ich es und nicht jemand anderes. Marie hätte es nicht verkraftet, ihn so zu sehen. Es war besser, nachdem sie ihn gesäubert hatten."

"Ja, das macht es einfacher", sagte ich. Ich hielt seine Hand, die immer noch auf meinem Arm lag, und verschränkte unsere Finger miteinander, um sie ein wenig zu quetschen. Es war kein großer Trost, aber sein Schmerz war so viel neuer als meiner. Er hatte etwas Sanftheit verdient.

Er atmete aus und lehnte seinen Kopf an meine Schulter. Es fühlte sich warm an, sogar durch mein Oberteil hindurch, seine Haut strahlte entlang der Kurve des Gelenks, verweilte. "Ich treffe immer wieder auf alte Schmerzen bei dir, Liebling. Ich werde mir eine Karte machen müssen."

"Elf Jahre sind eine lange Zeitspanne. Da kann man natürlich in ein paar Fallen tappen. Wenigstens gab es keinen Freund, den ich verlassen musste, hm? Das wäre noch unangenehmer gewesen."

"Du sagtest, du hättest nicht viel Glück mit ihnen, was ich sehr merkwürdig finde. Er lachte, und es war ein echtes Lachen, mit einer gewissen Leichtigkeit darin, als er sich aufsetzte.

Ich ließ seine Hand los und spielte wieder mit meinem Glas. Es war einfacher, über das Restaurant hinweg zu schauen als zu ihm. Ich wusste nicht, ob ich es ertragen konnte, in sein ernstes Gesicht zu blicken, in das Gewicht seiner haselnussbraunen Augen. Es waren freundliche Augen, das waren sie schon immer gewesen. Wenn man genau hinsah, hatte er goldene Flecken in den braunen Partien, ein Hinweis auf den

Wolf in ihm. Ich habe mich oft gefragt, ob das der Grund war, warum meine Augen ihr eigenes helles Blau hatten, das Feuer in mir, das sich so gut es ging herausschlich. Törichte Gedanken.

"Es schien mir unfair, mit jemandem etwas Ernstes anzufangen, wenn ich wusste, dass ich gehen würde. Ich hatte Verabredungen und so weiter, war ein paar Monate mit jemandem zusammen, aber nichts... Substanzielles, sagen wir mal", sagte ich.

"Du hast nie einen von ihnen hereingelassen?"

"Nichts Ernstes. Ich hatte ein Geschäft zu führen, das so viel Zeit in Anspruch nimmt. Und es gab noch andere Dinge zu bedenken. Das macht es schwieriger, mehr als eine lockere Affäre zu haben, jemanden, mit dem man eine Weile Spaß haben kann."

"Andere Dinge?"

Ich schüttelte den Kopf über seine Frage und widerstand dem Drang, mit den Augen zu rollen. "Zweifellos das Gleiche wie du. Ich wette, dass du potenzielle Freundinnen nicht mit einem Auge darauf bewertest, ihnen zu erklären, warum du an bestimmten Abenden abtauchen musst."

Er zuckte mit den Schultern und schüttelte den Kopf. "Du hast recht, mir geht es genauso. Ich hatte ein paar Freundinnen, aber nichts, was mich dazu gebracht hätte, uns zu überdenken."

Wir. Das war eine so einfache Art, alles auf den Punkt zu bringen. Uns. Nicht 'arrangierte Ehe', nicht 'versprochen', nicht 'Tote haben das so gewählt'. Wir. Ich schüttelte mich aus meinen verbitterten Grübeleien und tippte auf meine Uhr. "Wir sollten uns auf den Weg machen. Es wird schon spät."

"Willst du keinen Nachtisch?"

"Ich meine, ich schon, aber die Fahrt."

"Ich habe es heute schon einmal getan; es macht mir nichts aus, fünfzehn Minuten für den Nachtisch zu brauchen. Du hattest eine Schwäche für Süßes, ich erinnere mich."

Ich kicherte und lehnte meinen Kopf für einen Moment an seine Schulter. "Was für eine dumme Sache, sich daran zu erinnern."

"Dass du Süßigkeiten magst?"

"Ja. Ich erinnere mich an andere Dinge über dich."

"Ich freue mich darauf, herauszufinden, was es ist." Er winkte die Kellnerin herbei und setzte sich wieder auf seinen Platz gegenüber. Ich spürte die Abwesenheit seines Körpers wie einen Windhauch an meiner Seite.

Kapitel 6

Einen Sticky Toffee Pudding später waren wir auf dem Weg zurück zu seinem Haus und fuhren in der völligen Dunkelheit. Die Scheinwerfer warfen einen klaren Lichtkegel in die nächtliche Düsternis und zeigten die Augen der Katzen auf der Straße, und wir fuhren in angenehmer Stille.

"Ich muss dich etwas fragen, bevor wir die Häuser erreichen. Es wird dir nicht gefallen", sagte Seb.

Oh Mann. "Richtig. Was ist es?"

"Was wirst du über deine Magie sagen?"

"Einfach. Ich übe nicht."

"Kat."

"Ich nicht." Ich warf ihm einen Blick zu, den er ignorierte, um weiter auf die Straße zu schauen. Vernünftig, wirklich.

"Abgesehen von deinen fantastischen Reflexen wissen wir beide, was vorhin passiert ist."

"Ich bin nicht ausgebildet. Meine Mutter hat dafür gesorgt, dass ich genug weiß, um sicher zu sein, aber mehr auch nicht. Ich kann nicht viel mehr tun, als mich mit Feuer zu schützen."

Damit saß er da und schnalzte mit der Zunge. Ich ließ die Stille auf mich wirken, bis ich das Gefühl hatte, sie würde mich erdrücken und den kleinen Raum im Auto ausfüllen. Er brach als Erster zusammen. "Du hast also die angeborene Fähigkeit, du bist nur untrainiert."

"Ja, wie Sie gesehen haben."

"Aber du hast trainiert, bis dein Vater starb."

"Ja."

"Richtig." Er nickte vor sich hin. "Wenn ich dich also anspringe und 'Buh' schreie, wirst du mich nicht in Brand stecken?"

"Ich werde dich sowieso nicht anzünden, denn aus irgendeinem seltsamen Grund verbrennt es dich nicht. Was schrecklich ist, wenn ich hinzufügen darf. Verbrennt es andere Wölfe?"

"Ich denke schon. Eure Väter haben es getan, also nehmen wir an, ja. Ich glaube nicht, dass sich jemand freiwillig als Versuchsperson melden wird."

"Schön. Gut, wir nehmen also an, dass ich robust genug bin, um andere Wölfe in Brand zu setzen. Das war's. Kein Landsegen, kein Fruchtbarkeitssegen, nichts von dem, was mein Vater zu tun pflegte."

Seb sah zu mir herüber, seine Finger umklammerten das Lenkrad so fest, dass ich das Leder knarren hörte. "Wie bitte?"

"Die Rituale. Er hat nie zu viel erklärt, ich war jung, also nehme ich an, dass er es altersgerecht gehalten hat. Aber ich weiß, dass er an Segnungen beteiligt war. Die kann ich nicht machen."

"Richtig." Er schaute wieder nach vorne und blinzelte ein paar Mal. "Richtig, das ist in Ordnung. Wir machen so etwas eigentlich nicht mehr. Das ist also kein Problem. Es reicht, wenn du dich selbst verteidigen kannst."

"Das ist gut zu wissen. Deine Mutter wird nicht enttäuscht sein?"

"Nein, nein, sie wird nur froh sein, dass wir dich wieder im Rudel haben. Größtenteils unversehrt. Wie fühlt sich deine Brust an?"

"Es ist in Ordnung. Ich brauche vielleicht noch ein paar Schmerzmittel, bevor ich schlafen gehe, aber es tut nicht so weh, wie ich erwartet habe."

"Gut, das ist gut." Er hielt seinen Blick auf die Straße gerichtet, die Augenbrauen wieder gesenkt, und ich ließ die Stille zwischen uns wieder zu. Er war eindeutig enttäuscht, dass ich nicht ausgebildet war, aber wenigstens sah er mich nicht als völlig nutzlos an. Daran konnte ich nicht mehr viel ändern.

Wir erreichten die kleine Ansammlung von Häusern kurz vor elf, ohne dass wir uns durch unsere Tändelei im Restaurant zu sehr verspätet hatten. Es war anders als zu meiner Jugendzeit, aber immer noch als ihr kleiner Weiler erkennbar - ein paar neue Häuser, und die Straße wurde durch die Asphaltierung deutlich verbessert.

"Jemand hat in die Straße investiert."

"Meine Idee. Wir haben jeden Sommer den Schotter aufgerissen", sagte Seb.

Ich grinste ihn an und nickte ein wenig. "Kluger Mann. Aber billig ist es nicht."

"Wem sagen Sie das. Es gab einen ganzen Streit über die Ausbaukosten, ob wir asphaltieren oder diesen verstärkten Schotter nehmen sollten. Am Ende habe ich gewonnen."

"Gewonnen durch Debatte oder Wolfskampf?"

"Debatte, danke." Er schüttelte den Kopf, als er zum Parken anhielt und den Motor abstellen ließ, während er sich mir zuwandte. "Die meisten aus dem Rudel werden heute Abend zu Hause sein, also werde ich euch morgen vorstellen. Ist das in Ordnung?"

"Ja, natürlich. Es ist schon spät. Ich erwarte nicht, dass Sie noch an Türen klopfen."

Er lachte und nahm eine meiner Hände in seine. "Manche schon. Sie würden die volle traditionelle Begrüßung verlangen. Das kann ich Ihnen jetzt nicht geben, wo alles noch in der Schwebe ist, aber später werde ich es tun."

"Dann ist es ja gut, dass ich nicht sie bin. Ist schon gut. Ist das dasselbe Haus, in dem deine Mutter und deine Schwester wohnen?"

"Nein, das gehört jetzt uns. Meine Mutter wollte, dass ich so schnell wie möglich in die offizielle Residenz komme. Ich glaube, es war eher so, dass sie nicht hier sein musste, aber es schien nur richtig zu sein, ihrem Wunsch nachzukommen."

"Genau. Also nur wir." Ich bemühte mich, meine Stimme ruhig zu halten. Es war ja nicht so, dass er ein Fremder war. Als Kinder hatten wir uns schon einmal einen Raum geteilt, aber das war lange her, und es fühlte sich nicht mehr so an, als würde er mich hierher fahren. Den Märchenprinzen zu spielen.

"Es gibt viele freie Zimmer, Kat. Du wirst Platz haben. Bis zur Hochzeit wäre es sowieso nicht angemessen für etwas anderes."

Meine Sorgen verflüchtigten sich, denn ich vertraute ihm, auch wenn das alles seltsam war. "Das ist rücksichtsvoll."

"Vielen Dank. Kommen Sie, ich zeige Ihnen eine Erfrischung."

Wir stiegen gemeinsam aus dem Auto aus; ich öffnete meine Tür, da wir sicher im Rudelgebiet waren. Wenn uns hier jemand beobachtete, gab es größere Probleme, als dass wir dabei gesehen wurden, wie wir uns gegenseitig den Hof machten.

"Wer wartet oben auf dich?" Ich zeigte auf das nächstgelegene Fenster, wo in der Dunkelheit eine Lampe brannte.

"Es sollte niemand da sein." Bastian blickte stirnrunzelnd zum Fenster, als ob das etwas helfen würde, und legte eine Hand auf mein Handgelenk. "Bleib hier. Ich werde nachsehen."

"Wie bitte?"

"Bleib einfach beim Auto. Du kannst wieder einsteigen und es abschließen, wenn es nötig ist."

Als ob ich hier sitzen und darauf warten würde, dass einer von uns nach dem früheren Abend abgestochen wird. "Also gut, Lancelot, wie wäre es, wenn wir beide gehen? Du kannst "Buh" schreien und ich zünde jemand anderen an."

"Gut. Aber bleib hinter mir."

Kapitel 7

Um hinter ihm zu bleiben, mussten wir uns umdrehen, Seb brachte mich zur Hintertür, damit er wie ein Dieb in der Nacht durch die Tür schlüpfen und an der Küche vorbeigehen konnte, ohne Licht zu machen. Das war gut und schön für ihn, der das Haus jetzt anders kannte als vor über zehn Jahren, aber ich musste an seinem Rücken kleben bleiben, damit ich nicht gegen einen Hocker trat oder gegen einen neu aufgestellten Tresen stieß.

Die Tür zum Rest des Hauses stand einen Spalt offen, genug, um das schwache Licht hereinzulassen und ein Leuchtfeuer zu malen, auf das wir zielen konnten, aber ich hielt mich am Saum seines Hemdes fest, damit ich uns nicht verriet.

"Hast du Angst?" Seine Stimme war ein Flüstern, kaum zu verstehen in der bedrückenden Stille. Ich konnte das Summen der elektrischen Geräte im Raum hören, und irgendwo in der Tiefe des Raumes tickte eine Uhr.

"Nur um uns zu verraten."

"Halten Sie sich einfach an mich." Seb führte uns zur Tür und knarrte sie mit quälender Vorsicht auf, während er stirnrunzelnd in den Spalt blickte. Seine ganze Haltung änderte sich, die Schultern sackten in sich zusammen, als er murmelte: "Oh, um Himmels willen."

"Was?"

"Nichts, komm schon." Er nahm meine Hand in seine und zog die Tür auf, als er eintrat. "Daniel, was zum Teufel ist das?"

Er zerrte mich in ein gemütliches, offenes Wohnzimmer, in dessen Mitte sich ein Nest befand. Ein riesiges, überdimensionales Sofa - sicher ein Sechssitzer - war von der Wand weg in die Mitte des Raumes gezogen worden, mit Dutzenden von Kissen und einem Meer von Decken, die in zerknitterten Stapeln über den Hauptkissen lagen. Kerzen verteilten sich an den Rändern des Raums und verbreiteten ein trübes Licht, und etwas, das wie Rosen aussah, war in einem offensichtlich wiederverwendeten Krug gebündelt.

Es war zauberhaft.

Daneben stand ein Mann, den ich den kleinen Daniel nannte und der schrecklich deplatziert aussah und sich ebenso unwohl fühlte. Er war jetzt leicht 1,90 m groß und breit wie ein Shire Horse, seine Schultern waren tief und kantig, während sein Nacken aus Muskeln bestand. Die schwarze Weste, die er trug, zeigte seine Arme, die muskulös und mit Tinte übersät waren, die sich deutlich von seiner blassen Haut abhob, obwohl ich nicht genau erkennen konnte, was die Tätowierungen waren. Sein Haar war kurz geschoren, ein schwacher Hauch von Blond, der das Kerzenlicht auffing, und sein Gesicht war rot genug, um eine Kerze anzuzünden.

Wir hielten etwas außerhalb der Glut des Nestes an, und der Sandelholzduft der Kerzen umgab uns wie eine freundliche Katze.

"Und?" fragte Bastian.

"Ich hätte nicht gedacht, dass Sie durch die Hintertür kommen, Chef. Ich wollte gerade gehen, als ich hörte, wie die Vordertür geöffnet wurde."

"Das ist zwar sehr anschaulich für deine Absichten, aber ich wiederhole: Was ist das?" Er zeigte auf die Couch, und ich biss mir auf die Lippe, um ein Lachen zu unterdrücken.

"Sei kein Schreckgespenst, Seb. Hey, Daniel." Ich winkte Daniel kurz zu und lächelte ihn an, als ich um Seb herumschritt. "Du bist groß geworden."

"Ich habe die Knochen selbst gezüchtet", sagte er. Er öffnete seine Arme für eine Umarmung und drückte mich, als müsse er sich vergewissern, dass ich wirklich da war, als ich in die Umarmung eintrat. "Es ist lange her, dass wir dich gesehen haben, Kat. Ich hatte schon Angst, du würdest ihm sagen, wohin er gehen soll."

"Ich stehe genau hier", sagte Seb.

"Ich bin froh, dich wiederzusehen", sagte ich und ignorierte Sébs Bemerkung. "All diese Aufregung wegen mir?"

Er löste sich aus der Umarmung und schaute mit einem verlegenen Grinsen auf das Sofa. "Ich dachte mir, du würdest eine kleine Höhle mögen. Ich weiß, du warst noch jung, als du weggegangen bist, aber eine Höhle ist immer gut, nicht wahr?"

"Ich wusste nicht, dass du so ein Romantiker bist." Ich blickte zurück auf die Schichten von Decken und Kissen; eindeutig ein gemütlicher Raum, der noch einladender wirkte.

"Ich auch nicht, sonst hätte ich Marie gesagt, dass sie auf dich aufpassen soll", sagte Seb.

"Du wolltest sie mit der Nachricht von einer Leiche abholen, Seb, das erschien mir nicht sehr romantisch." Daniel sprach immer noch aus dem Mund, wenn er sich unwohl fühlte. Ich konnte sehen, wie er die Lippen auf der anderen Seite des Mundes zusammenkniff. Es war süß, dass er sich an die ersten Frühlingsmonate erinnerte, die wir als Kinder damit verbracht hatten, kleine geheime Punkte im Wald oder im Haus des anderen zu bauen, um dort zu dösen oder zu lesen, wenn das Wetter zu unberechenbar oder die Leute zu laut waren. Wir hatten eine tolle Zeit, in der wir frei waren und tun konnten, was wir wollten.

Die Freundlichkeit verdrehte sich in meiner Brust, wie es das Messer getan hätte, aber ich konnte nicht sagen, dass es wirklich weh tat.

"Nun, ich bin auch nicht sehr gut in Romantik, also wäre er dort ziemlich sicher gewesen", sagte ich. Ich drehte mich um und sah die beiden an, wobei ich darauf achtete, mein Innerstes starr zu halten, um meine Schnitte nicht zu verletzen. "Das ist ein schöner Gedanke, Daniel, danke. Selbst wenn du ihm Anerkennung zollen wolltest."

Seb rümpfte die Nase und rieb mit dem Daumen an seinem Kinn entlang, bevor er sprach. "Ja, es ist schön, dass du das tun wolltest. Und keine brennenden Kerzen herumstehen lassen, die das Haus abbrennen könnten."

"Deshalb war ich noch hier, wegen des Brandschutzes und so", sagte Daniel.

"Vernünftig", fügte ich hinzu.

"So, jetzt habe ich den romantischen Moment gründlich ruiniert, kannst du jetzt gehen, damit ich Kat einrichten kann?" sagte Seb.

"Du willst nicht, dass ich dir helfe, das Gepäck hineinzutragen, wo ich schon mal hier bin?" Daniel nickte in Richtung der Tür und wurde munter.

"Es sind nicht so viele. Ich habe wenig gepackt, weil..." Ich brach ab und sah Seb an, der den Kopf senkte.

"Was?" fragte Daniel.

"Da wir klären werden, wie es mit meinem Laden weitergeht, kann ich in ein paar Fahrten mehr Sachen abholen", sagte ich in Eile. "Ich habe den Laden seit fünf Jahren. Ich muss sicher sein, dass er gut behandelt wird, während ich weg bin. Auf der ganzen Fahrt hierher habe ich ihm das Ohr abgekaut."

"Ach ja, er sagte, Sie hätten eine Buchhandlung. Ich habe mir Ihre Website angesehen. Sie ist ein bisschen alt." Daniel lachte und schüttelte den Kopf. "Wir können einen der Jüngeren bitten, dir etwas Besseres zu besorgen? Ich meine, Seb kümmert sich sowieso um all das, aber meine Cousine Karin ist eine große Programmiererin. Sie würde sich freuen, wenn sie auch mal etwas ausprobieren könnte."

"Das wäre super, ja." Ich schaute zu Seb, der jetzt eine Rose untersuchte, als wolle er, dass sie in Flammen aufgeht wie die umliegenden Kerzen. "Wenn das in Ordnung ist? Ich will nicht reinkommen und anfangen, Dinge herumzuschubsen."

"Das wäre gut." Seb sah grinsend zu mir auf und nickte. "Die Mädchen sind gut im Programmieren. Wenn sie sich an einem richtigen Projekt festbeißen, würde das ihr Selbstvertrauen stärken. Außerdem können sie es später in einem Portfolio verwenden."

Daniel nickte, glücklich wie ein Lämmchen. "Gut. Ich werde mich dann mit Marie in Verbindung setzen. Sag mir morgen Bescheid, was wir für eine Willkommensparty vorhaben."

"Bevor du gehst, gibt es noch etwas anderes. Kat, komm her." Seb winkte mich zu sich und legte mir einen Arm auf die Schulter. "Ich werde es nicht jedem erzählen, aber jemand hat Kat zu Hause überfallen. Der Kerl ist entkommen. Sie hat ihn weggeschickt, wie es ein Mitglied des Rudels tun würde, aber sie sind eindeutig auf dem Vormarsch. Pass auf Marie und meine Mutter auf, ja?"

"Ja, kein Problem. Alles in Ordnung, Kat?" Daniel kam einen halben Schritt näher, sein ganzes Gesicht war angespannt.

"Irgendein Idiot mit einem Messer dachte, er könnte mich überwältigen, als ob das passieren würde." Ich schnaubte lachend und legte meinen Arm über Sébs Rücken, sodass ich mich an seine Seite drückte. "An Seb würde er sowieso nicht vorbeikommen, oder?"

"Nein, auf gar keinen Fall. Aber das ist nicht gut. Sollten wir jemanden dabei haben, für den Fall?" Er schaute Seb an, die Leichtigkeit war verschwunden, als er die Stirn runzelte und zwischen uns hin und her sah.

"Das werden wir morgen früh sehen. Dann können wir mit allen eine richtige Diskussion führen."

"Okay, wie Sie meinen, Boss." Daniel trat wieder zurück und drehte sich um, um zur Eingangstür zu gehen. "Ich hole, was im Auto ist. Du kümmerst dich um Kat."

"Was war das?" fragte ich, als Daniel durch die Eingangstür verschwand. "Plötzlich kuschelig?"

"Was haben Sie über den Laden gesagt?"

"Ich habe mich abgesichert, falls Sie nicht über den Angreifer sprechen wollten. Offensichtlich erwarten die Leute etwas." Ich nickte dem Nest zu. Den. Wie auch immer.

Seb rollte mit den Augen. "Es gab eine Vorahnung von etwas Glück. Die Leute freuen sich auf eine Hochzeit, eine gute Nachricht nach der schlechten. Sie haben dich vermisst. Deine Website könnte allerdings ein Update vertragen. Sie ist klobig."

"Oh, du kannst die Klappe halten und-" Ein Klopfen an der Tür unterbrach mich, bevor ich Dampf ablassen konnte, und wir drehten beide unsere Köpfe zur Tür.

"Tut mir leid, dass ich so spät anrufe." Victor stand in der Tür, die Daniel offen gelassen hatte, als er das Auto auslud.

Victor war älter, als ich ihn in Erinnerung hatte, die fünf Jahre hatten ihm mehr zugesetzt, als sie hätten sein müssen. Obwohl er immer noch gut gekleidet war, sah er für einen Mann in den frühen Fünfzigern abgenutzt aus, sein braunes Haar war jetzt an den Schläfen silbern gefärbt, und die Falte auf seiner Stirn war selbst dann präsent, wenn er lächelte. "Ich habe einen Tumult gehört und wollte nachsehen, ob alles in Ordnung ist."

"Victor, hallo." Ich löste mich von Seb und reichte ihm die Hand. "Ich glaube, ich muss mich bei dir entschuldigen, weil wir uns das letzte Mal unterhalten haben."

"Oh ja, die Drohung mit dem Tod durch Kaffee, wenn ich zurückkäme." Er lächelte, nahm meine Hand und anstatt sie zu schütteln, zog er mich in eine Umarmung. Der Ruck nach vorne ließ meinen Brustkorb zucken, die Haut brannte, aber das Geräusch, das ich machte, erstarb an seiner Schulter, als er mich in eine Umarmung hüllte. "Mach dir keine Sorgen, kleine Hexe. Du hast getrauert. Wir alle wissen jetzt mehr darüber, als wir damals wussten."

"Ich hätte nicht erwartet, dass du so begeistert von Kats Rückkehr bist." Seb kam näher, legte mir eine Hand auf die Schulter, als Victor mich aus der spontanen Umarmung befreite. Ich ließ zu, dass Seb mich wieder zu sich zog, sein Arm legte sich wieder um meine Schulter.

Victor nickte, warf einen Blick in den Raum und sah mit leuchtenden Augen auf das Sofanest. "Es ist gut für das Rudel, wenn es vorwärts geht. Du im Haupthaus, mit deiner Gefährtin, das ist ein Blick in die Zukunft. Es wird helfen, die Dinge zu regeln."

"Vielleicht ist es nicht so rosig. Es war jemand in Kats Haus, als wir dort ankamen. Bewaffnet."

"Bist du verletzt?" Victor sah mich an und trat wieder näher. Wölfe hatten es noch nie so mit dem persönlichen Freiraum, aber das war ein bisschen viel.

"Seb hat den Kerl verjagt, aber ich habe eine kleine Schnittwunde." Ich tippte mir oben auf die Brust, auf den kleineren Schnitt, und zuckte mit den Schultern. "Nichts Schlimmeres als bei den anderen, da bin ich mir sicher."

Victor runzelte die Stirn, obwohl er nickte. "Wir werden dafür sorgen, dass du jemanden zur Hand hast, falls du ihn brauchst. Ich weiß, dass du in der Lage bist, dich selbst zu schützen, so wie es dein Vater konnte, aber wir sollten zusammenhalten, wenn es eine Bedrohung gibt."

"Das werden wir." Seb drückte mir einen Kuss auf die Schläfe, wodurch sich meine Wirbelsäule aufrichtete. "Du bleibst einen Moment hier, meine Schöne. Ich will noch kurz mit Daniel reden, bevor er geht."

"Sicher." Ich lächelte, als er sich entfernte, und ließ meine Hand auf seinem Arm ruhen. Offensichtlich haben wir den Schein gewahrt.

"Du siehst gut aus, Kat. Besser als das letzte Mal, als ich dich gesehen habe", sagte Victor.

"Danke. Ich war sehr erschöpft, als du mich besucht hast. Es tut mir wieder leid."

"Ganz und gar nicht, Blümchen, ganz und gar nicht. Nach Michaels Tod habe ich mehr Verständnis für den Hunger, den die Trauer hat. Es ist eine grausame Sache."

Ich erbleichte, und ein schweres Gewicht fiel mir in den Magen. Michael war Victors Sohn, ein absolutes Ebenbild des Mannes, als er jünger war, und sie standen sich so nahe wie kein Elternteil und kein Kind, das ich kannte. So rau Victor auch sein konnte, er hatte Michael vergöttert. "Ich wusste nicht, dass er gestorben ist. Das tut mir sehr leid." Zögernd legte ich eine Hand auf seinen Ellbogen, unsicher, wie viel Kontakt zu viel sein würde. Wir hatten uns bereits umarmt.

"Nein, Bastian wird noch nicht in der Lage gewesen sein, dich auf den neuesten Stand zu bringen. Das wird eine Aufgabe für morgen sein, nicht spät in der Nacht, wenn du das erste Mal wieder bei uns bist." Er warf einen Blick zur Haustür und lehnte sich etwas näher heran. "Es war ein Motorradunfall, der ihn vor einem Jahr dahinraffte. Ihn und dann John so kurz hintereinander zu verlieren, ist ein schwerer Schlag, aber Bastian ist ein geeigneter Erbe für das Rudel."

"Das hält dich aber nicht davon ab, deinen Sohn zu vermissen. Das ist furchtbar für dich, Victor. Es tut mir so leid."

"Das ist nett, dass Sie das sagen. Sie kennen den Kummer natürlich besser als viele von uns." Er trat näher, so nah, dass ich die Wärme seiner Haut spüren konnte, als er seine nächste Bemerkung flüsterte. "Weiß er, dass du nicht ausgebildet bist?"

"Ja." Ich legte ihm eine Hand auf die Schulter und drückte ihn leicht zurück, aber er bewegte sich nicht. "Ich habe ihm gesagt, dass ich die Rituale nicht machen kann. Er hat kein Problem damit."

"Gut. Das Rudel braucht eine offene und ehrliche Führung. Ich bin sicher, es wird für alle keine allzu große Enttäuschung sein." Er zog sich zurück und lächelte mich wieder an, während er meinen Ellbogen stützte. "Ich weiß, es muss überwältigend sein, zurück zu sein, Kat. Du warst so lange auf dich allein gestellt. Zu lange. Es ist nicht richtig, dass wir dich nicht zurückgebeten haben, als deine Mutter starb. Wenn du mal mit mir reden willst, ich bin da. Ich bin nicht Bastians Vater, aber ich kenne den Druck, der auf ihm lastet, und ich weiß, wie belastend das für beide Seiten eines Paares sein kann. Seien Sie kein Fremder."

"Danke." Ich riss meinen Arm los, als Seb wieder zur Tür hereinkam, und lächelte zu ihm hinüber, als er den Koffer und die Taschen neben dem Sofa abstellte. "Ich dachte, Daniel würde dir helfen?"

"Ich habe ihm gesagt, er solle nach Hause gehen, da wir noch andere Gäste haben. Kommen Sie, ich zeige Ihnen den neuesten Stand."

"Ich werde mich in der Zwischenzeit verabschieden. Ich freue mich auf die richtige Wiedereinführung morgen. Kat." Victor lehnte sich zu mir, gab mir einen Kuss auf die Wange und verneigte sich leicht vor Bastian, bevor er ging.

Kapitel 8

Seb führte mich die vertrauten Stufen hinauf, die jetzt mit einem ungewohnten Teppich ausgelegt waren, der viel weniger abgenutzt war als bei meinem letzten Besuch hier. Das Haus war voller kleiner Veränderungen, neuer Grundrisse und aktualisierter Mode, aber es fühlte sich immer noch vertraut an, als die Stufen nahe der Spitze knarrten.

"Und wie geht es Victor?" fragte ich, als wir sie hinaufkletterten, meine Taschen in Seb's Händen.

"Er war eine wesentliche Quelle der Stärke für das Rudel. Es war ein hartes Jahr für ihn."

"Er erwähnte, dass Michael gestorben sei."

"Ja. Er hat immer noch Annabelle, aber es ist viel, was er zu schultern hat."

"Annabelle? Ich dachte, er sei mit Rose verheiratet?"

"Ja, Rose ist seine Frau. Annabelle ist seine kleine Tochter." Er hielt an einer Tür inne und blickte über seine Schulter zu mir. "Sie ist dieses Jahr elf Jahre alt. Sie muss angekommen sein, nachdem du gegangen bist."

"Ich erinnere mich nicht an die Schwangerschaft."

"Du hast ein oder zwei Dinge erlebt." Er zuckte ein wenig mit den Schultern. "Wir werden dich bald auf den neuesten Stand bringen. Mach dir keine Sorgen."

Es ist leicht für ihn zu sagen. "Danke. Es wird gut sein, alle zu sehen, nehme ich an."

"Meinst du?"

"Ich habe große Angst, okay? Jeder hat eine Vorstellung davon, was das sein soll, und ich weiß nicht, was es ist, und kürzlich hat jemand ein Messer nach mir geschwungen. Ich sammle nicht gerade Stempel auf einer Karte für häufige Messerstechereien." Ich hätte die Arme vor der Brust verschränkt, wenn es nicht weh getan hätte. Wenigstens hatte ich mir das gemerkt, bevor ich mich zu sehr bewegte.

Seb drehte sich um und stützte sich mit dem Rücken an der Wand ab, damit er mich ansehen konnte. "Wäre das der erste Stempel, wenn du es wärst?"

"Ach, halt die Klappe." Ich stieß ihm gegen die Schulter, aber es war keine wirkliche Hitze dahinter, und er lachte mich aus. "Und nein, das würde es nicht, aber das bedeutet nicht, dass ich die ganze Sammlung haben will. Was ist der Preis am Ende? Du bekommst dein eigenes Messer, um zurückzustechen?"

Er schnaubte, das Lächeln auf seinem Gesicht glich fast dem, das er im Auto hatte. Ich mochte das an ihm, das leichte Flackern in seinen Augen, wenn er entspannt war. "Ich glaube, du wärst gut mit einem Messer."

"Ach, ja?"

"Deine Zunge ist so scharf. Ich wette, du bist noch besser mit einer Klinge."

Ich rollte mit den Augen und stemmte eine Hand in die Hüfte. "Nur weil du einmal im Monat Krallen bekommst."

"Du könntest einen ganzen Monat lang ein Messer behalten."

"Klar, ich schaue in der Küche nach und nehme mein Lieblingsessen mit." Ich spähte um ihn herum. Die Tür war geschlossen, das dunkel gebeizte Holz glänzte vom Polieren. "Ist das nicht dein Zimmer?"

Er sog die Luft durch die Zähne ein, sein Kopf wippte ein wenig, während er seine Worte abwog. "In gewisser Weise. Ich dachte, du würdest deinen eigenen Raum zu schätzen wissen, bis wir uns wieder näher gekommen sind. Das hier war früher mein Zimmer, aber ich bin jetzt in ein anderes gezogen."

"Du willst nicht, dass wir im selben Bett schlafen?"

"Nicht vor der Hochzeit. Danach müssen wir uns ein Zimmer teilen, aber bis dahin können wir uns benehmen." Er griff nach der Türklinke und wandte sich von der Wand ab, um den Weg hinein zu weisen.

Das Zimmer war nicht so, wie ich es in Erinnerung hatte. Als wir Kinder gewesen waren, war sein Zimmer dunkelblau gewesen, mit einer Auswahl an Filmpostern und Büchern und einem immer wieder katastrophalen Kleiderstapel, der oft drohte, denjenigen zu überschwemmen, der in unserem kleinen Bündel am nächsten dran gewesen war. Das war bis zu meinem dreizehnten Lebensjahr gewesen, bevor der Kick der Pubertät und die Formalisierung der Dinge irgendwo im Hintergrund starrten. Danach war ich in Maries Zimmer gewesen, nie in seinem, und er war viel zu sehr mit den anderen Teenagern beschäftigt gewesen, die ihre Doppelrolle als Wolf und Mensch lernten.

Jetzt war der Raum in einem luftigen Frühlingsgrün gehalten, die hellen Wände wurden von einer noch helleren, fast schon schönen, heidelila Decke begleitet, und die Möbel waren deutlich älter. Das Holz war schwarz gebeizt, Eiche, wenn ich raten sollte, und mit einem Schwung wurde mir klar, dass ich es kannte.

"Das ist aus unserem alten Haus." Ich trat um Seb herum und war dankbar, als er das Licht anknipste, damit ich an die Kommode herantreten konnte. Es war die, die wir zu Hause hatten, in unserem kleinen Häuschen, bevor wir weggingen.

"Nun, ich dachte, es könnte ein Trost sein. Das dachte ich schon, bevor du gesagt hast, dass du mich nicht unbedingt heiraten willst, und jetzt erscheint es mir noch wahrscheinlicher. Ich weiß, es ist kein großes Zimmer, aber es fühlt sich vielleicht sicherer an als die andere Option."

"Die andere Möglichkeit ist dein Bett?"

Er zuckte wieder mit den Schultern. "Ja. Das Hauptschlafzimmer ist jetzt meins, als Herr des Hauses. So sagt man."

Ich drehte mich um und sah ihn an, der jetzt im Zimmer war und meine Taschen auf dem großen Bett abstellte. Das war zumindest neu, Kingsize, mit kontrastfarbenen Laken und Bezügen, wie es sich für ein sehr schönes Hotel gehörte. "Was meinst du?"

"Das Haus fühlt sich immer noch so an, als wäre es das Haus meiner Eltern. Ich fühle mich eher wie ein Verwalter als wie ein Herr." Er sah sich im Raum um, bevor sein Blick auf mir ruhte.

Ich trat näher und nahm seine Hand. "Es geht vorbei. So ging es mir auch mit der Wohnung, die meine Mutter und ich anfangs teilten. Es ist ja noch nicht lange her. Gib dir einfach ein bisschen Zeit, um dich daran zu gewöhnen."

"Hast du?"

"Nein, ich habe mein kleines Haus in Avon-on-Lee gekauft, aber nur, weil ich aus der Stadt wegziehen wollte." Ich blickte mich im Raum um; meine Zunge lag schwer im Mund, als ich versuchte, an die besseren Seiten zu denken. "Es war ein guter Ort für uns beide, aber ich konnte nicht bleiben. Also konnte ich mein kleines Haus so gestalten, wie ich es wollte. Du wirst hier das Gleiche tun können. Es wird Zeit brauchen. Und vielleicht auch ein bisschen Hilfe."

"Vielleicht?"

"Ich glaube nicht, dass es Ihnen an Ideen mangeln wird, aber Sie werden einen Sinn für die Familie behalten wollen. Die Familie kann dabei helfen."

"Wir sollten über die Familie sprechen." Seb deutete mir, näher zu kommen und setzte sich auf das Bett.

"Auf dem Bett, wirklich? Ist das wieder ein geschickter Schachzug?"

"Kat."

"Was? Mir geht es gut, wenn ich aufstehe, danke." Ich hätte beinahe die Arme verschränkt. Irgendetwas an der Leichtigkeit, mit der er die Beine spreizte, als er sich auf den Rand der Matratze sinken ließ, ließ mich unangemessen aufstöhnen. Es war so natürlich, ihn dort zu haben, obwohl der Abend so verrückt gewesen war.

"In Ordnung. Weißt du, wie lange es noch bis zum Vollmond ist?" Ich schüttelte den Kopf und versuchte mir vorzustellen, wie der Mond ausgesehen hatte, als ich ihn zuletzt gesehen hatte. Um diese Jahreszeit war er nicht zu sehen, wenn ich nach Hause ging, das Sommerlicht reichte aus, um sicher zurückzulaufen.

"Ich habe sie schon eine Weile nicht mehr gesehen. Der Heimweg ist noch nicht dunkel."

"Schön. Ich nehme an, du würdest es nicht verfolgen. Drei Tage, es ist Vollmond."

"Drei Tage. Einschließlich heute?"

"Ja."

Also, zwei Tage. Übermorgen. Meine Brust zog sich bei dieser Erkenntnis zusammen, und meine Rippen zogen sich plötzlich zusammen, als ich verstand, was Seb meinte. "Wir heiraten also in zwei Tagen?"

"Ja."

"Genau." Ich setzte mich daraufhin. Nicht neben ihm auf dem Bett. Ich zog den Stuhl aus der Kommode, neben der ich stand, und ließ mich darauf sinken. Das Ziehen meines längeren Schnitts löste einen dummen Gedanken aus, der mir entwich, bevor ich ihn stoppen konnte. "Dann kann ich also kein Kleid mit offenem Ausschnitt tragen."

Er lachte; seine Augen leuchteten vor Vergnügen. "Nein, nicht wirklich. Wenn ich den Kerl früher gestoppt hätte, hättest du mehr Möglichkeiten gehabt. Es tut mir leid."

"Nicht deine Schuld." Das Rauschen des Blutes in meinen Ohren unterschied sich nicht von dem, als ich angegriffen worden war. Es war, als könnte ich spüren, wie es durch mich hindurchfloss, das Rauschen und Ziehen, während ich versuchte, das, was er gesagt hatte, rational zu erfassen. "Zwei Tage."

"Ich weiß, es kommt plötzlich. Aber es gibt Erwartungen. Und solange du in Gefahr bist, ist es besser, wenn sie sehen, dass wir tun, was von uns erwartet wird, bis wir herausgefunden haben, was mit meinem Vater passiert ist.

Ich nickte. Das hatte eine gewisse Logik. Und Männer mit Messern in meinem Haus. Es ist besser, hier zu sein. "Nun, ich habe kein Kleid, das gut genug dafür ist. Ich muss in die Stadt gehen und etwas finden."

"Marie wird sich freuen, mit dir zu gehen. Geht es dir gut?"

"Ich hätte nicht gedacht, dass es so bald sein würde."

Seb stand auf, kam zu mir und kniete sich vor mich hin. Eine Hand legte sich auf mein Knie, die andere kippte mein Kinn, so dass er mir in die Augen sehen konnte. Er hatte so ernste Augen. "Es tut mir leid, meine Schöne. Ich hätte es schon früher ansprechen sollen, aber bei dem Angriff..."

"Ich verstehe." Ich schenkte ihm das netteste Lächeln, das ich konnte. Es fühlte sich auf meinem Gesicht nicht nach viel an, aber er lächelte zurück. Es passte zu ihm. Einen dummen Moment lang wollte ich seine Wange streicheln, mit der Daumenkuppe über die Wölbung seines Wangenknochens fahren, aber ich schob den Gedanken wieder weg. "Gibt es schon Pläne?"

"Einige. Meine Mutter möchte sie mit dir besprechen. Sie meint, es sollte eine gemeinsame Angelegenheit sein, damit auch deine Wünsche berücksichtigt werden." Er ließ seine Hand sinken und drückte meine. "Ich möchte auch, dass du sagst, was du willst und was nicht. Ich habe keine Ahnung, ob du starke Gefühle dabei hast, aber wenn ja, werden wir das schon hinkriegen."

"Starke Gefühle, dass wir das nicht tun sollten? Alle, die das ausgehandelt haben, sind tot, Seb. Du musst das nicht durchziehen."

Er seufzte und ließ seinen Blick für einen Moment sinken. "Ich weiß, dass du das denkst. Aber das Versprechen besteht seit langem, und es zu brechen, würde nicht nur als Schwäche, sondern auch als Beleidigung der Toten angesehen werden. Wir müssen es tun, auch wenn es nur vorübergehend ist. Zumindest, bis wir alle in Sicherheit sind."

Eine Beleidigung für die Toten. Ich dachte über diesen Satz nach und schwenkte ihn wie Wein in einem Glas. Ich wusste genug über die Toten, um zu denken, dass es ein abgedroschenes Gefühl war, aber das war vielleicht wieder meine Bitterkeit. Es war eher wie verfaulte Früchte als ein reichhaltiges Bouquet, und es würde meine Zähne verfärben, wenn ich es nicht auf Abstand hielt. "Gibt es eine große Sache für die Scheidung von Wölfen?"

Er sah wieder zu mir auf, sein Kiefer klappte ein wenig, bevor er antwortete. "Wir haben es, ja. Wenn jemand seinen Partner verlassen muss, vor allem, wenn Kinder im Spiel sind, gibt es Möglichkeiten, das zu tun. Ich möchte nicht, dass Sie das tun müssen, aber es gibt sie."

Ich hielt mich daran fest wie an einer Schwimmweste, ein greller Hoffnungsschimmer. "Richtig. Richtig, wir können das also tun, und es gibt später immer noch Möglichkeiten. Keiner von uns wird festsitzen."

Seb schüttelte den Kopf und drückte wieder meine Hände. "Nein, Kat. Keiner von uns wird festsitzen. Ich will dich nicht in eine Falle locken oder so etwas. Es gibt noch ein paar andere Dinge, über die wir reden sollten, aber ..." Er seufzte und rümpfte die Nase. "Vielleicht morgen. Es ist fast Mitternacht. Darf ich Ihre Schnitte überprüfen, bevor ich Sie allein lasse? Ich nehme an, du bist fit zum Umfallen."

"Ich bin müde, ja. Bist du so scharf darauf, mich wieder oben ohne zu sehen?"

Wenn das Farbe auf seinen Wangen war, würde ich ihm den Anstand erweisen, so zu tun, als würde ich es nicht bemerken. "Ich kann mich nicht erinnern, dass du so schelmisch warst."

"Dann erinnerst du dich nicht mehr an mich. Ich hatte schon immer eine große Klappe."

"Einer, der immer schrie und schrie, nicht frech wurde."

"Das liegt daran, dass du mit den anderen Jungs abgehauen bist. Ich beherrsche Sarkasmus, seit ich ein Teenager war."

"Wir haben viel Zeit getrennt verbracht, nicht wahr?" Er wandte sich ab, eine Andeutung, wie ich sie kannte, und ich zog mein Oberteil hoch und faltete es auf meinem Schoß zusammen.

"Du kannst zurückschauen."

Er drehte sich um und runzelte die Stirn. Ich schaute nach unten, wo er hinschaute, und sah, dass der Verband rot war - nur ein paar Spritzer auf dem oberen Verband, aber der untere hatte eine dunkelrote Linie, als ob die Wunde wieder aufgegangen wäre. "Ich werde das wechseln."

"Ich kann das machen, wenn du auch müde bist."

"Unsinn. Ich weiß, wo alles ist. Bleib ruhig sitzen, ich bin gleich wieder da." Er stand auf und schenkte mir ein sanftes Lächeln, bevor er den Raum verließ.

Die Treppe oben quietschte, als er herunterkam, und ich blieb mit meinen Gedanken im Zimmer zurück.

Es war wirklich ein angenehmes Zimmer, man hatte sich offensichtlich Mühe gegeben, es für jemanden schön zu machen, und angesichts der Möbel nahm ich an, dass es für mich war. Es war fast noch süßer als Daniels Versuch einer Romanze. Beide hatten eine Liebenswürdigkeit, eine komische Art von Charme, die ich nicht mehr kannte, seit wir das Rudel verlassen hatten.

Trotzdem lief mir ein kribbelnder Schauer über den Rücken, der meine Haut zum Kribbeln brachte und den feinen Flaum auf meinen Armen aufsteigen ließ. Nicht ganz das Gleiche wie ein Wolf, aber es brachte mich zum Lachen, selbst als ich mir die Haut rieb, um die Gänsehaut zu vertreiben. Ich stand auf und ließ mich durch den Raum treiben, als ob ein Möbelstück irgendein Geheimnis bergen würde, irgendein kleines Detail, das all dem einen Sinn geben würde.

Kein solches Glück, nur Erinnerungen. Wenigstens brachten sie mich zum Lächeln. Ich drehte eine Runde um das Bett, setzte mich auf die andere Seite und fühlte die Matratze. Sie war fest und gut federnd, und ich ließ mich rückwärts darauf fallen. Es würde leicht sein, die Augen zu schließen und einzuschlafen.

Das Quietschen der Treppe ließ mich aufstehen und ich schüttelte den Kopf, um die berauschenden Ranken der Müdigkeit zu vertreiben.

"Bist du so fertig?" fragte Seb und lächelte mich von der Tür aus an. Er sah jetzt ein bisschen weicher aus, ein paar Knöpfe an seinem Hemd waren offen, die Ärmel hochgekrempelt. Es war ein angenehmer Anblick.

Ich hielt mir den Mund zu, um zu gähnen, und nickte ihm zu. "Ich wusste nicht, dass ich es war, aber ja. Es hat mich plötzlich eingeholt. Ich schiebe es auf die sehr schöne Matratze."

"Das ist ein tolles Zeugnis. Ich werde mich nicht zu lange damit aufhalten. Legen Sie sich wieder hin, wenn Sie möchten, und ich gebe Ihnen Ruhe, sobald das hier erledigt ist."

"Danke, Seb."

"Kein Problem, meine Schöne."

Kapitel 9

Der Morgen kam mit schlechten Träumen und schweißbedeckter Haut, die Decke hatte sich um meine Beine gewickelt, als ich mich erschrocken aufsetzte. Es war dunkel, und ich tastete nach einem Schalter, um die Lampe anzuknipsen. Sanftes weißes Licht durchflutete den Raum, und als ich nach meinem Handy griff, sah ich, dass es kurz vor fünf war. Mein Herz schlug gegen meine Rippen wie ein widerspenstiges Fohlen, der Schmerz war wie Quecksilber zwischen meinen Rippen. Es war alles in Ordnung. Ich war in Ordnung.

Ich legte meine Finger an die Kehle, spürte meinen Puls, den Schweiß, der noch immer über meinem rasenden Blut trocknete. Ich ließ den Kopf sinken und strich mit den Händen über mein Gesicht, als wollte ich die Träume abschütteln. Es war ja nicht so, dass dies meine ersten Albträume waren. Ich war nur an einem neuen Ort, der nicht wirklich neu war, und wurde letzte Nacht angegriffen. Nichts als ein Adrenalin-Kater.

Ich rollte mich aus dem Bett und stapfte in das kleine Bad. Als ich in den Spiegel schaute, sah ich grimmig aus: blasse Haut, dunkle Augen, wildes Haar. Sicherlich nicht das, was jemand an seiner zukünftigen Braut sehen wollte. Vielleicht würde ich mir ein besseres Make-up zulegen müssen, wenn wir uns nach einem Kleid umsehen würden. Ich war mir sicher, dass Seb sich darauf einlassen würde. Ich lachte über die Lächerlichkeit des Ganzen, als ich die Dusche anstellte, dankbar, dass sie nicht zu laut war.

Ich stieg ins Wasser und tauchte ein paar Minuten ein, atmete den Dampf ein und ließ meine Hände über meine Haut gleiten. Es war erdend, die Parameter meines Körpers zu spüren, die Länge meiner Gliedmaßen: Ich war hier. Es ging mir gut.

Ich löste die Verbände von meiner Brust und drehte meinen Körper weg, um das Wasser über die umliegende Haut laufen zu lassen, bevor ich wieder unter den Strom geriet. Es brannte, und ich hielt meine Schultern gebeugt, um zu verhindern, dass das Wasser direkt auf die Wunden traf, aber die Haut schien sich nicht zu entzünden, und abgesehen von einigen hässlichen Krusten sah sie besser aus als gestern. Das war gut. Es würde wahrscheinlich Narben geben. Das tat meine Haut normalerweise, aber es war nicht schlimm. Mit den richtigen Ölen würde da nicht viel zu sehen sein.

Nachdem ich mein Haar gewaschen und mit einer Haarspülung versehen hatte, stieg ich aus der Dusche, wickelte mich in ein Handtuch und kippte es nach vorne, um mein Haar in ein anderes zu wickeln. Ich drehte das Wasser heraus, spannte das Handtuch in sich selbst und stellte mich mit dem Kopf so hin, dass das Handtuch über meinen Rücken fiel. Dort balancierte es, während ich mich abtrocknete, dann ging ich zurück ins Schlafzimmer. Ich hatte ein Bündel Klamotten mitgebracht, genug, um eine Weile zu bleiben, und ich klappte den Kofferdeckel auf, um sie durchzusehen.

Als ich aus dem Fenster schaute, war es noch richtig hell, aber es war schön. Mild. Ich kramte eine kurze Hose hervor, eher eine Schlafhose als eine richtige Laufhose, und ein Tanktop. Ich würde eine Runde durch den Wald joggen, das Gefühl loswerden, fehl am Platz zu sein, und noch vor dem Frühstück wieder hier sein. Auf diese Weise könnte ich auch leicht sehen, was es in den wenigen Häusern Neues gibt. Die Packhäuser waren kaum ein Dorf, es gab nicht genug, um einen richtigen Laden zu betreiben, aber es gab genug von ihnen, die so dicht beieinander lagen, dass es ein eigener Raum war. Es wäre gut, es noch einmal kennenzulernen, bevor ich einheiratete.

Ich zog eine Grimasse bei dem Gedanken und warf das Handtuch von meinem Haar, um es auszukämmen. Ich machte einen hohen Zopf und drehte die Haare fest zusammen, damit ich später schöne Locken hatte, wenn ich sie rausließ. Man kann ja auch versuchen, gut auszusehen. Wenn der

Kapuzenpulli, den ich mir geschnappt hatte, zerfleddert und abgenutzt war, würde ich das auf das eilige Packen schieben.

~

Die Wälder, die das Rudel umgaben, waren dicht und wild. Abseits der Straße wimmelte es nur so von Vögeln und Käfern und gelegentlichem Hufgeklapper, von dem ich annahm, dass es Rehe waren. Es hatte schon einmal Rehe gegeben.

Ich joggte über einen holprigen Pfad, der nicht gerade ein Weg war, aber stärker abgenutzt als der übrige Waldboden. Einiges davon war uneben, so dass ich langsamer laufen musste, um nicht an Wurzeln hängen zu bleiben oder dem wackeligen Nachgeben des ausgetrockneten Schlamms zu entgehen, der so tief einsank, dass ich mich freischleppen musste. Nach dem zweiten Mal band ich mir die Arme meines Kapuzenpullis um die Taille und gab dem unvermeidlichen Rinnsal von Schweiß an meiner Schläfe nach. Wenigstens hatte es keine Mücken gegeben.

Nach einer Viertelstunde befand ich mich auf einer großen Lichtung, deren Kreis ungefähr so groß war wie ein Schulsportplatz. Das Gras war zerkleinert, verdreht und verbogen von vielen früheren Aktivitäten, und an einigen Stellen konnte ich dunkle Plastikkisten mit schweren Vorhängeschlössern sehen.

Als ich sie erkannte, entspannte ich mich, streckte den Hals und ließ die Schultern hängen. Dies war ein Wendeplatz, ein Ort, an dem sich die Mitglieder des Rudels in Ruhe umziehen konnten. Ich hatte schon ein paar gesehen, aber noch nie so große, bevor wir losgezogen waren. Es war gut, dass sie einen größeren Platz bekommen hatten, der auch genutzt wurde, wenn die Boxen das waren, was ich vermutete: Ersatzkleidung, ein Platz für Snacks und Wasserflaschen für alle, die nach der Schicht müde waren.

Ich ging zu einem von ihnen hinüber und kniete nieder, um das Schloss zu inspizieren. Es war gut gewartet, geölt und sauber, und den Geräuschen nach zu urteilen, die es bei kräftigem Schütteln von sich gab, war es auch gut gefüllt. Eine gute Sicherheitsmaßnahme, etwas, um das Rudel gesund zu halten, wenn sie nachts durch die Wälder liefen.

Sie würden bald gebraucht werden. Ich wusste nicht, wie das bei der Hochzeit funktionieren sollte. Seb würde sich umziehen müssen, zumindest zu einem bestimmten Zeitpunkt. Und dann wäre da noch der Vollmond. Würden wir am Tag heiraten? Wahrscheinlich eher am Abend, das wusste ich noch aus meiner Jugendzeit - die Kinder durften für die Hauptzeremonie aufbleiben und wurden für den Rest weggeschickt. Ich würde herausfinden müssen, ob das immer noch so war.

Ich saß schwer auf der Plastikkiste und mein Magen zog sich bei dem Gedanken zusammen.

Ein Keuchen ertönte hinter mir, und ich drehte mich auf meinem Sitz und erblickte ein kleines Mädchen in den Bäumen, weniger als zehn Meter entfernt. Sie war still wie ein Reh, ihr Mund bebte, als sie mich ansah. Riesige Augen, dunkel wie Baumrinde, und langes blondes Haar, das im Morgenlicht glänzte. Sie trug kaum mehr als einen Pyjama. Ich konnte ihre Füße nicht sehen, aber sie zitterte.

"Alles klar bei dir, Schatz?" fragte ich. Sie schüttelte den Kopf und schlang ihre Arme um sich. "Was ist los?"

"Ich weiß nicht, wo ich bin." Sie sah aus, als würde sie gleich weinen, ihre kleinen Schultern zogen sich um die Ohren.

"Du bist im Wald. Es ist aber noch sehr früh. Bist du allein hierher gekommen?"

"Ich weiß es nicht. Ich bin gestern Abend ins Bett gegangen und jetzt bin ich hier." Sie weinte, ihre Lippen verzogen sich zu einer traurigen Grimasse.

"Hey, komm her, es ist alles in Ordnung. Kannst du mal kommen?" Ich streckte einen Arm aus, und sie stürzte sich in meine Seite, wobei sie mich fast von der Kiste kippte. "Wie ist dein Name?"

"Annabelle."

Der Name klingelte wie eine Glocke in meinem Kopf, als ich sie zurück umarmte. "Ist dein Vater Victor?" Sie nickte und blinzelte zu mir hoch. Sie hatte ein furchtbar hübsches Gesicht, noch immer rund mit Welpenspeck auf den Wangen, aber sie würde eine Schönheit werden wie ihre Mutter. "Ich kenne Victor. Er ist mit einigen meiner Freunde befreundet."

"Ich kenne Sie nicht."

"Nein, das wirst du nicht. Ich bin schon lange nicht mehr hier gewesen. Aber ich kenne Bastian, und ich kenne Daniel und Marie, und deine Mutter habe ich auch mal gekannt."

"Ich soll Fremden nicht trauen, aber du riechst wie die Meute."

"Das ist in Ordnung. Du brauchst mir nicht zu vertrauen, wenn du mich gerade erst kennengelernt hast." Sie war nicht so kalt, wie ich erwartet hatte, was gut war, denn das bedeutete, dass sie noch nicht so lange draußen gewesen sein konnte. Ihre Füße waren jedoch nackt, und sie zitterte, als sie sich enger an mich drückte.

"Ich möchte nach Hause gehen."

"Das können wir dann machen. Hier, warum ziehst du das nicht an?" Ich hob meine Hüften an und zog meinen Kapuzenpulli frei. "Er wird dir zwar riesig vorkommen, aber er ist bestimmt wärmer als dein Schlafanzug."

Sie sah es an und schnupperte ein wenig daran. Scheinbar zufrieden zog sie es sich über den Kopf; die Kapuze knitterte um sie herum, bis ich sie zurückzog. "Danke."

"Kein Problem. Sind Sie bald an der Reihe?"

Sie nickte und krempelte die Ärmel ein wenig hoch. "Papa sagt, ich werde bald erwachsen. Vielleicht diesen Monat, vielleicht nächsten. Ich hoffe, es ist diesen Monat."

"Ja?"

Ihre Brauen zogen sich zusammen, als sie nickte, eine strenge Linie aus blassem Blond. "Ich will mit allen herumlaufen."

"Bist du deshalb hier, am Wendeplatz?"

"Ich weiß es nicht. Ich wollte nicht hier draußen sein." Sie sah erschrocken aus und drehte sich auf einem Bein.

"Das ist in Ordnung. Ich hatte eine Freundin, die schlafgewandelt ist, als sie klein war, und sie hat alles Mögliche gemacht. Sie aß Essen aus dem Kühlschrank oder stapelte Dinge in der Mitte des Zimmers. Das kommt manchmal vor. Bist du verletzt?" Ich hatte kein Blut an ihrer Kleidung gesehen, aber sie war schmutzig, als wäre sie gestürzt.

"Nein, ich möchte nach Hause gehen."

"Das können wir machen. Ich werde dich den Weg zurückbringen, den ich gekommen bin, denn ich kenne den Wald nicht mehr so gut. Ist das in Ordnung?"

Sie nickte und sah in die Richtung, aus der ich kam. "Das ist eine gute Art zu gehen."

"Toll. Soll ich dich jetzt Huckepack nehmen, weil du keine Schuhe hast?"

"Würdest du?" Daraufhin wurde sie hellhörig und blinzelte mich an.

"Sicher. Ich habe zu Hause eine Buchhandlung, also bin ich es gewohnt, Dinge zu heben. Ich wette, Sie wiegen nicht einmal so viel wie eine Kiste mit gebundenen Büchern."

Sie kicherte daraufhin, mit einem kleinen Glitzern in den Augen. "Das ist dumm."

"Ich weiß, aber man muss ein bisschen albern sein, um Spaß zu haben. Und das Leben ist viel besser, wenn man ein bisschen Spaß hat." Ich habe gezwinkert und bin aufgestanden.

"Du kannst gut mit Kindern umgehen." Eine Männerstimme drang über die Lichtung, und ich trat vor Annabelle, als ich mich nach dem Besitzer umsah.

Ein Mann stand am anderen Ende der Lichtung, nahe der Stelle, an der ich hereingekommen war. Er war größer als ich, fast so groß wie Daniel, und etwas an der Art, wie er uns ansah, ließ meine Wirbelsäule erstarren.

"Annabelle, weißt du, wer dieser Mann ist?"

"Nein", flüsterte sie.

"Okay. Dann bleiben Sie einfach bei mir. Sind Sie schon lange da, Sir?"

"Sir? Das ist sehr förmlich." Der Mann trat auf die Lichtung und ging träge auf sie zu. Er war leger gekleidet, dunkelblaue Jeans und ein offenes Hemd, unter dem eine weiße Weste zu sehen war, und abgewetzte Stiefel an den Füßen. Er war kräftig gebaut, seine Schultern und Arme waren gut definiert, und mein Magen kippte bei dem Grinsen, das seine Lippen umspielte. Sandgelbes Haar, feiner als bei den meisten, an manchen Stellen fast weiß. Er sollte gut aussehen, aber alles an ihm ließ meine Haut jucken.

"Ich glaube nicht, dass ich Sie kenne. Es scheint angemessen, höflich zu sein."

"Hm, schön zu wissen, dass du Manieren hast." Er blieb ein paar Meter von uns entfernt stehen und zeigte ein leichtes Grinsen. Er steckte seine Hände in die Gesäßtaschen seiner Jeans und beugte sich ein wenig vor, um uns von oben bis unten zu betrachten. "Hübsche kleine Dinger, ihr beiden."

"Hast du dich verlaufen?" Ich richtete meine Schultern auf und verlagerte mein Gewicht auf meine Hüften. Annabelle schmiegte sich wie ein zitternder Schatten an die Rückseite meiner Beine.

"Nein, nein, ich kenne diese Wälder ziemlich gut."

Ein kurzer Anflug von Wut überkam mich, und ich war mir "ziemlich" sicher, dass ich ihn hasste, obwohl ich ihn nicht kannte. Es war so eine unnötige Verschleierung, die nichts hergab, und etwas an der Art, wie er sich vorwärts geschlichen hatte, brachte mich dazu, meine eigenen Zähne zu fletschen. "Haben Sie geschäftlich mit den Weirs zu tun?"

"Woher kennst du diesen Namen, Hübscher?"

Ich biss mir auf die Zunge, um die unmittelbare Antwort für mich zu behalten. "Ich bin mit der Familie befreundet. Und anderen."

"Bist du es jetzt? Du scheinst nicht so freundlich zu sein."

"Ich kenne dich nicht. Und du bist in ihrem Wald, und es ist noch früh. Du scheinst nicht gerade zum Joggen angezogen zu sein."

"Nein, aber du bist es." Er sah an meinen Beinen hoch. "Du blutest aber." Er tippte auf die Stelle an seiner Brust.

"Jemand war unvorsichtig mit einem Messer."

"Schade."

"Er kam schlechter weg als ich."

Er zog den Kopf ein und lachte darüber, wobei seine Schultern leicht hüpften, aber als er wieder aufblickte, glitzerte es in seinen Augen. "Ich mag Blut so sehr."

"Süße, du musst mir zuhören, okay?" Ich griff hinter mich, um Annabelles Schulter zu streicheln und drückte sie zur Beruhigung ein wenig. "Lauf nach Hause und hol deinen Daddy für mich. Sofort." Ich schob sie zurück zu den Bäumen, trat vor und stellte mich dem Mann gegenüber.

Kapitel 10

Seine Augenbrauen zogen sich hoch, als Annabelle floh. Sie waren genauso fein blond wie sein Haar, und das Grinsen auf seinen Lippen blieb unverändert. "Das war unhöflich."

"Einem Kind Angst zu machen auch."

Er schlenderte einen Schritt näher, fast bis auf Armeslänge. "Ich sehe gar nicht so furchterregend aus, oder? Ich bin kein großer böser Wolf."

"Eine ganz normale?"

"Weißt du viel über Wölfe, hübsches Mädchen?"

Ja, ich hasste ihn. Ich lächelte besonders strahlend, zeigte meine Zähne und ließ meinen Blick zum Rand der Baumgrenze schweifen. Ich konnte niemanden außer ihm sehen, und er fühlte sich offensichtlich wohl dabei, sich zu nähern. Entweder hatte er Gesellschaft, und er war die Ablenkung, oder er hielt sich wirklich für so gut. "In diesen Wäldern ist es schwer, das nicht zu tun."

"Du bist aber keine. Sie riechen nicht danach." Er winkte mit der Hand in meine Richtung. Ich trat zurück, die Plastikbox an meiner Seite. Wenn ich noch weiter zurückginge, wäre ich im Wald, auf der Seite, die ich nicht kannte. Schlechter Plan.

"Nein, ich bin eine andere Sorte. Hast du einen Namen?"

"Was willst du mir dafür geben?" Er verschränkte die Arme und neigte sein Kinn in einer Art und Weise, die er sicher für schwülstig hielt, zu mir.

Ich spottete über ihn und widerstand dem Drang, meine Arme ebenfalls zu verschränken. Es war besser, sie frei und bereit zu haben. Ich hatte Möglichkeiten. "Du bist nicht irgendein Feenwesen. Du brauchst nichts für deinen Namen."

"Vielleicht will ich aber auch etwas."

"Was würden Sie wollen?"

"Ihr Name im Gegenzug".

"Nur das?"

Er tat so, als würde er darüber nachdenken, und sein Blick ruhte auf meiner Brust. "Wie wäre es mit etwas von deinem schönen Blut?"

"Oh Mann, bist du von Natur aus so oder ist das ein Schauspiel?"

Er neigte den Kopf zur Seite und musterte mich abschätzend. "Ich gebe zu, ich habe eine Menge Spaß. Was würdest du bevorzugen?"

"Ich glaube, ich würde mich besser fühlen, wenn das nur ein Blödsinn wäre, ehrlich."

Er stieß ein Lachen aus und richtete seinen Kopf wieder auf. "Unanständig. Warum sollte dir das besser gefallen?"

"Weil sonst ein verrückter Mann in den Wäldern von Weir herumläuft und morgen Vollmond ist. Das wird wohl nicht gut ausgehen."

"Hm, du hast Recht. Das wäre nicht gut für alle. In diesen Wäldern kann man leicht verloren gehen."

"Wenn du die Wege nicht kennst."

"Und du?", fragte er.

"Warum?"

"Ich versuche herauszufinden, was du bist. So spärlich bekleidet herumzulaufen, zu schnüffeln, verlorene Kinder zu knuddeln. Sie ist ein hübsches kleines Mädchen. Heißt sie wirklich Sweetie?"

"Nein."

"Dachte ich mir. Du bist fest davon überzeugt, dass ich böse bin, nicht wahr?"

"Ich sehe nicht viele Beweise für das Gegenteil." Ich hob eine Augenbraue, die Geduld war so dünn wie die Narbe, die durch eine blasse Augenbraue verlief. Könnte ein altes Piercing gewesen sein.

"Was würdest du tun, wenn ich es wäre? Du wirst nicht von mir wegkommen. Wenn ich der große böse Wolf bin, dann musst du Rotkäppchen sein, auch wenn du deinen Mantel an sie verschenkt hast."

Ich lachte und schüttelte den Kopf über ihn. "Lassen wir das Getue, Kumpel. Warum bist du hier?"

"Ich bin dir vom Waldrand aus gefolgt."

Wunderbar, genau das, was ich hören wollte. "Unheimlich, und das ist keine Antwort."

"Ich wollte sehen, welcher Idiot ohne Schutz im Wolfswald joggen geht."

"Ah, Sie gehen davon aus, dass ich keine habe. Ich kann verstehen, warum Sie diesen Fehler machen."

"Was, hast du einen Taser irgendwo versteckt, wo es wirklich überraschend ist?"

Ich rümpfte die Nase über diese Bemerkung. "Sei nicht so anzüglich, ich kenne dich nicht und muss mir das nicht gefallen lassen. Wenn du nicht zum Rudel gehörst, machst du einen Fehler, wenn du hier bist."

"Wer sagt, dass ich es nicht bin?"

"Ich kann mir nicht vorstellen, dass John viel von dir hält, nichts für ungut."

Er sog die Luft durch die Zähne ein und zuckte träge mit den Schultern. "John ist nicht mehr hier. Jemand hat ihn umgebracht."

"Aber Bastian hat seinen Platz eingenommen, und ich weiß, dass er dich überhaupt nicht mögen würde."

"Glauben Sie das? Man hat mir gesagt, ich wachse den Leuten ans Herz."

"Wie Schimmel, wette ich."

Er kicherte und trat mit einem Fuß auf die Zehenspitze zurück. "Für einen Menschen hast du ein ganz schönes Mundwerk."

"Und Sie haben ein ganz schönes Ego für das, was Sie sind."

"Eine gehorsame Dienerin des Mondes, das versichere ich dir. Ich könnte es dir zeigen. Wenn Ihr wollt."

"Mir wäre es lieber, wenn Sie das nicht täten."

"Hast du Angst, hübsches Mädchen?"

"Nicht von dir."

"Das sollten wir ändern." Er stürzte sich auf mich, zu schnell, als dass ich mit der Kiste zur Seite hüpfen konnte, und stieß mich mit dem Rücken gegen einen der Bäume. Mein Kopf schlug gegen den Stamm, und ich stöhnte vor Schmerz, woraufhin seine Hand über meinen Mund fuhr, um das Geräusch zu ersticken.

Ich biss in seine Finger, um ihn abzuschütteln, was mir einen weiteren Stoß zurück in den Baum einbrachte. Die Stelle, an der ich mich zuvor gestoßen hatte, flammte vor wütendem Schmerz auf. Meine Sicht wurde für einen Moment spinnennetzartig schwarz, das Rauschen meines Pulses laut in meinen Ohren, aber sein selbstgefälliges Gesicht reichte aus, um meine Aufmerksamkeit wieder zu erlangen.

"Lass mich los." Ich knurrte die Worte heraus und verstummte, als er eine Hand neben meinen Kopf legte.

"Nicht so schnell, Baby. Ich war gerade in der Nähe. Übrigens, ich bin Josh." Er beugte sich vor und drückte sich gegen mich, die Hüften eng an meine gepresst. Eingebildeter Mistkerl, ich wollte ihm ein paar seiner schönen Haare aus der Kopfhaut reißen.

"Bezaubert".

"Noch nicht, aber ich wette, du wirst es bald sein. Weißt du, was passiert, wenn ein Werwolf ein hübsches kleines Ding wie dich beißt?" Er strich mit zwei Fingerknöcheln über meine Wange, sein Gesicht war tief und berührte fast meines.

"Die Weirs machen keine Zwangsumkehr. Sie sind nicht diese Art von Pack."

"Ich gehöre aber nicht zu ihnen." Er schüttelte den Kopf, die Lippen zu einer falschen Miene geschürzt. "Ich wette, du wärst als Wolf genauso hübsch wie jetzt."

"Glaubst du, dass mich das erschrecken wird?"

Er tauchte seinen Kopf tiefer und leckte über die weiche Haut im Tal meiner Brüste. Ich zuckte zusammen, lehnte meinen Kopf zurück gegen den Stamm und sah ihn finster an, als er sich wieder aufrichtete. "Du schmeckst verängstigt. Blut und Schweiß, das schmeckt immer am besten zusammen."

"Jetzt langweilst du mich aber." Ich hatte genug davon. Annabelle sollte in Sicherheit sein, und ich hatte nicht vor, ihn weiter Hand anlegen zu lassen.

Ich lächelte und atmete tief ein, während ich versuchte, meinen schweren Puls zu beruhigen. Er zog eine Augenbraue hoch, das gleiche Grinsen, und ich stieß meinen Kopf nach vorne, hart, auf seine Nase. Meine Stirn bekam einen Spritzer feurigen Blutes ab, und er heulte fast auf. Er taumelte so weit zurück, dass ich mich von der Rinde schälen und zurück auf die Lichtung gehen konnte, um etwas Abstand zwischen uns zu bringen.

Es war ein knapp gewonnener Sieg. Ich hörte, wie er hinter mir herlief, und während ich versuchte, ihm auszuweichen, stieß er mich von hinten mit einer Wucht an, die einen Athleten stolz gemacht hätte. Sein Gewicht drückte mir die Luft aus den Lungen, und mein Gesicht wurde in das Grün unter mir gepresst.

Ich holte tief Luft, schrie auf, stieß meine Beine aus und versuchte, mich unter ihm wegzuwinden. Er zerrte an meiner Schulter und drehte mich auf den Rücken, bevor er seine Hüften auf mir abstützte.

"Was bist du für eine Schlampe, dass du glaubst, du könntest so etwas durchziehen, hm?" Ich wollte mich in sein blutiges Gesicht krallen, aber er packte meine Handgelenke und hielt sie über mir fest. "Ich habe dir eine Frage gestellt."

"Ich gehöre nur mir selbst, und wenn du glaubst, dass eine blutige Nase das Schlimmste ist, was ich dir antun kann, bist du ein verdammter Narr."

"So temperamentvoll, ich kann es kaum erwarten, dich einzuführen. Warte nur, bis du siehst, wie viel besser es ist, wenn du die Wildnis in deinen Adern hast. Versuchen Sie, nicht wegzuschauen." Er lehnte sich hoch, wölbte seine Wirbelsäule und warf den Kopf zurück. Seine Augen fluteten dunkel, und als er nach unten blickte, hatte sich sein Gesicht zu verändern begonnen, ein feiner Flaum von Haaren bedeckte die Haut, die zur Mitte hin verschmolz und sich verlängerte. Ich wusste es, Wolf.

"Das glaube ich nicht." Ich zog meine Knie hoch, stellte meine Füße auf das Gras und drehte meine Hüften, um ihn zur Seite zu stoßen. Er zuckte zusammen, und der Griff um meine Handgelenke lockerte sich so weit, dass ich nach oben greifen konnte, um seinen Kragen zu packen und meine Finger an seinen Hals zu legen. "Bleib."

Wenn ich darüber nachdenke, war es ein bisschen zickig, ein Hundekommando zu benutzen, um seine Veränderung zu vereiteln. Ich hätte dem Wunsch widerstehen sollen, meinen niederen Trieben so nachzugeben. Er zitterte und würgte, als sich die Veränderungen an seinem Körper umkehrten, und er kippte von mir weg, als würde er sich übergeben.

"Was hast du getan?"

"Ich habe dir in die Eier getreten." Ich rollte mich von ihm weg und rollte mich zusammen, während meine Brust vor Schmerz zuckte. In diesem Tempo würde ich niemals heilen, die Wunde war böse und blutete rot. Mein Oberteil war auch ruiniert, es sei denn, Seb hatte etwas Peroxid im Haus. Vielleicht hatte er das.

Joshs röchelnder Atem ertönte in der Nähe, und ich wich einem Griff an meine Schulter aus und schrie auf, als seine Hand stattdessen meinen hohen Zopf erwischte. Er zerrte mich zurück zu sich, und ich hörte sein heiseres Keuchen in meinem Ohr.

"Lügner. Was hast du getan?" Sein Gesicht war leuchtend rot, ich war mir nicht sicher, ob das die Wut oder die Wirkung der Magie war. Es passte gut zu dem Blut, mit dem sein Gesicht verschmiert war. Ich versuchte, mich von ihm loszureißen, stieß nach ihm - er war zu träge, um meine Hände wegzuschlagen, aber sein Griff um mein Haar war fest.

"Warum, hast du Angst? Ich dachte, du wärst der große böse Wolf."

Die Ohrfeige ließ meine Augen plötzlich weiß aufblitzen, und mein Gesicht verzog sich, bevor der Schmerz überhaupt registriert wurde. Ich lachte und genoss das plötzliche Aufflackern der Hitze und das Stechen auf der linken Seite meines Gesichts. "Was bist du?"

"Ich bin Buchhändler und komme aus einer anderen Stadt."

"Sag es mir!" Er zog meinen Zopf hoch und schlug meinen Kopf auf den Boden, das Gras war wenigstens eine Art Polster. Meine Gedanken überschlugen sich, mein Magen drehte sich, um sich zu entleeren, obwohl nichts da war. Ich lachte weiter und stemmte mich auf die Hüfte, damit ich ihm die Worte entgegenspucken konnte.

"Ich weiß nicht, was ich sagen soll, Josh. Viele Männer haben beim ersten Mal mit einer neuen Frau Leistungsangst. Fühl dich deswegen nicht schlecht." Ich brach in ein verruchtes Kichern aus und jaulte auf, als er mich erneut ohrfeigte.

"Wenn du es mir nicht sagst, werde ich es aus dir herausprügeln."

Ich musste mich zusammenreißen, der Rausch der Magie und des Adrenalins war zu viel, und ich hatte mich auf die schlimmere Seite meines Verführers eingelassen. Aber ich konnte nicht, wenn er glaubte, dass er durch seine Arschkriecherei etwas bekommen würde, wollte ich ihm das auf die schärfste Art und Weise verleiden. "Ich glaube nicht, dass das klappen wird. Aber wenn du mich tötest, wirst du nie erfahren, was passiert ist. Ist das nicht eine Schlampe?"

"Wenn es sein muss, würge ich es aus dir heraus." Er packte mich mit einer Hand an der Kehle und drückte mich auf den Boden. "Sag mir, was du getan hast."

"Wie kann ich das, wenn du mich würgst?" Ich bedauerte die Bemerkung, als sein Griff fester wurde.

"Sprich!" Er hob seine freie Faust, als wolle er mich schlagen, und meine Finger ballten sich mit dem Beginn des Feuers. Es kam immer ein bisschen zu spät, verglichen mit dem anderen natürlichen Talent, das mir geblieben war.

"Joshua, lass sofort die Finger von ihr!" Ein Schrei erschütterte die Lichtung, bevor jemand, der ihn seitlich anpackte, Joshs Gewicht von mir abwarf.

"Kitty Kat, bist du okay?" Daniel stand über mir, die Masse seines Körpers wie ein Schutzschild über mir. "Sie blutet!"

Ich seufzte und ließ mich wieder ins Gras fallen. "Es ist hauptsächlich sein Blut."

"Was?" Das war Seb. Ich konnte ihn nicht sehen, hinter Daniel, aber ich kannte die Stimme.

"Lassen Sie mich los, Weir." Josh klang gequält, und ein dunkler, kleinlicher Teil von mir genoss das.

"Ist das Mädchen zurückgekommen, okay?"

"Ja, sie hat uns gesagt, was los ist", sagte Daniel. "Kannst du aufstehen?"

"Ja, mir geht's gut. Mir geht's gut." Ich klopfte ihm auf die Schulter und nahm die angebotene Hand, als er aufstand und mich mitnahm. Meine Gedanken schienen für ein paar Sekunden auf dem Boden zu bleiben, ich hatte das Gefühl, mich wie in Sirup zu bewegen, und ich stolperte ein wenig.

"Kathryn, bist du verletzt?" Victor stand neben uns. Er muss es gewesen sein, der geschrien hat, denn er kam von dort auf uns zu.

Ich schüttelte den Kopf, als ich ihn ansah; bei der Bewegung wurde mir übel. Ich wollte mich wirklich nicht übergeben. "Geht es Annabelle gut? Ich wollte nicht, dass sie etwas Schlimmes sieht."

"Es geht ihr gut, danke." Er lächelte und drückte meine Schulter. "Wir sollten die beiden trennen." Er nickte zu dem Gedränge zweier Körper hinüber, die sich gegeneinander pressten, wobei Joshs Haarschopf dicht an Sébs Rippen zu sehen war und auf beiden Seiten Fäuste geschleudert wurden. Sie zischten sich gegenseitig Worte zu, aber ich konnte nicht viel verstehen.

"Ich werde es tun", sagte Daniel.

Ich zuckte zusammen und lehnte mich an ihn. "Ich werde auch kommen. Ich habe Josh absichtlich verletzt, ich sollte etwas tun, um zu helfen."

"Was?" fragte Victor.

"Ich wollte nicht, dass er hinter Annabelle her ist, und ich wusste nicht, wer er war. Ich weiß es immer noch nicht."

Daniel seufzte. "Er ist Josh Munro. Er gehört zum rivalisierenden Rudel."

"Was?" Es hatte nie ein rivalisierendes Rudel gegeben. Victor war der letzte Rivale gewesen, lange bevor ich oder Seb oder der Rest von uns überhaupt da waren, und der Frieden war leicht zu vermitteln gewesen. Nach dem, was man uns erzählt hatte.

"Es ist kompliziert. Wir können es auf dem Rückweg besprechen, aber ja. Joshua ist der zweite Anführer des Campbell-Rudels. Das macht die ganze Situation katastrophal", sagte Victor.

"Etwas unbeholfen für jemanden in dieser Position."

"Zweifelsohne. Darüber werden wir reden müssen. Hat er Ihnen gegenüber irgendetwas... unritterliches getan?" fragte Victor. Er schaute auf mein Oberteil, das schief und blutverschmiert war. Wahrscheinlich sah ich grob aus. So viel zu dieser Dusche.

Ich schüttelte den Kopf und zerrte an der Rückseite meines Oberteils, damit der Ausschnitt noch weiter nach oben wanderte. "Nicht wirklich, nur das Würgen und die Ohrfeigen. Mich gegen einen Baum zu schleudern." Erwähne besser nicht das Lecken.

"Diese verdammte..."

Victor legte eine Hand auf Daniels Arm. "Daniel, Ruhe. Wir müssen sie trennen, bevor es eskaliert."

"Fangen wir damit an." Ich drehte mich zu den kämpfenden Männern um und zuckte zusammen, als ich hörte, wie jemand vor Schmerzen stöhnte.

"Lass mich das machen." Daniel ging an mir vorbei, joggte zu den beiden hinüber und packte jeden an der Schulter. Er riss sie nach hinten, stellte sich zwischen Seb und Josh und blickte Josh mit einem Grinsen an, das auf einen Kampf hindeutete.

"Du glaubst, du kannst Hand an mich legen, als wärst du ein Türsteher in einem Club?" Josh knurrte, die Augen auf Daniel gerichtet.

"Joshua, bevor du dich in einen neuen Streit stürzt, kann ich dich einen Moment unterbrechen?" Victor kam herein, viel näher an dem Mann, den ich kannte, als das zuckende Geflüster der letzten Nacht.

Josh schaute finster drein. "Was willst du, alter Mann?"

"Weißt du, wer dieses Mädchen ist?"

"Eine dumme Schlampe, die im Wald herumläuft."

"Pass auf, was du sagst, Josh." Daniel ließ die Schultern hängen und ließ die Knöchel seiner linken Faust knacken.

"Könnt ihr mal aufhören, eure Schwänze zu schwingen, Jungs?" Ich trat näher und tippte auf Sébs

Handgelenk, damit er wusste, dass ich in der Nähe war.

"Du lässt sie so reden?" Josh spottete und entspannte die Schultern, während er die Arme verschränkte.

"Sie kann sprechen, wie sie will." Seb legte seinen Arm um mich, tief in der Taille, damit er uns enger an sich drücken konnte. "Sie ist meine Frau."

Es war recht unterhaltsam zu beobachten, wie Joshs Mund offen stand und sein vorheriges Grinsen aus seinem Gesicht wischte. Er schaute mich noch einmal an, seine Lippen zuckten ein wenig, bevor er seinen Blick auf Seb richtete. "Du willst sie heiraten?"

"Morgen. Und wenn sie durch deine Aktion blaue Flecken hat, gebe ich dir bei unserem nächsten Treffen die gleichen."

"Ich habe ihm die Nase gebrochen. Ich denke, wir sind quitt", sagte ich.

"Du hast mehr getan als das."

Ich zuckte mit den Schultern. "Ich werde mich nicht dafür entschuldigen, dass ich dir in die Eier getreten habe. Du warst ein Fiesling."

Er sah mich stirnrunzelnd an und bewegte kurz seinen Kiefer. Ich bewegte mich hier auf einem schmalen Grat. Ihr Rudel würde wissen, dass ich eine Hexe war, das war nie verborgen geblieben, als Seb und ich einander versprochen waren. Er würde die

Magie in dem erkennen, was ich mit ihm gemacht hatte. Also brauchte er sich dazu nicht zu äußern, es wäre das Gleiche wie bei jeder Mischehe, es gab immer Magie. Magie zu meinem Schutz. Sie brauchten nicht zu wissen, was das bedeutete. Ich betete, dass er ihnen nicht erzählte, was ich getan hatte, sonst würde ich wirklich in der Klemme sitzen. Ich hielt den Atem an, als er eine Entscheidung zu treffen schien.

"Ich wusste nicht, dass jemand einen Anspruch auf Sie hat. Hätte ich das gewusst, hätten wir ein anderes Gespräch geführt." Er neigte den Kopf ein wenig, was meiner Meinung nach einer Ehrerbietung am nächsten kam.

"Eine, bei der du nicht gedroht hast, mich zu beißen?"

"Was?" Seb wurde starr neben mir.

"Ein Scherz, nur ein Scherz. Ich wollte sie abschrecken. Wir können hier keine Jogger und Touristen gebrauchen. Sie hat keinen einzigen Kratzer von mir. Ich habe sie nicht einmal geschlagen."

"Du hattest deine Hände um ihren Hals, Josh. Das habe ich gesehen." Sébs Stimme war fast ein Knurren, und ich sah, wie sich seine Augen verfärbten - ein Anflug von echter Aggression.

Ich stellte mich auf die Zehenspitzen, um ihm ins Ohr flüstern zu können, und legte meine Hand auf seine andere Wange. "Lass ihn, Liebes. Er ist eindeutig überfordert."

Seb drehte sich langsam um und sah mich an, sein Blick wanderte über mein Gesicht. "Was?"

"Du musst dich nicht mit jemandem anlegen, der schwächer ist als du, um deine Stärke zu zeigen. Lass uns zurückgehen." Ich drückte ihm einen Kuss auf die Wange und drehte mich wieder zu Josh um. "Es tut mir leid, dass wir so ein schlechtes erstes Treffen hatten. Ich hoffe, wir beide können es beim nächsten Mal besser machen."

"Das würde mir gefallen. Ich freue mich darauf, Sie bei der Hochzeit zu sehen. Gentlemen." Josh, der sich auf meinen offensichtlichen Köder stürzte, nickte den anderen zu, drehte sich dann um und verschwand in den Bäumen, bevor irgendjemand reagieren konnte.

"Er kommt zur Hochzeit?" Ich konnte mir die Frage nicht verkneifen. Wenigstens würde er auf den Fotos hässlich aussehen.

"Man muss sehen, dass wir offen für Verhandlungen sind. Das bedeutet, dass sie sich uns anschließen müssen, um das Ereignis zu kennzeichnen, auch wenn wir es geschmacklos finden", sagte Victor.

Seb schüttelte den Kopf und sog die Luft durch die Zähne ein. "Wir werden sie nicht haben. Er hatte seine Hände um die Kehle meiner Frau." Ein kleiner Schauer durchfuhr mich, als er den Ausdruck wieder benutzte und mich trotz meiner Bedenken seine Frau nannte. Darin lag eine offene Sorge, die mein Herz höher schlagen ließ.

Ich schüttelte den Kopf. "Nein, wir sollten sie trotzdem haben, um zu zeigen, dass wir besser sind als sie. Lasst uns sie mit unserer Gastfreundschaft beschämen."

"War sie früher auch so böse?" fragte Daniel lachend.

"Sie ist eindeutig die Tochter ihres Vaters. Es ist wunderbar zu sehen." Victor lächelte mich an. "Wenn ihr mich entschuldigt, ich möchte nachsehen, ob es Annabelle gut geht."

"Natürlich. Wir werden auch zurückgehen. Kannst du gut laufen?" Seb drehte mich in seinem Griff, die Hände auf meinen Schultern, damit er mich ansehen konnte. Victor verschwand in den Wäldern, in die entgegengesetzte Richtung, in die Josh gegangen war, und wir drei blieben zurück.

Ich lege eine Hand auf Sébs Brust, um ihn ebenso wie mich zu beruhigen. "Mir geht's gut, Seb. Aber hast du ein Bad? Ich könnte ein Bad gut gebrauchen." Jetzt, da die Angst nachgelassen hatte, schmerzte mein Körper, die blauen Flecken und zweifellos auch die Kratzer an meinem Rücken brannten vor Schmerz. Meinem Gesicht ging es nicht viel besser, aber das würde abklingen, sobald sich mein Blut gesetzt hatte. Seine Ohrfeigen waren nicht schlimmer als die, die ich zuvor bekommen hatte. Allerdings machte das

Adrenalin auch einem Frösteln Platz, und ich wollte mich in heißes Wasser tauchen, um alles wegzuschütteln.

"Im Hauptschlafzimmer gibt es ein eigenes Bad. Du kannst es benutzen." Seb drückte mich enger an seine Brust, während er seine Arme um meinen Rücken schlang. "Daniel, kannst du den anderen sagen, dass es uns gut geht, aber es wird eine kurze Verzögerung geben. Ich will mir ihre Wunden ansehen."

"Schon dabei." Daniel nickte kurz und schrammte im Vorbeigehen spielerisch an meiner Schulter entlang.

"Hat er dir wehgetan?" fragte ich. Seb blutete nicht, aber er hatte mit den Fäusten geworfen. Es könnten mehr gewesen sein, als es aussah.

"Vergiss mich. Was hat er mit dir gemacht? Ich kann ihn überall an dir riechen, wenn er etwas Unaussprechliches getan hat, werde ich ihm die verdammte Haut abziehen."

"Seb, nein." Ich schlang meine Arme um ihn und drückte ihn fest an mich. "Er hat nur geredet. Er hat an meinem Blut geschnüffelt und so getan, als könnte er mich überwältigen, aber das war's. Er hat sich nicht einmal verwandelt. Mir geht es gut."

"Dein Nacken ist knallrot." Er sagte es in mein Haar, sein Kinn fest an mich gepresst, während er meinen Hinterkopf umfasste und mich unmöglich näher an sich drückte. Es war, als ob er dachte, ich würde verschwinden, wenn er mich nicht berührte. Das war ich wohl auch, für ihn. Ich hätte eine Nachricht hinterlassen sollen, dass ich joggen gehe.

Ich seufzte und ließ ihn los. Er ließ mich nicht los, sondern hielt mich fest. "Ich, äh, er hat mich auch gewürgt, ja. Hat mich zweimal geohrfeigt. Bin mit dem Kopf gegen den Baum geknallt, ich sollte wohl eine Weile nicht einschlafen."

knurrte Seb und zog sich zurück, um mich anzuschauen. "Machst du Witze?"

"Nein."

Er drehte sich um und blickte auf die Baumgrenze. "Ich werde ihn umbringen."

"Seb, nein. Wenn du etwas tun willst, dann kümmere dich um mich."

Er runzelte die Stirn und neigte den Kopf zu mir. "Was meinst du?"

"Du hast mich nach dem Angriff in meinem Haus wieder zusammengeflickt. Das hat mir gefallen. Da fühlte ich mich sicher. Mach das nochmal, um mich zu beruhigen. Ja?"

Seine schmalen Lippen schwankten nicht, aber er nickte. "Das werde ich immer für dich tun, meine Schöne. Aber ich verspreche nicht, dass ich Josh nichts antun werde."

"Zwingen Sie mich nicht, es ins Gelübde zu schreiben."

Er schnaubte daraufhin und zog mich an seine Brust. "Du bist unmöglich. Hier." Er schüttelte das Hemd aus, das er trug, und zeigte ein enges Top darunter. "Zieh das an. Du zitterst ja."

Kapitel 11

"Wir müssen dir einen Leibwächter besorgen." Das Badewasser lief, laut im Bad, und Seb nahm wieder den gesamten Türrahmen ein, als ob jemand hindurchkommen würde. Es war ihm egal, dass er die Schlafzimmertür verschlossen hatte und eine solide Wand war, die jeden anderen abhielt.

"Das hat Victor gestern Abend auch gesagt. Das ist ein bisschen viel, oder?"

"Du wurdest zweimal angegriffen."

"Ich habe Josh angestachelt, um ihn abzulenken, während Annabelle weglief. Er wäre wahrscheinlich nicht so aggressiv gewesen, wenn ich weniger feindselig gewesen wäre."

"Ich weiß nicht so recht. Will hält seinen Sekundanten nicht fest genug im Griff. Vielleicht hat er es trotzdem getan."

Köstlich. Ich fuhr mit einer Hand durch das Wasser, um die Wärme zu testen. "Ist Daniel dein zweiter?"

"Ja." Er nickte und sah über seine Schulter.

"Dachte ich mir. Wie lange sind er und Marie schon ein Paar?"

Seb blies die Luft aus seinen Wangen und neigte den Kopf zurück, um mich anzusehen. "Fünf Jahre, mehr oder weniger. Woher wusstest du, dass sie zusammen waren?"

"Niemand außer Marie nennt mich Kitty-Kat, nicht seit du und die Jungs weggelaufen seid. Er muss es von irgendwoher aufgeschnappt haben. Und du hast ihm gesagt, er soll sich um sie und deine Mutter kümmern."

Seb nickte und schaute zum Bad hinüber. Es gab eine Menge Blasen, um ehrlich zu sein. Ich hatte sie und Bittersalz hineingeschüttet, um die Blutergüsse zu lindern. "Da hast du nicht unrecht. Ich habe immer gedacht, dass es ein süßer Spitzname ist. Für mich ist er ein bisschen zu kitschig."

"Dann musst du eben eine andere für mich finden."

"Du hast mich Liebe genannt, draußen im Wald."

"Wir müssen die Sache gemeinsam verkaufen, oder?" fragte ich und grinste ihn an. "Und wenn Josh Teil des rivalisierenden Rudels ist, wird das eine Rolle spielen. Wenn sie denken, dass etwas nicht stimmt, werden sie das ausnutzen, würde ich vermuten."

"Ja." Er nickte und ließ die Schultern ein wenig hängen. "Es war einfacher, als mein Vater noch verhandelte. Er konnte Will Campbell anbrüllen, als wäre er ein Kätzchen."

"Du hast gedroht, sie von der Hochzeit auszuladen, und ich habe ihre zweite fast in Brand gesteckt. Ich denke, du bist in einer guten Position."

"Hm, was das angeht. Warum war es nur fast? Du hattest den Messertypen doch in Sekundenschnelle erledigt."

"Das war instinktiv, bei mir zu Hause. Dies war eher ein Kampf: weniger Panik, kein automatisches Feuer. Und das ist gut so. Wir wollen nicht, dass überall magisches Feuer entsteht."

"Ich glaube nicht, dass ich etwas gegen Josh Crispy gehabt hätte."

Ich lachte und versuchte, den Schmerz zu ignorieren, den es in meiner Kehle auslöste. "Du bist schrecklich. Mir geht's gut. Es war keine lustige Erfahrung, und mir tut alles weh, aber es hätte schlimmer sein können. Ich habe mir mehr Sorgen um das arme Mädchen gemacht."

"Rose wird sich um sie kümmern. Sie ist ein bisschen schlafgewandelt, das passiert bei einigen von uns vor der ersten Verwandlung."

"Was für ein Stress." Die Wanne war voll genug, also drehte ich den Wasserhahn zu und sah Seb an. Er schaute zurück. "Willst du nicht etwas anderes machen, während ich bade?"

"Nein." Er schüttelte den Kopf und blickte zurück ins Schlafzimmer. "Es gibt Handtücher und einen Bademantel für dich, wenn du fertig bist, und ich habe Daniel gesagt, er soll alles zurückstellen. Ich gehöre jetzt ganz dir."

"Was charmant ist, aber...." Ich schaute wieder auf die Badewanne. "Du kommst nicht mit mir hier rein."

"Nein, aber ich möchte deine Wunden untersuchen. Es gibt genug Blasen für die Bescheidenheit."

Ich blinzelte ihn wütend an, und das Frösteln, das ich im Wald empfunden hatte, ging völlig verloren, als Hitze mein Gesicht überflutete. "Willst du im Bad bleiben, während ich mich wasche?"

"Ich werde mir deine Wunden ansehen. Und wir sollten über einiges reden. Ich muss dich auf den neuesten Stand bringen, was mit dem rivalisierenden Rudel passiert ist und wie die Verhandlungen stehen. Es wird erwartet, dass du übermorgen zu ihnen kommst."

"Hurra. Ich wette, das wird genauso lustig wie die Lieferverhandlungen."

"Ich weiß, ich weiß. Ich bin auch nicht scharf darauf, aber es ist eine Voraussetzung. Victor tut, was er kann, aber das Rudel sieht ohne ein vollständiges Kontingent schwach aus. Wirst du einsteigen?" Er nickte in Richtung des Bades. Das war Wahnsinn.

"Dann dreh dich um."

"Hm?"

"Augen geradeaus, Seb. Ich werde mich nicht vor dir ausziehen."

Er gluckste und nickte. "Wie du sagst, wunderschön." Er drehte sich um und lehnte sich mit der Schulter gegen den Türrahmen. Ich drehte mich um, um in die andere Richtung zu schauen, und kam mir dabei wie ein dummes Mädchen vor. Ich konnte seine Gestalt im beschlagenen Spiegel nur verschwommen erkennen, als ich meine Shorts auszog und meine Unterwäsche darin verstaute. Das Oberteil war das nächste, der BH wurde geöffnet und ebenfalls hineingeschoben, und die Socken zog ich schnell aus. Er hatte sich nicht von seinem Platz bewegt, seine Schultern standen immer noch im Mittelpunkt, und wenn ich meinen Blick verweilen ließ, dann nur, um sicherzugehen, dass er mich nicht beobachtete.

Ich ging ins Wasser und sank schneller als sonst, so dass ich bedeckt war. "Du bist gut."

Er drehte sich um und schenkte mir ein träges Lächeln, als er näher kam. "Drehst du dich um, damit ich deinen Rücken sehen kann, oder prüfe ich sie durch Berührung?"

Ich rollte mit den Augen und ließ mich tiefer sinken, um mich auf die Hüfte zu drehen. Es gab genug Blasen, um alles bescheiden zu halten, wie er gesagt hatte, aber meine Haut kribbelte von etwas anderem als dem Platzen, als ich mich wieder erhob. "Besser?"

"Viel." Er kniete sich neben die Badewanne und fuhr mit den Fingern über meine glatten Schultern. "Es gibt eine ganze Reihe von Kratzern. Nur einer sieht tief aus, genau hier." Er fuhr mit dem Fingernagel unter einen Schnitt knapp oberhalb meines Schulterblatts, und ein stechender Schmerz durchzuckte mich, aber er war nicht schlimmer als die Beule an meinem Kopf.

Ich stieß ein leises Lachen aus. "Richtig, also auch kein rückenfreies Kleid. Wir schränken Maries Möglichkeiten hier wirklich ein."

"Warum warst du draußen im Wald, Kat?"

Ich schaute über meine Schulter zu ihm. "Joggen. Ich habe letzte Nacht schlecht geträumt, ich dachte, rauszugehen würde helfen. Es fühlte sich gut an, wieder im Wald zu sein. Ich war nicht viel draußen, bevor wir abgereist sind."

"Du hättest kommen und mich knuddeln können."

Ich hob die Brauen und widerstand dem Drang, Wasser über den Badewannenrand zu spritzen. "Ich bin sicher, das hätte dir gefallen."

"Ich würde." Ich konnte nicht sagen, was dieser Blick bedeutete, so weich und golden wie Honig, aber ich weigerte mich, ihn anzunehmen.

"In Ordnung. Wenn ich das nächste Mal schreiend aufwache, komme ich zu dir."

"Das musst du nicht mehr, ab morgen. Wir werden uns das Bett teilen."

Das war genug, um einen Eimer kaltes Wasser über alle warmen Gedanken zu gießen, die ich haben könnte. Die Hochzeitsnacht. Das war.... Unvermeidlich. Ja. "Natürlich. Ich wette, du nimmst alle Decken in Beschlag." Das war ein schwacher Satz, und ich wusste es.

Er hatte Mitleid mit mir und schüttelte den Kopf. "Ich werde mein Bestes geben, das nicht zu tun. Jedenfalls wird sich einiges ändern, bevor wir überhaupt so weit sind, also hast du Zeit, sie auf deine Seite zu ziehen."

Ich nickte und summte bei dem Gedanken. "Ist es in Ordnung, wenn ich nicht kann?"

"Ja, das ist in Ordnung. Darüber können wir noch mit der Familie sprechen."

"Klingt gut." Ich schluckte, meine Zunge war schwer von den Fragen, die ich stellen wollte. In der Badewanne. Das war das Dümmste, was ich je getan hatte, außer joggen zu gehen.

"Wenn du willst, setze ich mich ans Fenster, damit du tun kannst, was du tun musst, und ich erzähle dir von den Campbells. Ist das in Ordnung?"

"Ja, klingt gut." Ich nickte und versuchte, mir ein Lächeln zu verkneifen, und er erwiderte es.

"Gut. Aber lass dir nicht zu viel Zeit. Deine Haare werden durch die Feuchtigkeit kraus." Seb stand auf und ging zum Fenster. Das Knarren, mit dem er es einen Spalt öffnete, war eine willkommene Unterbrechung des Gesprächs, genug, um meine Schultern ein wenig sinken zu lassen.

"Woher wissen Sie das noch?"

"Ich erinnere mich an die Geräusche, die du gemacht hast, als deine Mutter sie ausbürstete."

Ich lachte, die Erinnerung schwang in meiner Brust wie eine Schwalbe im Frühling. "Sie hasste es, mir die Haare auszukämmen."

"Nur so viel, wie alle anderen Eltern auch. Ich bezweifle, dass Marie für unsere Mutter viel besser war."

Ich schüttelte den Kopf und drehte mich wieder um, als er sagte: "Sie hatte als Kind wunderschönes Haar. Es war wie Gold."

"Ist es immer noch." Der Stolz in seiner Stimme war wunderbar, eine Wärme, die ihm ganz eigen war. Es war schön, sich vorzustellen, dass er sich um sie kümmerte, auch wenn er jetzt alles auf sich nahm.

"Ich freue mich schon darauf, sie wiederzusehen. Also, du wolltest mir von den neuen Wölfen erzählen?"

"Die Campbells, ja. Sie befinden sich in einer misslichen Lage. Ihr alter Anführer starb vor mehr oder weniger einem Jahr bei einem Kampf um ein Gebiet. Menschliches Territorium."

"Verbrechen?" fragte ich.

"Ja."

"Ekelhaft."

Seb schimpfte. "So ist das Leben. Wir haben uns seit einiger Zeit von allem entfernt, was nichts mit Muskeln und Durchsetzung zu tun hat, aber andere Rudel haben das nicht. Das führt zu Problemen."

"Also hat ihn jemand umgebracht, und was?"

"Es hat eine Spaltung verursacht. Ungefähr ein Drittel des Rudels verließ das Gebiet und ist bis heute nicht wieder zurückgekehrt."

"Der Anführer, Will, will dich also herausfordern, aber mit weniger Männern?"

"Sie wollen Kumpel aus dem Rudel holen."

"Oh, Scheiße. Nein."

"Nein?" Ich konnte hören, wie die Augenbraue hochgezogen wurde, auch wenn ich ihn stur nicht ansah.

"Nicht, wenn sie Typen wie Josh da drin haben. Er wäre schrecklich mit jemandem von hier."

"Schön, dass wir uns da einig sind." Zumindest lag ein Lächeln in seinen Worten. "Er wollte einige der jungen Frauen zu Paaren machen. Nicht, um sich zu fügen, wie Victor es getan hat, sondern um sie auszuschalten und ihre Zahl zu erhöhen."

"Richtig. Ich halte das für eine schreckliche Idee." Ich nahm den Luffa hoch und schrubbte meine Haut so leise wie möglich.

"Mein Vater war einverstanden. Das hat zu einigen Streitigkeiten geführt."

"Haben sie versucht, jemanden zu ergreifen?"

"Noch nicht, aber du denkst in die richtige Richtung. Ich denke, er wird eskalieren, wenn er wütender wird."

"Die Hochzeit ist also nicht nur eine Machtdemonstration, sondern auch eine Gelegenheit, Dinge zu erledigen.

"In gewisser Weise, ja. Wir hatten keine aktiven Kämpfe, aber da sie uns offensichtlich im Auge behalten, gehe ich davon aus, dass es einen Plan für so etwas gibt."

"Was ist, wenn sie versuchen, dich zu töten?" Ich sah ihn nicht an, als ich fragte, aber ich hörte das Einatmen. Natürlich wollte ich das fragen. Er hatte sich nicht so gut an mich erinnert, wenn er dachte, ich würde dieses Detail übersehen.

"Es wäre töricht, mich direkt herauszufordern."

"Sie haben ein großes Ereignis vor sich. Wir sind das große Ereignis. Wenn ich eine Ausrede suchen würde, um eine Szene zu machen, würde ich es dann tun."

Er brummte, was kein Nein war, aber er war eindeutig nicht einverstanden. "Das wäre... unschicklich."

"Kleine Mädchen zu erschrecken auch, oder?"

"Du bist kaum noch klein."

"Ich meinte Annabelle, du begriffsstutzige Sau." Fast hätte ich den Luffa nach ihm geworfen.

"Tut mir leid." Das tat er nicht, das konnte ich an seiner Stimme erkennen. "Sie haben Recht, dass Joshs Verhalten regelwidrig war. Ich bin trotzdem bereit, ihn von der Veranstaltung auszuschließen."

"Nein, das ist schon in Ordnung. Wir haben mehr davon, wenn wir sie vorführen."

"Wir?"

"Ich bin auf absehbare Zeit im 'Team Wir', denn ich will nicht erstochen werden. Apropos, ich nehme an, jemand hat sich vergewissert, dass Josh und Will deinem Vater nichts angetan haben?"

"Ja. Ich habe mit der Abholung gewartet, weil ich dachte, das wäre es. Sie arbeiteten, wie die meisten ihrer Leute, bei einem Konzert. Ich kann mir nicht vorstellen, dass sie einen Untergebenen schicken, um ihn zu holen. Oder dass ein Untergebener Erfolg hat, ehrlich gesagt."

"Man sollte den Außenseiter nicht unterschätzen. Aber ich stimme zu. Ich kann mir nicht vorstellen, dass dein Vater darauf reinfällt. Glauben wir, dass sie bei der Hochzeit etwas tun werden?"

"Du scheinst es zu wissen."

"Vielleicht habe ich eine schlechte Meinung von Männern, die versuchen, mich zu erwürgen."

"Vielleicht." Er hörte sich näher an, und als ich mich umdrehte, stand er fast neben der Badewanne. "Ich hole dir ein Handtuch. Ich sehe schon, wie Marie die Fenster in ihrem Haus kontrolliert. Sie wird bald hier sein, wenn wir nicht hingehen."

"So und dann stellen wir uns vor?"

"Ja. Ich möchte, dass meine Mutter dabei ist, wenn du alle kennenlernst. Sie hat sich in die Vorbereitungen gestürzt und sich um die Kinder gekümmert, aber sie sollten sie in ihrer Position sehen.

"Kein Problem. Wirf ein Handtuch rein und ich ziehe mich an."

"Ich flicke dich zusammen, bevor wir gehen."

"Wie du meinst."

Kapitel 12

"Kitty-Kat!" Das Gewicht von Marie, die in eine Umarmung stürzte, reichte aus, um mir die Luft abzuschnüren und meine Füße ein paar Schritte zurückzuwerfen, aber ich schlang meine Arme um sie, als ich mich wieder aufrichtete.

"Hey du", sagte ich. Sie drückte mich so fest an sich, dass ich unter dem Protest meiner Rippen aufstöhnte, und sie lachte mit demselben lauten Bellen, das sie hatte, als wir jünger waren.

"Daniel hat mir erzählt, dass du angegriffen wurdest. Was ist passiert?" Sie zog mich weg und drehte mich in ihrem Griff, damit sie mich untersuchen konnte. "Du siehst blass aus."

"Ich war schon immer blass, Marie." Ich lachte und streichelte eine ihrer Hände. Die Berührung von Haut auf Haut brachte einen Hauch von Blut und Pfirsichen mit sich, ein verräterisches Zeichen für etwas, das noch nicht unter ihrem schicken schwarzen Hemd zu sehen war. "Warte, bist du es?"

"Pst!" Sie legte einen Finger an die Lippen und blickte sich um. Wir standen auf ihrer Veranda, und Seb sprach immer noch mit Daniel hinter uns, so dass niemand die Frage hören konnte. "Komm herein und sprich."

Sie zerrte mich in ihr Haus, durch das offene Wohnzimmer und in eine große Küche, bevor sie mein Handgelenk losließ. Ihr Gesicht war zerrissen, ein halbes Lächeln war zu sehen, als sie ihre Hände zusammenschlug.

"Geht es dir gut?" fragte ich.

Sie nickte und schloss die Tür. "Ja! Ja, das bin ich, ich meine." Sie klopfte sich auf den Bauch und kniff die Lippen zusammen. "Das ist eine tolle Neuigkeit! Nur ist es das nicht, wegen dem, was mit Dad passiert ist, und wir hatten die Trauerzeit, und da kann man *das* den Leuten nicht sagen, und es sind erst vier Monate, also sind wir nervös und, oh, Kat."

Ihr Gesicht verzog sich, als würde sie gleich weinen, und ich zog sie wieder in eine Umarmung und streichelte ihren Hinterkopf. "Ich freue mich für dich. Ich werde überhaupt nichts sagen. Weiß es Seb?"

Sie schüttelte verzweifelt den Kopf. "Nein, niemand außer mir und Daniel und unserer Mutter. Sie hat es sehr früh bemerkt. Aber man darf frühestens im dritten Monat etwas sagen, nur für den Fall. Wolfsschwangerschaften können unberechenbar sein. Und dann haben wir versucht, herauszufinden, wie wir es den Leuten richtig sagen können. Dann ist Papa gestorben." Sie wurde rot von der Eile des Redens.

"Das ist in Ordnung, kein Stress. Ich werde es erst erfahren, wenn man es mir sagt. Ich werde sogar überrascht tun. Das ist so schön für dich."

"Das muss nach der Hochzeit geschehen, wenn wir es ankündigen. Wir würden euch sonst die Show stehlen."

Ich zog mich zurück und sah sie an, mit gerötetem Gesicht, aber zum Glück ohne Tränen. "Seien Sie nicht albern, ich wäre Ihnen nicht böse deswegen."

"Du vielleicht nicht, aber Seb würde es tun. Die Hochzeit ist wichtig für ihn. Und für das Rudel."

"Ich weiß." Ich nickte und blickte hinter uns in die Küche. Es war ein freundlicher Raum, der durch ein paar lange Fenster, die auf den Wald blickten, gut beleuchtet war. "Komm, lass uns den Kaffee aufsetzen, damit sie nicht denken, dass etwas nicht stimmt."

Sie nickte, nahm meine Hände in ihre und drückte sie ein wenig. "Ich bin so froh, dass du zurück bist, Kat. Ich habe mir solche Sorgen gemacht, nach dem, was mit Dad passiert ist, und mit diesen Mistkerlen, die im Wald herumschleichen."

"Ja, ich habe einen absoluten Fiesling namens Josh getroffen. Das war nicht lustig."

"Daniel sagte, es tut mir sehr leid."

"Keine Sorge, es ist alles in Ordnung." Vielleicht ist es besser, den Mann mit dem Messer nicht zu erwähnen. Ich drückte unsere Schultern zusammen, so dass wir fast nebeneinander standen und in die Küche blickten. "Ist er immer so?"

"Josh? Igitt, ja, er ist ekelhaft. Mich stört es nicht, dass er ein bisschen schlampig ist, viele der Jungs kommen hoch. Sie bekommen es aus ihrem System heraus, aber er ist nicht nur ein Idiot. Er denkt wirklich so. Und sie wollen sich an unsere Mädchen ranmachen! Auf keinen Fall. Denen hacke ich vorher die Eier ab." Sie schüttelte entschlossen den Kopf, die Augenbrauen zusammengezogen und gesenkt. Sie zu entmannen war vielleicht nicht die beste Verhandlungstaktik, aber sie war nun mal die Tochter ihres Vaters.

Ich kicherte und nahm Tassen aus dem ersten Set, das ich in einem Schrank fand. Sie passten zwar nicht zusammen, aber auf den ersten Blick sahen sie fast zusammenhängend aus. Das würde reichen. "Machen wir auch Kaffee für deine Mutter?"

"Ja, bitte, wenn Sie fünf Tassen nehmen, wäre das gut."

"Kein Problem." Ich setzte die fünf aus und kramte im Kühlschrank nach Milch.

"Ich sehe mal nach, wo die Jungs sind, zwei Sekunden." Sie verließ eilig die Küche, und ich lächelte in mich hinein, während die Kaffeemaschine vor sich hin blubberte. Es war häuslich und überhaupt nicht so, wie es meine Morgen normalerweise waren, aber da war eine anhaltende Wärme, als Marie mich umarmt hatte. Es war schön. Es war fast so, als könnte ich wieder dort anknüpfen, wo die Dinge vorher waren.

Während ich in den unteren Schränken nach Zucker kramte, öffnete sich die Tür erneut, und als ich mich umdrehte, sah ich Gillian, ihre Mutter, in einer der Seitentüren stehen. Sie war schön wie immer, grüne Augen statt Sébs haselnussbrauner, aber die gleiche königliche Schönheit wie Marie: hohe Wangenknochen, ein stolzer Vorsprung an der Unterlippe. Sie stand steif da, die Schultern angespannt, und ich lächelte sie an, um den Schock zu mildern.

"Hallo, Gillian. Marie holt gerade die anderen beiden herein. Es tut mir leid, von deinen Problemen zu hören."

"Danke." Sie schloss kurz die Augen und nickte mit dem Kopf. "Es ist schön, Sie wiederzusehen, Kathryn."

"Und du. Ich wünschte, es wäre unter besseren Bedingungen."

"Ich auch." Sie ist noch nicht näher getreten.

"Wie trinkst du deinen Kaffee?"

"Weiß Bastian, was du bist?" Die Frage traf mich wie ein Schlag, so dass ich die Tasche, die ich aufgehoben hatte, fallen ließ. Ich fing sie auf, bevor sie über den Tresen flog, und stellte sie ab, während ich wieder zu ihr aufsah. Für eine Sekunde war ich wieder klein, und sie war die Erwachsene, und ich war in Schwierigkeiten, aber es dauerte nicht lange.

Meine Kehle war trocken, und ich schluckte, bevor ich antwortete. "Er weiß, dass ich nicht ausgebildet bin. Dass ich Feuer habe, wie mein Vater, aber sonst nichts."

"Das ist nicht das, was ich meine."

Ich seufzte und lächelte leise. Jetzt geht's los. "Ich weiß. Hast du es ihm gesagt?"

"Nein."

"Dann nicht. Ich wusste es nicht, bis meine Mutter im Sterben lag. Sie hat so lange gelogen, wie sie konnte, weil sie dachte, es sei eine Gnade." Ich wandte mich ab und löffelte Zucker in zwei Tassen, weil ich wusste, dass ich ihn nahm und Bastian ihn nehmen würde.

"Er sollte es wissen."

"Warum? Ich werde nichts tun." Ich weigerte mich, mich umzudrehen und auf sie einzuschlagen, obwohl mein Kiefer knirschte, als er sich zusammenbiss. Die Pläne der toten Männer verfolgten mich wieder. Eine Bosheit, um die ich nicht gebeten hatte.

"Du bist eine Waffe, Kathryn. Wissen Sie, wie man das sicher macht?"

"Weiß ein Gemüsemesser, dass es Fleisch schneiden kann?" fragte ich und schüttelte den Kopf. "Es spielt keine Rolle, was die Designs waren, es ist so oder so ein Messer. Wenn man es richtig schärft, blutet jeder. Freund oder Feind." Ich schluckte erneut, um den Schmerz in meinem Hals zu vertreiben. "Mein Feuer ist instinktiv. Ich werde mein Bestes tun, um es für alle zu bewahren, aber wenn die Leute darauf bestehen, mich anzugreifen, wird es aufflammen."

"Du weißt, dass ich das nicht meine."

"Dann sag es einfach, Gillian." Ich ließ die Schultern hängen, drehte mich um und neigte mein Kinn zu ihr. "Sag mir, was du meinst, denn du weißt wahrscheinlich mehr darüber als ich."

"Es wäre besser für dich, ihn nicht zu heiraten, wenn du ihm Schaden zufügen würdest."

"Wäre es besser, wenn mich jemand in meiner Wohnung niedersticht?" Ich zupfte am Rand meines Oberteils und zeigte den Verband, den Seb dort angebracht hatte. "Besser ich sterbe wie John?"

Sie zuckte bei dieser Bemerkung zusammen, und die Scham brannte genauso heiß wie meine ohnmächtige Wut. "Es gibt nicht nur dich, an den du denken musst. An das Rudel. Wie wollt ihr Kinder haben?"

Ich blinzelte sie an, ohne ihr zu folgen. "Der übliche Weg, nehme ich an."

"Wolfsschwangerschaften sind für Menschen schwierig. Sie würde einen normalen Menschen töten. Untrainiert könntest du verbluten und das Baby mitnehmen. Das ist mehr Schmerz, als irgendjemand erleiden sollte."

"Vor allem, nachdem er auch seinen Vater so früh verloren hat. Es tut mir leid, für Ihren Verlust. John hat etwas Besseres verdient."

"Danke. Das hat er." Sie schniefte, und ich hasste mich schon wieder. "Ich nehme einen Zucker, bitte. Wir sollten diese Angelegenheit mit mehr Sorgfalt besprechen. Und mit Bastian."

Ich sagte nichts, während ich ihr Kaffee kochte und die Tasse mit der Milch zum Tresen brachte. "Wirst du es ihm sagen?"

Sie starrte mich einen langen Moment lang an. "Nein. Das solltest du sein."

"Wir werden morgen heiraten. Das lässt mir nicht viel Zeit. Und ich möchte nicht wegen der Rudelpolitik getötet werden, um ehrlich zu sein."

Sie nahm die Tasse, und ihr Lächeln war zu gleichen Teilen Schmerz und Geduld. "Ich weiß. Wähle, wie du vorgehen willst. Es wäre vernünftig, wenn du Schutz willst, bis wir den Mord aufgeklärt haben, und dann wieder dein eigenes Leben suchst.

Ich bin wütend, dass wir dort noch nicht mehr Gerechtigkeit haben. Aber ich werde dir nicht verzeihen, wenn du meinem Sohn etwas antust."

"Ich verstehe. Ich glaube nicht, dass meine Mutter je einem von euch verziehen hat."

Gillian hielt inne, die Tasse halb zum Mund geführt. Sie setzte sie ab und sah mich an, als wäre ich wieder ein Kind, ein Verständnis, das ich nicht haben *wollte*. Ich spürte die Kluft zwischen uns wie einen Fluss, den es zu überqueren galt. "Nein, ich glaube nicht. Das tut mir leid. Ich habe Sophie sehr vermisst, als ihr beide gegangen seid. Deine Mutter war eine gute Frau. Stark."

"Ich glaube, manchmal hat sie dich vermisst. Wir haben nicht viel darüber geredet, und als sie krank war, stand es weniger im Mittelpunkt. Aber ich glaube, sie hat es getan."

"Danke. Das ist sehr nett von Ihnen. Wir sollten die Tassen mitnehmen."

"Sicher." Ich ging zurück zum Tresen und schenkte den restlichen Kaffee ein. "Ich weiß übrigens von Maries Neuigkeiten."

"Das hast du gemerkt?"

"Pfirsiche und Blut. Ich rieche das immer, wenn jemand schwanger ist. Das bringt die Magie mit sich. Nehme ich an."

"Wie schön, dass Sie das wissen. Wir haben es niemandem gesagt. Nicht einmal John hat es gewusst." In ihrer Stimme lag ein Lächeln, aber es klang trotzdem weit weg. Trauer war eine spitze Sache.

"Es tut mir leid, das zu hören." Ich meinte es ernst, so abgedroschen es auch klingen mochte. "Es wäre schön gewesen, wenn er es gewusst hätte. Ich werde schweigen."

"Danke. Ich werde nachsehen, wo sie sind, wenn du die Tassen tragen kannst?"

"Ja, natürlich. Ich habe genug gekellnert, um vier Tassen zu schaffen."

"Danke." Sie trat dicht an mich heran und legte mir eine Hand auf den Ellbogen. "Ich bin wirklich froh, dass du wieder da bist, Kathryn. Ich habe oft an dich gedacht."

Ich konnte mir den Biss in meiner Frage nicht verkneifen. "Weil du mich vermisst hast oder weil du Angst hattest, ich könnte es herausfinden?"

"Beides." Sie hielt inne und neigte den Kopf ein wenig, als ob sie nachdachte. "Ehrlich gesagt, beides. Ich würde mich freuen, wenn du auch jetzt bei uns wärst. Wenn es sicher ist."

"Danke." Ich schaute weg und stieß einen Seufzer aus, um meine Atmung zu beruhigen. "Es wird schön sein, wenigstens eine Weile hier zu sein."

"Wir müssen..."

Die Küchentür krachte auf, und Daniels Körper schwappte durch die Tür. "Kat, wir brauchen dich hier drin."

"Geht es dir gut?" Ich setzte die Tassen ab und eilte zu ihm hinüber.

"Ja, ja, mir geht's gut, aber äh. Na ja. Kommen Sie durch." Er nickte zurück durch die Tür und ich ging hinter ihm her, Gillian dicht hinter uns.

Seb und Marie standen mit grimmigen Gesichtern im Wohnzimmer und starrten auf ein Telefon. Mein Telefon. Ich tastete meine Taschen ab und stellte fest, dass es nicht da war.

"Was ist hier los?" fragte ich. "Warum hast du mein Telefon?"

"Er muss herausgefallen sein, als ich dich umarmt habe. Seb hat es reingebracht", sagte Marie. Sie hatte die Arme um sich geschlungen, und Daniel ging zu ihr hinüber und drückte ihr einen Kuss auf die Haare.

"Kat, kennst du eine Elaine Wilson?" fragte Seb und reichte mir das Telefon zurück.

"Ja, warum?"

"Sie hat dich gerade angerufen. Nun, sie hatte dich ungefähr siebzehn Mal angerufen, ich sah den letzten Anruf und nahm ihn entgegen."

"Geht es ihr gut?" Frau Wilson würde nie so anrufen, es sei denn, es gäbe ein Problem.

"Jemand ist letzte Nacht in Ihren Laden eingebrochen. Sie haben versucht, ein Feuer zu legen. Ihr scheint es gut zu gehen. Ich glaube nicht, dass mehr als Rauchschaden entstanden ist, aber sie hat sich große Sorgen um dich gemacht. Du solltest sie anrufen. Ich glaube, sie hat mir nicht sehr getraut." Seb grinste verlegen und zuckte mit den Schultern. "Dazu hat sie natürlich auch keinen Grund."

"Ein Feuer?" Mein Gehirn hat sich an dem Wort festgebissen, alle meine Bücher und Seiten sind schwarz gefärbt oder verkohlt.

"Es könnte mit dem anderen Ereignis von gestern Abend zu tun haben", sagte Seb.

"Sie hätten sie töten können. Sie lebt allein in der Wohnung, abgesehen von ihren Vögeln."

"Ruf sie an, dann können wir darüber reden, sobald du weißt, dass es ihr gut geht." Seb rieb meinen Handrücken und zog die Augenbrauen nach unten.

"Ihr könnt die Küche benutzen. Wir bleiben hier drin", sagte Marie. "Ich hole die Kaffees und räume ab."

"Genau. Ja, sicher." Ich nickte und hielt das Telefon fest in der Hand. "Das können wir machen."

Kapitel 13

"Mrs. Wilson?" Ich sprach, sobald die Verbindung hergestellt war, atemlos, um zu wissen, dass es ihr gut ging.

"Kat, wo in aller Welt bist du?"

Ich seufzte, hätte schluchzen können, und die strenge Antwort. Es ging ihr gut. Sie würde mir nicht das Leben schwer machen, wenn sie verletzt wäre. "Ich musste letzte Nacht irgendwo übernachten. Bei mir zu Hause gab es ein Problem. Geht es dir gut?"

"Mehr geräuchert als ich früher war. Ich glaube nicht, dass Kokosnuss jemals so viel Angst hatte."

Der Papagei war damals auch in Ordnung, gut. Ich würde es mir nie verzeihen, wenn der Vogel getötet worden wäre. "Es tut mir so leid, Mrs. Wilson. Haben Sie die Polizei gerufen?"

"Natürlich! Und die Versicherung. Das solltest du vielleicht auch tun, Schatz. Wir haben das Feuer gelöscht, aber sie haben dein Fenster eingeworfen, als wäre ein Pferd dabei gewesen, und die verbrannten Teile sind ziemlich schwarz. Außerdem ist ein Wasserschaden entstanden, als wir das Feuer gelöscht haben."

"Das ist okay, Sachschaden ist viel besser als Personenschaden. Ich habe mir mehr Sorgen um dich und die Mädels gemacht." Ich ließ mich gegen den Tresen sinken, mit dem Rücken an der Kante, während ich halb in mich zusammenfiel. Es ging ihnen gut.

"Nun, du musst vielleicht ein paar Bananenchips mitbringen, bevor sie dir verzeihen, aber wir kommen schon klar. Wer war eigentlich der junge Mann, der an dein Telefon gegangen ist?"

"Hm?"

"Dieser Mann. Ein sehr höfliches Ding war er."

"Oh, das ist Bastian. Bei ihm habe ich letzte Nacht übernachtet."

"Oh?" Das Schnurren in ihrer Stimme reichte aus, um meine Wangen wieder heiß werden zu lassen, und ich konnte mir den Bogen ihrer Augenbraue vorstellen, als stünde sie vor mir.

"Er ist ein alter Freund. Er ließ mich bei sich übernachten, als ich einen Schreck hatte."

"Kathryn, Schätzchen, du hast keine Freunde außer der Postangestellten." Ich zuckte bei dieser Bemerkung zusammen und konnte mir außer einem erschrockenen Lachen nicht viel vorwerfen. Sie hatte nicht Unrecht, aber es stach an einem Morgen mit anderen Schmerzen.

"Ich, äh, ich kenne ihn schon, bevor meine Mutter krank wurde. Alte Freunde sozusagen. Nicht neu." Ihr Götter, das klang erbärmlich. Ich drehte mich auf den Beinen und schaute aus dem Fenster, um vergeblich zu versuchen, mich abzulenken.

"Nun, ich war vielleicht ein bisschen schroff zu ihm. Ich habe nicht erwartet, dass ein Mann an dein Telefon geht. Schon gar nicht einen, den du nicht vorher zu mir gebracht hast."

Das zauberte ein Lächeln auf mein Gesicht, denn die hektische, beschützende Betriebsamkeit ihrer üblichen Morgenroutine zeigte sich auch bei einem Anruf. "Ich bringe ihn auf jeden Fall vorbei, damit Sie ihn sich ansehen können. Was halten Sie davon?"

"So ist es schon besser." Ich konnte mir vorstellen, wie sie nickte, und hörte das Krächzen eines Vogels, der zustimmte. "Und jetzt bewegst du deinen Hintern hierher und lässt das untersuchen. Die ganze Stadt wird sich darüber Sorgen machen."

"Ich bin ein bisschen weit weg, aber ich komme so schnell ich kann. Und ich werde Bananenchips mitbringen."

"Das ist mein Mädchen. Sieh zu, dass du zu mir hochkommst, wenn du hier bist, okay?"

"Ja, Mrs. Wilson. Passen Sie auf sich auf."

Sie brummte zustimmend, und ich legte den Anruf auf. Ich legte den Hörer auf und trat einen

Schritt zurück, um meine Arme auf dem Tresen zu verschränken und meinen Kopf darauf zu stützen, meine Wirbelsäule flach aufzurichten, bis sie die langen Muskeln an der Rückseite meiner Beine dehnte.

Es sollte keine Überraschung sein, dass es einen Einbruch gab. Jemand war in meinem Haus gewesen. Bewaffnet. Jemand hatte mir wehgetan. Aber ich hatte ein ungutes Gefühl, dass auch mein kleiner Laden ins Visier genommen wurde. All die Teile von mir, die normal und gut waren, wurden von jemandem, den ich nicht einmal kannte, zerpflückt und verletzt.

"Kat?" Sébs Stimme ertönte an der Tür, und ich stand auf und wischte mir schnell das Gesicht ab.

"Hey, ja, ich bin noch da."

Er trat in die Küche und schloss die Tür. Sein Gesicht war angespannt, verkniffen wie am Abend zuvor in meiner Küche, und er stützte sich mit dem Rücken auf dem Holz ab. "Geht es dir gut?"

"Ja. Mrs. Wilson hat sich gut angehört, trotz des Feuers. Ich glaube, sie wird mir ein paar Tage lang die Hölle heiß machen, aber wir wussten ja, dass es ein Risiko ist, wenn ich mit dir abhaue."

Seb trat näher und hob die Hände, als wolle er sich ergeben. "Soll ich mich als der Gauner vorstellen, der Sie entführt hat?"

"Ich sagte, Sie seien ein alter Freund. Daraufhin sagte sie, ich hätte keine Freunde außer Ellie vom

Postamt. Was vielleicht wahrer ist, als ich zugeben möchte, ehrlich gesagt."

Er lächelte und tat sein Bestes, um ein Glucksen zu verbergen. "Sie klingt ziemlich furchterregend."

"Sie ist eine tolle Frau. Sie ist im Ruhestand, lebt von ihrer Rente und hilft mir mit Paketen." Ich schlang meine Arme um mich und schüttelte den Kopf. "Sie sollte sich nicht von versuchter Brandstiftung abschrecken lassen."

"Ich schicke ein paar Leute rüber, um den Ort zu sichern."

"Ich muss auch gehen. Ich muss mich um die Versicherung kümmern und den Schaden begutachten."

Seb schüttelte den Kopf. "Wenn auch dort ein Angriff stattgefunden hat, könnten sie versuchen, Sie herauszulocken."

"Hörst du dich eigentlich selbst? Ich bin kein Spion, Seb. Ich habe einen Laden. Wenn sie versuchen, jemanden herauszulocken, dann sicher dich."

"Sie könnten versuchen, dich zu verletzen, um an mich heranzukommen." Er trat näher, fast so weit, dass er mich berühren konnte, hielt sich aber zurück.

"Dann komm auch mit und sie können dich stattdessen angreifen."

Er neigte den Kopf zur Seite, als ob er darüber nachdenken würde. "Das könnte funktionieren. Das würde bedeuten, dass wir getrennte Autos nehmen müssten, eins für uns und eins für die Männer."

Ich bedeckte mein Gesicht mit meinen Händen. "Ernsthaft?"

"Du brauchst ein Kleid. Ich hatte geplant, dass meine Mutter und Marie mit dir ausgehen, um das zu tun, aber vielleicht wäre es besser, wenn ich stattdessen komme."

"Das bringt Unglück, dass du mich in dem Kleid siehst", sagte ich hinter meinen Händen hervor.

"Schlimmer als aufgeschnitten zu werden?"

"Schade, dass mein Feuer bei dir nicht funktioniert. Ich würde dich gerne in Brand stecken."

Er lachte, genauso laut wie Marie, und zog mich in eine Umarmung. "Ich wette, du würdest dich danach schlecht fühlen."

"Davon bin ich nicht überzeugt." Ich ließ meinen Kopf auf seiner Schulter ruhen. Viel zu vertraut, natürlich, aber es sah gut aus. Und es fühlte sich gut an, so dumm das auch war. Er war solide.

"Wer würde dich dann zurück in den Laden fahren?"

"Ich wette, Daniel würde es tun, wenn ich ihm sage, dass ich ihm ein paar Bücher schenken würde."

"Bestechung schon, hm?" Seb gluckste in mein Haar und schüttelte den Kopf. "Du hast dich wirklich gut eingefügt."

"Das ist wie Fahrradfahren." Ich wollte nicht so bockig und verbittert klingen, aber mein Verstand fühlte sich so schwarz an wie der Rußschaden, den ich noch nicht gesehen hatte.

"Ich weiß, dass das nicht einfach ist, Kat. Es tut mir leid, wenn ich leichtfertig klinge. Aber mir wäre es lieber, sie würden deinen Laden überfallen, als dich zu kriegen. Und ich will nicht, dass du dich in Gefahr begibst, weil du dich verantwortlich fühlst."

"Ich fühle mich nicht verantwortlich." Es war eine Lüge, die auf meiner Zunge schlecht schmeckte. Er wich zurück, die Augenbrauen hochgezogen. "Nicht für den Angriff. Ich fühle mich... besorgt, dass unschuldige Menschen verletzt werden könnten. Und das will ich nicht. Und ich will nicht, dass mein Leben zerknittert wird, weil ich mit dir zusammen bin."

"Ich weiß, ich weiß." Er nickte und beugte sich noch eine Sekunde länger in die Umarmung. "Das wird es nicht. Wir werden morgen heiraten, und dann können wir besprechen, wie es weitergeht. Heute machen wir mit dem Treffen weiter, und dann können wir uns deinen Laden ansehen und dann einkaufen gehen. Ich bringe dich selbst hin."

Ich zog mich zurück und sah ihn an. "Nur wir?"

"Ja. Warum?"

"Ich weiß nicht, wie gut dein Sinn für Mode ist. Ich meine, die Lederjacke steht dir, aber ich stehe nicht gerade auf den Biker-Braut-Look." Der Witz fühlte sich so schwach an wie das Lächeln, das ihn begleitete, aber er lachte.

"Dann überlasse ich dir die Führung. Und scheiß auf die Idee mit dem Pech, wir machen hier unser eigenes."

Ich nickte ihm zu, atmete tief durch und hielt den Atem an, bis ich mich von der Theke abstieß und ihm ins Wohnzimmer folgte.

Daniel, Marie und Gillian standen zusammen in einem kleinen Haufen, weit weg von der Tür, und sie drehten sich alle zu uns um, als die Tür geöffnet wurde.

"Ist alles in Ordnung?" fragte Marie.

"Meine Nachbarin von oben ist nicht verletzt, und ihre Vögel sind es auch nicht, das ist also gut. Ich werde ihnen ein paar Leckerbissen mitbringen müssen, um sie zu entschädigen, aber wir sollten es schaffen. Ich muss auch in den Laden gehen. Sichern Sie ihn."

"Fred und ich können das machen." Daniel schaute zwischen Seb und mir hin und her. "Er ist gut im Sichern von Plätzen."

"Wir fahren nach dem Treffen rüber. Du und Fred in einem Auto, ich und Kat in einem anderen. Danach möchte ich mit ihr ein Kleid kaufen gehen."

"Ich dachte, wir machen das?" Marie drängte sich an Daniel vorbei und stieß Seb an, der die Nase vor Wut rümpfte.

"Das warst du, bis jemand versucht hat, mit ihrem Laden Pyro zu spielen. Ich werde nicht alle Frauen, die ich liebe, auf einmal riskieren. Du kannst ihr immer noch dabei helfen, sich fertig zu machen, aber ich will nicht, dass ihr alle drei zusammen unterwegs seid."

"Bastian hat recht, mein Schatz." Gillian trat vor, ein Arm legte sich um Maries Schultern. "Wenn es immer noch Anschläge gibt, sollten wir alle vorsichtig sein. Und es ist eine wunderbare Gelegenheit für die beiden, sich weiter auszutauschen. Treffen Sie gemeinsame Entscheidungen." Gillian warf mir einen Blick zu, und ich brachte ein strahlendes Lächeln zustande.

"Ganz genau. Ich kann dir das Kleid zeigen, wenn wir zurück sind, und wir können über die Zeremonie sprechen. Wir haben nicht mehr allzu viel Zeit, also teilen wir die Aufgaben besser auf."

"Dann ist es wohl schon entschieden." Marie verschränkte die Arme und rollte fast mit den Augen, als Gillian ihr einen Kuss aufs Haar drückte. "Er hat einen schrecklichen Geschmack, das weißt du, also lass ihn nicht wählen."

"Hey!" Seb schüttelte den Kopf.

Ich lachte und drückte meine Schulter an seine. "Werde ich nicht. Außerdem wird er die Taschen tragen, also kann ich jederzeit loslaufen und sie austauschen."

"Das ist schon eher das Richtige." Marie ergriff wieder meine Hände. "Ich meine es aber ernst, du entscheidest. Heute ist auch dein Tag."

"Bei dir klingt es so düster. Sie wird nicht an den Galgen gehen, Marie." Daniel legte einen Arm um ihre Schultern und kraulte ihr Haar. Es versetzte mir einen Stich in die Brust, der Akt war so sanft, eine Intimität, die ich nicht mit ansehen wollte. Ich warf einen Blick auf Seb, dessen Lächeln ebenso zärtlich und offen war. Mein Herz schmerzte ein wenig, weil es so weich war.

"Genau. Dies ist ein freudiges Ereignis. Eine schöne Möglichkeit für uns alle, trotz der anderen Dinge, die passiert sind, voranzukommen." sagte Gillian. "Kommen Sie, die Leute werden Kathryn gerne kennenlernen."

"Jetzt?" fragte ich.

"Ja. Wir müssen die Reise zwar abkürzen, aber wir können uns noch zeigen und uns unter die Leute mischen, dann können wir gehen." Seb nahm meinen Arm in seinen, legte die Ellbogen aneinander wie ein richtiges Paar und führte mich zur Tür. "Normalerweise würden wir es etwas feierlicher angehen, aber nach dem, was heute Morgen passiert ist, möchte ich es lieber in der Nähe halten."

"In Ordnung. Das ist für mich in Ordnung." Das war sowieso alles falsch. Am besten, du ziehst eine gute Show ab.

Seb öffnete die Tür, und statt des leeren, schmutzigen Platzes von vorhin, als wir von dem größeren Haus herüberkamen, wurden wir von einem Gedränge von Menschen empfangen: bestimmt fünfzig Leute, die sich mit Kaffee und dem, was ich für Donuts hielt, herumdrückten, während sich jemand umdrehte, um uns zu sehen. Ich entdeckte ein paar Tische, die mit großen Kaffeekannen und offenen Snackboxen bestückt waren. Ich konnte mir ein Lächeln nicht verkneifen, ebenso wenig wie das Knurren meines Magens, auf den ich verlegen eine Hand schlug.

"Guten Morgen!" rief Seb, der uns die Stufen von Maries Veranda hinunter und in die Menschenmenge hineinführte. "Ich freue mich, so viele von euch hier zu sehen. Da die Hochzeitsnacht immer näher rückt, wollte ich die Gelegenheit nutzen, um euch allen meinen Gefährten vorzustellen." Seine Hand rutschte näher, um unsere Finger zu verschränken, und er hielt sie hoch, damit jeder unsere vereinten Hände sehen konnte. Die Menge klatschte, und einige der jungen

Männer, die ich halb erkannte, pfiffen laut zwischen ihren Fingern. Mein Gesicht brannte angesichts der plötzlichen Reaktion, aber ich lächelte und winkte mit meiner freien Hand.

"Einige von euch kennen Kathryn bereits aus ihrer früheren Zeit im Rudel, und für einige von euch ist es das erste Mal, dass ihr sie trefft. Sie ist eine unabhängige Hexe, die ihr eigenes Leben geführt hat, bevor sie sich uns wieder anschloss. Das wird auch nach der Heirat so bleiben. Ich wünschte, wir hätten mehr Zeit, um mit allen zu sprechen und ihnen die guten Neuigkeiten mitzuteilen, , aber meine geliebte Frau braucht ein Hochzeitskleid, und ich wäre nachlässig, wenn ich nicht dafür sorgen würde, dass sie vor der morgigen Feier das Beste bekommt."

"Das bringt Unglück!", rief jemand, eine der jungen Frauen.

"Im Weir Pack machen wir unser eigenes Glück!" rief Seb zurück. Ein weiterer Jubel ertönte, dann mehr Klatschen, und ich zuckte zusammen, als Marie hinter uns auftauchte und ihren Arm um meine Taille legte.

"Du machst das toll", flüsterte sie.

"Danke."

"Pass auf, dass er nicht das Kleid auswählt."

"Marie!" zischte Gillian und stellte sich neben ihre Tochter. Wir bildeten eine geschlossene Front, die Reihe der Familie an der Spitze des Rudels, für alle sichtbar, und ich behielt mein Lächeln bei, als ich die Gesichter betrachtete, die uns anschauten. Ich kannte einige von ihnen. Nicht sehr viele. Nicht genug.

Maries Schmollmund war deutlich in ihrer Stimme zu hören. "Du weißt, dass ich recht habe."

Als die Rufe und das Klatschen verklungen waren, fuhr Sebastian fort: "Wir werden die nächsten Minuten hier sein, während wir Vorbereitungen treffen, also wenn Sie kommen und sprechen möchten, tun Sie das bitte. Es wird für alle gut sein, sich auszutauschen."

"Mach dich darauf gefasst", sagte Marie.

"Hm?"

"Die Mädchen wollen dich unbedingt kennenlernen." Sie nickte einer Schar junger Mädchen zu, die sich gegenseitig schubsten und zogen wie eine Flutwelle, und die bereit schienen, nach vorne zu rennen.

"Warum?" fragte ich aus dem Mund heraus.

"Weil du die berühmte Hexe bist, in die Seb verliebt ist. Jeder kennt Geschichten über dich."

Mein Herz sank bei jedem Teil dieses Satzes, und dann kamen sie auf mich zu, bevor ich entkommen konnte.

Kapitel 14

Die Mädchen landeten vor uns und nickten Marie zu, bevor sich ihre Augen mir zuwandten. Sie waren wie eine kleine Reihe blinzelnder Eulen, groß genug, um sich umzuziehen, aber immer noch weich an den Rändern, mit riesigen offenen und fordernden Augen. Annabelle stand auf der anderen Seite und warf einen Blick auf mich, bevor sie wieder wegschaute. Sie müssen alle elf oder zwölf Jahre alt sein, wenn überhaupt, und drängen sich durch die unbeholfene Phase und in ihre eigene.

"Sag hallo", forderte Marie auf.

"Ich bin Karin", sagte die Frau am Eingang. "Mein Cousin Daniel sagt, dass wir uns Ihre Website ansehen dürfen." Sie war groß und hatte lockiges Haar, das sie wie ein dunkler Heiligenschein umgab.

"Daniel sagte, du könntest mir dabei helfen. Es ist ein bisschen alt."

"Karin ist gut darin. Ich helfe bei den Grafiken." Die nächste in der Reihe meldete sich zu Wort und stupste Karin an. "Ich bin Amy." Amy war kleiner und hatte das rostbraune Haar einiger der anderen

Familien, ein dunkleres Blond, das in ihrem langen Zopf stark durchschimmerte.

"Schön, Sie beide kennenzulernen." Ich lächelte sie an und schaute zu den anderen. "Wolltet ihr mit mir über die Website sprechen? Ich kann mich mit Ihnen treffen, um darüber zu sprechen. Das ist etwas für die Zeit, in der ihr keine Zeit habt. Kein Druck."

"Stimmt es, dass du einen Wolf angegriffen hast?", platzte die Frau neben Annabelle heraus, ganz so, als hätte sie es für sich behalten. Sie war schlaksig groß, die langen Knochen kamen als erstes zum Vorschein, mit verrucht rotem Haar, das im Sonnenlicht leuchtete. Wenn sie ausgewachsen ist, wird sie bestimmt wunderschön sein.

"Harper!" Das Quietschen kam von Marie, die ihre Augenbrauen drohend hochzog, genau wie Gillian, als wir jünger waren.

Harper schmollte; die Hände steckte sie in die Taschen ihrer Shorts. "Annabelle sagte, dass Kat sie gerettet hat. Ich wette, sie war wirklich cool."

"Annabelle war sehr tapfer", sagte ich und beugte mich vor, als würde ich ein Geheimnis verraten. "Sie hat sich Hilfe geholt. Hilfe ist besser, als allein zu kämpfen." Natürlich würden sie das wissen, eine Schar von Mädchen, die so zusammen sind. Aber es konnte nicht schaden, ihnen das zu sagen, vor allem, wenn Annabelle vielleicht noch immer wütend war.

"Du hast aber gekämpft", sagte Karin und deutete auf meine Brust. "Cousin Daniel sagte, Seb müsse dich zusammenflicken."

Ich war eine Sekunde lang unsicher, wie gut die Wahrheit sein würde, die ich sagen könnte. Vielleicht eine Halbwahrheit. Sie konnten den Verband nicht durch dieses Oberteil sehen. "Natürlich, das habe ich. Ich bin nicht mit dem Rudel aufgewachsen, ohne zu wissen, wie man ein bisschen rangelt. Man darf ihnen keinen Zentimeter überlassen, wenn man es verhindern kann. Deshalb bekommen wir ja Hilfe. Der Kerl hatte Glück, dass ich nicht etwas ganz Besonderes für ihn herausgeholt habe, indem ich eines von euch Mädchen bedroht habe."

"Was zum Beispiel?" Harper rückte näher und zog Annabelle mit sich.

"Ich bin eine Hexe, kein Zauberer. Ich mache nicht nur Tricks." Ich zwinkerte ihnen zu und schüttelte den Kopf. "Vielleicht zeige ich sie euch nach der Hochzeit. Bis dahin sind sicher alle viel zu beschäftigt, um ein Feuer zu löschen."

"Du kannst Feuer machen?" Harper war eindeutig der Magie-Fan. Auch Annabelle sah interessiert aus und schaute mich mit diesen großen Rehaugen an.

"Tut es weh?" fragte Amy. Sie hatte einen Arm um Karin geschlungen und drückte ihn fest an sich.

"Hoffentlich musst du das nie herausfinden. Ich bin sicher, dass alle hart arbeiten werden, um dich ohne meine Magie zu beschützen. Aber wenn etwas wirklich beängstigend ist, kannst du zu mir kommen. Ich werde dem, was auch immer es ist, zeigen, dass es noch viel mehr zu befürchten hat, wenn es gegen uns vorgeht."

Sie kicherten und drängten sich aneinander, bevor Marie eintrat. "Gut, ihr beiden, ab mit euch. Die anderen werden mit Kat sprechen wollen."

"Können wir dich Kat nennen?" fragte Annabelle. Ihre Stimme war jetzt kräftiger, klarer als im Wald, und es war eine große Erleichterung, sie wie die anderen klingen zu hören und nicht mehr wie die schwankende, verstörte.

"Ja, so nennen mich viele Leute."

"Ab morgen sollte es Frau Weir sein", sagte Karin.

Ich lachte und ein kleiner Schauer der Beklemmung durchfuhr meine Brust. "Das ist mein offizieller Name. Du nennst Seb doch nicht Mr. Weir, oder?"

"Nicht einmal, wenn sie es sollten", sagte Marie. Sie war so liebevoll, trotz der tiefgezogenen Brauen. "Jetzt geh, es sind nur noch ein paar Donuts übrig."

Annabelle zerrte an Harpers Arm, und sie drehten sich um, so dass sie alle vier wie Vögel auf das Meer hinausflogen.

"Sie sind süß", sagte ich.

Marie lachte. "Sie sind eine Gefahr. Schlimmer als die Jungs, die da."

"Warum?"

"Weil die Jungs doof sind, bis sie dreizehn sind. Die Mädchen sind schlau."

Ich stupste sie mit dem Ellbogen an. "Dann ist es ja gut, dass sie hier bei uns sind. Wir werden ein richtiges kleines Einsatzkommando haben."

Marie lächelte, ihre Hand ruhte etwas länger auf ihrem Bauch, als es nötig gewesen wäre. "Ich hoffe es."

"Sieh einfach zu. Ich wette, sie werden auch bei der Hochzeit großartig sein."

"Eine Hochzeit, für die wir dir ein Kleid besorgen müssen. Du solltest Seb darauf ansetzen."

"Soll ich dir Bilder von den Möglichkeiten schicken?" Ich wackelte mit meinem Handy herum.

"Oh, ja! Hier." Sie schnappte sich mein Telefon und tippte ihre Nummer ein. "Schick mir so viele, wie du kannst. Ich werde unsere Mutter beschäftigen, aber ich will sehen, was du auswählst."

"In Ordnung, kein Problem." Ich umarmte sie kurz, unsicher, ob es nur Show war oder ob ich es ernst meinte. Es war so oder so nicht wichtig. Wenn uns jemand ansah, sah es so aus, als sollte es so sein, und das reichte. "Komm, stell mich den Leuten vor, bevor wir uns um den Papierkram kümmern müssen."

~

"Wie geht es dir?" fragte Seb. Wir fuhren die gleiche Straße zurück wie gestern Abend, der Wald war immer noch ein dunkler Fleck neben uns. Das Sonnenlicht drang durch die hohen Spitzen und tauchte die Straße in Licht und Schatten, durch die wir glitten wie ein Fisch unter Eis.

"Mir geht's gut." Ich schaute zu ihm hinüber, setzte mich bequem auf den Fahrersitz.

"Ist dein Hals in Ordnung?"

"Tut weh, aber nichts, wogegen ein Pfefferminz nicht helfen würde."

"Hm." Er kniff die Lippen zusammen, bevor er einen Knopf auf der Konsole drückte. Ein kleines Fach öffnete sich unten in der Nähe des Schalthebels. "Da sind ein paar Minzbonbons drin."

Ich lachte und holte ein gefaltetes Päckchen hervor. "Danke. Du bist wirklich auf alles vorbereitet."

"Ich fahre viel. Das hilft."

Ich nahm ein Pfefferminz für mich und ihn heraus, faltete die Packung zusammen und legte sie wieder weg. Das Fach schloss sich automatisch. "Ist alles in Ordnung mit dir?" fragte ich. Ich hielt ihm das Pfefferminz an die Lippen, und er öffnete sie und nahm die kleine weiße Scheibe entgegen.

"Warum fragst du?"

"Ich bezweifle, dass du mich zum Kleiderkauf mitnimmst, weil du eine starke Meinung über Ausschnitte und Spitzen hast." Ich nahm meine Minze auf die Zunge, deren Wärme wie Zahnpasta aufblühte. Sie war stark genug, um die Luft in meinen Nasenlöchern ein wenig zu erhitzen, aber als das vorbei war, blieb eine angenehme Süße zurück.

Er schnaubte und schüttelte den Kopf. "Ich will dabei sein. Es ist unsere Hochzeit. Ich muss gestehen, dass ich mir Sorgen mache. Der Angriff auf dein Haus ist eine Sache, aber in der gleichen Nacht deinen Laden anzugreifen? Das ist entweder idiotisch oder ein Versuch der Provokation, und ich tendiere zu Letzterem."

"Noch mehr als das im Wald?"

"Damit werden wir noch zu tun haben. Sie wissen nicht, wer du bist, oder zumindest wussten sie es nicht, bis sie dich vorhin grob vorgestellt haben."

Die Worte trafen mich wie eine Glocke, die sich wie ein Gewirr von Seetang verfangen hatte. "Wie meinst du das?"

"Es ist bekannt, dass ich versprochen bin. Daran bestand nie ein Zweifel, aber außerhalb des Rudels haben wir nicht offen gezeigt, wer du bist."

"Also, warum hast du mich geholt?"

Er seufzte und ließ für einen Moment die Schultern hängen. "Ich hatte den Verdacht, dass deine Daten bekannt geworden sind. Mein Vater hat dich im Auge behalten, das weißt du. So bin ich auf dich gestoßen."

"Ja."

"In Anbetracht der Unregelmäßigkeiten bei seinem Tod habe ich befürchtet, dass auch Ihre Daten veröffentlicht wurden."

"Warum?"

"Sein Büro wurde verwüstet. Ich habe es niemandem außer den Kernfamilien erzählt, aus offensichtlichen Gründen, aber es besteht ein echtes Risiko, dass sie seine alten Unterlagen mitgenommen haben. Jobs, persönliche Daten, Ihre Informationen, sogar mehr als das."

"Ich werde das Offensichtliche sagen."

"Fahren Sie fort."

"Bist du sicher, dass es nicht einer aus dem Rudel war?" Er drehte sich zu mir um, und mir wurde ganz mulmig, als er meinen Blick festhielt. "Seb, Straße!"

"Es ist in Ordnung." Er blickte zurück. Der Wagen war tatsächlich in Ordnung gewesen. Er war nicht abgedriftet, aber mein Herz schlug mir bis zum Hals. "Warum sagst du das?"

"John war kein Idiot. Ich mochte ihn vielleicht manchmal nicht, aber er war vorsichtig. Ich kann mir nicht vorstellen, dass er jemanden in sein Büro lässt, der so etwas tut."

"Er war draußen im Wald, als er starb."

"Ja, hast du gesagt."

Er bearbeitete seinen Kiefer, kaute auf seinen Worten herum, bevor er sie sagte. "Er war nicht warm, als ich ihn fand."

"Tut mir leid, Seb."

"Das bedeutet, dass es schon eine Weile her ist." Ich brummte ein Ja, unsicher, wohin das führen würde. "Lange genug, dass jemand zurückgekommen ist und alles verwüstet hat."

"Du hast es schon gedacht?"

"Das würde ich nicht sagen. Ich habe es nicht."

"Aber es war in deinem Kopf."

"Ich kann mir nicht vorstellen, dass jemand aus dem Rudel das tut. Das kann ich nicht." Er schlug auf das Lenkrad, das Geräusch war laut wie ein Donnerschlag in dem kleinen Raum, und ich wich in die Tür zurück. Ich war angeschnallt, es war in Ordnung, wir waren sicher, aber ich sah, wie seine Augen vor Schmerz aufblitzten, als er zu mir herübersah. "Es tut mir leid."

"Es ist alles in Ordnung." Meine Stimme war viel zu leise, ein albernes Maß an übrig gebliebener Angst. Ich brauchte keine Angst vor Seb zu haben. Das wusste ich. Aber der letzte Tag hatte mir einen Überschuss an Adrenalin beschert, und das zerrte an meinen Nerven, soweit ich es ertragen konnte. "Mir geht's gut."

Er runzelte die Stirn, den Blick wieder auf die Straße gerichtet. "Ich sollte dir keine Angst einjagen."

"Alles macht mir Angst. Du bist nichts Besonderes. Messer und Wölfe und Brandstiftung, oh je. Das Schlimmste, worüber ich mir vorher Sorgen machen musste, war ein Lieferjunge, der komisch war."

"Ich wette, das haben nicht viele von ihnen bei dir versucht."

"Nicht mehr als einmal."

Er lachte, aber es war nur ein Hauch von Luft, kaum vorhanden. "Ich verstehe, warum du diese Frage stellst. Das ist ganz natürlich. Ich glaube nicht, dass jemand aus dem Rudel das tun würde, aber du warst ja weg. Natürlich würdest du die Dinge auf diese Weise sehen."

"Es gibt viele Kinder", sagte ich und suchte nach einem anderen Gesprächsthema. "Im Rudel, meine ich. Ich habe mehr gesehen, als ich erwartet hatte."

"Wir haben die Art und Weise, wie wir bestimmte Dinge tun, geändert.

"Oh?"

"Ursprünglich war es Maries Idee, aber mein Vater hat sie aufgegriffen und weitergeführt. Jeder, der neu hinzukommt, wird jetzt eingeladen, bei uns zu wohnen."

"Ich kann Ihnen nicht folgen."

"Wenn jemand gebissen wurde und wir ihn finden, bieten wir ihm einen Platz an. Sie müssen ein paar Monde bei uns verbringen, bevor sie endgültig umziehen, damit wir wissen, dass sie sicher sind und der Wechsel nichts Negatives mit sich bringt, aber ja. Es hat uns eine Menge frisches Blut gebracht."

"Kein Wunder."

"Und wir haben eine Adoptionsregel. Wenn einer der Männer bei einem Auftrag getötet wird, adoptieren wir seine Kinder in das Rudel. Menschen oder Wölfe, aber meistens waren es Wölfe."

"Sie beanspruchen sie?"

"Das ist eine Verhandlungssache. Wir schnappen keine Kinder. Aber, ja. Sie haben einen Platz bei uns, auch wenn der Wolfsvater nicht mehr da ist. Die Familie besteht nicht nur aus denen, die unter dem Mond laufen."

"Richtig."

Ich lehnte mich in meinem Sitz zurück und dachte darüber nach. Einerseits war es mehr Arbeitsplatzsicherheit als alles andere, wovon ich gehört hatte. Du wusstest, dass sie sich um deine Familie kümmern würden. Es war zwar ein bisschen mobster, aber das Rudel war keine grimmige Gruppe, und um die Kinder würde man sich kümmern. Trotz einiger ihrer Aktivitäten. Andererseits tat mir der Gedanke an eine solche Familie im Herzen weh. Die Dinge, die ich vermisst hatte, als meine Mutter und ich von ihnen weggelaufen waren und gegen die Mauer der Anstrengung ankamen, die uns nach unserem Weggang erwartete.

Es wäre niemals sicher gewesen. Ich wusste das, verstand jetzt, warum sie weggelaufen war. Aber die Lücke in dem, was hätte sein können, war riesig, und ich fühlte mich kalt wie ein Nordwind bei dem Gedanken an den Unterschied. Hätte ich Seb lieben können, wenn wir so zusammengestoßen wären? Hätte es eine richtige Ehe zwischen uns werden können? Ich sah zu ihm hinüber, die Augen sorgfältig auf die Straße gerichtet. Er war gutaussehend, daran bestand kein Zweifel, und er war wild in der Art, wie er sich um alle kümmern wollte. Daran gab es eine Menge zu mögen.

"Geht es dir gut?" Seine Stimme war leise und sanft, so wie gestern Abend, als ich geschnitten wurde.

"Ja."

"Du bist still geworden, Kat."

"Ich denke nur nach."

"Gut, dass einer von uns das tut."

Ich schnaubte und schüttelte den Kopf über ihn. "Halt die Klappe damit. Du hast deinen Abschluss gemacht. Ich habe meinen Abendschulabschluss wegen eines Ersatzhemdes verpasst."

"Du hast recht." Er seufzte, tief wie ein Brunnen. "Ich wünschte, ich wäre gekommen und hätte es dir damals gesagt. Dann hätte ich die Verbindung hergestellt."

"Ich wäre wahrscheinlich furchtbar zu dir gewesen."

"Ja?"

"Ich war furchtbar zu deinem Vater. Und zu Victor. Wenigstens scheint er mir verziehen zu haben."

"Er freut sich auf die Zeremonie."

"Wirklich?"

"Er ist der Offizielle, da mein Vater nicht hier ist. Er ist der Stellvertreter meines Vaters, also fällt ihm diese Aufgabe zu. Eine letzte Sache für meinen Vater, als Zeichen des Respekts."

"Das ist schön. Schön, dass es auch jemand ist, der uns beide kennt. Darüber bin ich froh."

"Gut, ich bin froh, dass das für dich in Ordnung ist."

Ich lächelte ihn an und tätschelte seine Hand. "Mach dir nicht so viele Sorgen. Wir tun das für das Rudel und es wird schon klappen. Du kannst dir eine richtige Person suchen, wenn die Dinge nicht mehr so verrückt sind. Es ist eine Art Testlauf. Es macht mir nichts aus, dein Testlauf zu sein."

"Nein?"

"Nein, natürlich nicht. Es ist schön, weil du es bist." Ich war überrascht, dass ich es ernst meinte.

"Du bringst mich noch um, wenn du so etwas sagst."

"Ach, pst." Ich lachte ihn an und setzte mich auf, als wir uns der Stadt näherten. "Mrs. Wilson wird dir das Leben schwer genug machen. Was wird die Geschichte sein?"

"Ihr die Wahrheit sagen?"

"Dass du ein Werwolf bist, schwerer Mann? Nix da, sie wird dich mit Weihwasser bewerfen. Vielleicht auch Salz."

Er bellte ein Lachen und zog uns zum Bordstein. "Vielleicht nur Verlobter?"

"Vielleicht bekommst du noch das Salz."

"Ich werde es riskieren. Kommen Sie."

Kapitel 15

Daniel und Fred schlossen sich uns an und begutachteten das Chaos vor meinem Laden. Das lange Erkerfenster war eingetreten worden, wie Mrs. Wilson gesagt hatte, und die Tür war aufgebrochen worden, vermutlich bei den Löscharbeiten.

Ich betrachtete den verbogenen Griff, der durch die Gewalteinwirkung abgebrochen war. Ich hatte erst letzte Nacht abgeschlossen.

"Haben Sie einen Sicherheitsdienst?" fragte Daniel.

"Ja, Kameras an beiden Türen und einige innen. Sie sind nicht riesig, aber sie decken die toten Winkel ab."

"Ich nehme an, es ist völlig in Ordnung, anzunehmen, dass es jemand war, der auf die Kasse zuging?" fragte Fred. Er war neu - ich kannte ihn nicht, weil er mit ihnen aufgewachsen war - aber er war so alt wie wir anderen. Er hatte eine sonnengebräunte Haut und dunkles Haar, das er vorne zu einem tadellosen Zopf frisierte. Er würde sich irgendwo an den Türen gut machen, eine leichte Stärke in der Art, wie er seine Schultern bewegte, auch wenn er nur etwa so groß war wie ich.

"Das hatte ich in den letzten fünf Jahren nicht mehr. Ich glaube, die Leute erwarten nicht so viel Bargeld in der Kasse. Da gibt es nicht so viel zu stehlen wie bei einem Juwelier."

Seb schüttelte den Kopf und stieß etwas von dem herabhängenden Glas heraus, so dass es ins Innere des Ladens fiel. "Wir sollten uns den Schaden drinnen ansehen. Warum sehen wir uns nicht den Laden an und du nimmst Kontakt mit der Versicherung auf?"

"Klar, das geht. Ich bin dann im Büro und muss wahrscheinlich Fotos machen. Oh verdammt, ich habe vergessen, die Bananenchips zu stoppen."

"Soll ich was holen gehen? Ich habe einen Laden gesehen, als wir reingefahren sind." Daniel deutete mit dem Daumen auf den Hauptteil der Einkaufsstraße, wo um diese Zeit viel los sein würde.

"Ja, nimm dir was und hol Wasser für alle. Es ist besser, etwas im Auto zu haben." Seb nickte, holte seine Brieftasche heraus und reichte Daniel einen Zettel. "Fred, du kommst mit mir."

"Klar doch." Fred nickte und trat hinter Seb, als dieser die Tür aufstieß.

"Bin gleich zurück." Daniel joggte die Straße hinunter, und ich folgte den beiden anderen ins Haus.

Es war ein Chaos: Sie hatten das Feuer in der hintersten Ecke entfacht, wo neue Bücher und Bastelkarten ausgestellt waren. Wenigstens war es Pappe gewesen, die sich nicht so leicht entzündete, das hatte vielleicht geholfen. Der Rauchschaden ging von dort aus, schwarzer Ruß zog sich über die halbe Höhe der Wand, und Rauchspuren blühten auf wie Dornenrosen und schlängelten sich in einem wirren Durcheinander. Er reichte bis zur Decke, und ich dankte dem, der zugehört hatte, dass es nicht richtig gebrannt hatte. Die arme Mrs Wilson.

"Sie hatten keine Ahnung, was sie da taten." Fred pfiff, und Seb stieß ihn mit dem Ellbogen an.

"Er hat Recht. Die Karte war eine schlechte Wahl." Ich wandte den Blick ab und spürte, wie der Teppich unter meinen Füßen knirschte. Der würde ersetzt werden müssen.

"Wir sollten uns ein paar Luftentfeuchter besorgen, die bei geschlossenem Fenster die Feuchtigkeit abführen, damit das Inventar nicht leidet. Der Teppich ist im Arsch, verzeihen Sie meine Ausdrucksweise."

"Ich habe im Einzelhandel gearbeitet. Du bist gut, Fred", sagte ich.

"Ermutigen Sie ihn nicht", rief Seb, als sie den Rest des Raumes überblickten.

Mir wurde ganz mulmig bei den Kosten für all das: Reinigung, neue Teppiche, neue Ware. Ich hatte mich damit abgefunden, dass ich ein paar Wochen lang weniger für den Laden zur Verfügung stehen würde, vielleicht mit eingeschränkten Arbeitszeiten, aber das hier bedeutete, dass die Türen wirklich geschlossen waren. Unternehmen sind immer hungrig, deshalb gibt es Versicherungen, aber das war eine Menge Geld, das plötzlich weg war, und niemand war da, um es zurückzuverdienen.

Ich drehte mich um, um ins Büro zu gehen, streifte meine Jacke ab und warf sie auf den Tresen. Die Kasse war nicht überprüft worden, sie war immer noch geschlossen, so wie ich sie gestern Abend verlassen hatte, und hatte sich nicht einmal bewegt, als hätten sie an der Schnur gezogen. Wenn sie nach Geld gesucht hätten, hätten sie es nehmen und mit dem verdammten Ding rausgehen können.

Als ich die Bürotür aufstieß, schlug mir eine Welle von Fäulnis und süßer Verwesung entgegen, und mein Magen drehte sich angesichts des konzentrierten Gestanks. Ich musste würgen und hielt mir den Mund mit dem Handrücken zu, und dann stieß ich einen Schrei aus, als ich sah, was ihn verursacht hatte.

Ein schwarzer Fellstreifen war in der Wand eingeklemmt, ein schweres Messer steckte zwischen seinen Rippen, um ihn zu fixieren. Es war eine Katze, das konnte ich an den kleinen Spitzen der Ohren und dem schlaffen, hängenden Schwanz erkennen, und darunter hatte jemand "Sieben Leben übrig" gekritzelt.

"Kat!" Seb war an meiner Seite und riss mich zurück und weg von dem Chaos. "Verdammte Scheiße."

"Was ist los, Boss?" Fred stand neben uns, und Seb reichte mich an ihn weiter, während ich immer wieder den Kopf schüttelte. Das konnte doch nicht wahr sein. War es aber. Ich kannte den Geruch des Todes, aber nein. Niemand hätte so etwas in meinem Laden anrichten dürfen. Es war eine Buchhandlung!

Fred griff nach vorne und schloss die Tür, so dass ich wieder in den Hauptraum des Ladens kam. "Hast du hier einen Kühlschrank, Kat?"

"Im Lagerraum. Dort gibt es eine Mikrowelle und einen Kühlschrank."

"Haben Sie irgendetwas da drin, wie Cola oder Wasser mit Kohlensäure?" Er hatte einen Arm um meine Schultern gelegt, führte mich vom Büro weg und hielt mich am Reden. Ich kannte diese Behandlung, erkannte sie von früher, und eine Hälfte von mir wollte sich umdrehen und Seb suchen, um sicherzugehen, dass er das nicht auch sehen musste.

"Ich habe ein paar Dosen Cola light da drin."

"Genau. Ich möchte, dass du eine nimmst und sie mindestens eine Minute lang gegen deinen Nacken drückst. Dann halten Sie es zwischen Ihren

Handgelenken, genau hier, so dass es gegen die Venen drückt." Er tippte auf die weiche Haut, unter der sich die blauen Blutgefäße abzeichneten. "Das machst du so lange, bis einer von uns reinkommt, ja?"

"Ist das ein Trick?"

"Abkühlung hilft gegen die Übelkeit. Wenn Sie Ihre Handgelenke unter kaltes Wasser halten, ist das ähnlich, aber es ist auch gut, etwas zu trinken. Die Blasen helfen gegen die Übelkeit."

"Haben Sie eine Erste-Hilfe-Ausbildung?"

Er lachte und wippte mit dem Kopf zu beiden Seiten, bevor er antwortete. "Kann man so sagen. Ich war Rettungswagenfahrer, bevor ich gebissen wurde. Danach wollte ich nicht mehr riskieren, mit Blut in Berührung zu kommen, zu viel Risiko für andere, also habe ich aufgehört. Aber es bleibt bei dir hängen."

"Gut, dann kann jemand ein Auge auf Seb werfen. Er stürzt sich in alles hinein."

"Hast du heute Morgen nicht einen der rivalisierenden Wölfe verprügelt?"

"Seb hat ihn verprügelt. Ich habe ihm nur die Nase eingeschlagen."

"Ah, richtig, das Paar, das zusammen Blut vergießt, bleibt natürlich zusammen." Er führte mich in die Kantine, ein kleines Schränkchen, das ich umfunktioniert hatte. "Du bleibst hier, und einer von uns wird zurückkommen."

"Klar." Ich ging zum Kühlschrank, holte eine Dose heraus und tat, was er gesagt hatte. Ich wusste, dass ich weinte, ich konnte es auf meinem Gesicht spüren, aber der Schock hatte dafür gesorgt, dass es nur ein dünner Rand der Aufregung war, getrennt von dem zittrigen Adrenalinrausch, der langsam aus mir herausfloss. Ich saß in dem kleinen schummrigen Raum und atmete tief ein, während ich die Dose an meine Haut drückte und die Augen schloss.

Alles, was ich sah, war der schwarze Streifen, das stumpfe Metall des Messers.

Ich öffnete sie wieder und schüttelte das Bild ab. Armes Ding. Mein Trübsal blasen würde nicht helfen.

"Also, wer sind Sie beide? Und wo ist Kathryn?" Beim Klang von Mrs. Wilson wischte ich mir schnell über das Gesicht und stellte die Dose oben auf dem Kühlschrank ab, um sie zu suchen.

Als ich herauskam, sah ich, wie sie mit dem Finger auf Seb zeigte, der mit erhobenen Händen sein Bestes gab, um eine Geisel zu spielen. Sie war eine stattliche Frau, die als Krankenschwester gearbeitet hatte, bevor sie in die Bibliothek wechselte, um dort Alphabetisierung zu unterrichten. Ihre Schultern waren breit, und wenn sie zu den Ohren hochgingen, wie sie es taten, wenn sie empört war, erweckte sie den Eindruck eines aufgeplusterten Huhns, das sich auf etwas stürzen wollte, das in der Nähe herumschlich.

"Ich bin hier, Mrs. Wilson", sagte ich. Sie drehte sich zu mir um und zog die Augenbrauen hoch, als sie mich wahrnahm.

"Ich habe dich schreien gehört."

"Das habe ich. Es gibt etwas ziemlich Schreckliches im Büro."

"Schlimmer als ein Feuer?"

"Ja." Ich nickte und war dankbar, dass Fred die Tür geschlossen hatte. "Es ist ekelhaft. Ich habe einen Schock bekommen."

"Hm. Und wer sind sie?" Sie neigte den Kopf in Richtung der beiden Männer und musterte sie mit offenen Augen.

"Der Blonde ist Bastian, und das hinter ihm ist Fred." Ich drehte mich zu ihnen um und streckte der wütenden Frau die Hand entgegen. "Das ist Frau Wilson, die mir in den vielen Jahren, die ich hier bin, das Leben gerettet hat."

"Du brauchst mir nicht zu schmeicheln. Ich weiß, wie nützlich ich gewesen bin. Was haben die mit dir zu schaffen?"

"Bastian ist derjenige, mit dem du vorhin gesprochen hast. Er ging an mein Telefon, als ich gerade Kaffee kochte."

"Ihr Freund?"

"Das bin ich. Ich bin der Verlobte von Kat. Ich dachte, es wäre nur richtig, dass ich komme, um den

Schaden zu begutachten. Sie haben auch eine Drohung gegen sie hinterlassen, also bin ich froh, dass ich gekommen bin."

"Warte einen Moment, Schönling." Mrs. Wilson hielt wieder einen Finger hoch und zeigte auf ihn, bevor sie sich mir zuwandte. "Kathryn Mocur, hat der Junge gerade Verlobter gesagt?"

Ich nickte und trat näher heran, um Sébs Finger in meine zu legen. "Wir waren eine arrangierte Ehe, bevor meine Eltern starben. Damit für mich gesorgt ist."

"Hat er für deinen Laden bezahlt?"

"Nein." Ich versuchte, mich nicht über die Frage zu ärgern. Sie wusste, wie hart ich an diesem Ort gearbeitet hatte.

Sie schnaubte. "Natürlich nicht. Das bist alles du gewesen. Dann ist er ein schlechter Verlobter. Wer ist er wirklich?"

"Ich bin wirklich mit Kat verlobt. Wir waren einander als Teenager versprochen. Meine Familie wollte, dass sie ihr eigenes Leben führt, bevor wir heiraten, damit sie für sich selbst sorgen kann, falls mir etwas zustößt."

"Schrecklich vorausschauend für eine Familie, die ihre Kinder verheiratet." Sie kniff den Mund zusammen und sah zwischen den beiden Männern hin und her. "Weißt du, der Schnabel eines afrikanischen

Graus hat genug Kraft, um den Finger eines Menschen zu durchtrennen, wenn er aufgeregt ist. Und meine Kokosnuss hat sich seit dem Feuer nicht mehr beruhigt."

"Droht sie damit, uns an einen Vogel zu verfüttern?" fragte Fred.

"Frau Wilson, das müssen wir nicht tun. Ich ging auf sie zu und versuchte zu lächeln, ohne zu lachen. "Einer von Bastians Freunden ist unterwegs, um Bananenchips für Coco zu holen. Er ist ein guter Mann. Wenn er mich zum Schreien gebracht hätte, wäre ich zur Tür hinausgegangen."

"Er ist derjenige, zu dem du gestern Abend ins Auto gestiegen bist. Da sahst du nicht sehr glücklich aus."

Es hätte mich nicht überraschen sollen, dass sie mich von ihrem Fenster aus beobachtete, aber es hat mir ein Lachen entlockt. "Er hat nicht vorher angerufen. Ich war gestern Abend überrascht. Ich habe mich über das Büro aufgeregt und darüber, dass mein Teppich jetzt wahrscheinlich Brunnenkresse anbauen kann, sonst nichts."

"Das klingt alles gar nicht gut, Kathryn. Ihr Laden war all die Jahre gut, und jetzt das? Was haben sie im Büro gemacht?"

"Das wollen Sie nicht sehen, Ma'am", sagte Fred. "Kats Leben ist bedroht und es gibt ein totes Tier."

"Oh, Kathryn. Du kommst jetzt sofort hier raus. Du kannst deine Anrufe von meiner Wohnung aus machen. Ich will nicht, dass du so etwas mitmachst." Sie nahm meinen Ellbogen und zog mich näher zu sich heran. "Und wenn diese Männer dich bedrohen, können wir auch die Polizei rufen."

"Ich bringe dir deinen Laptop hoch, wenn du willst, Schatz?" rief Seb und nickte, als er mich aufforderte zu gehen.

"Danke."

Ich ließ mich von Mrs. Wilson hinausbegleiten und traf Daniel an der Tür. Er reichte mir die Tüte mit den Chips und zog eine Augenbraue hoch. Ich deutete in den Laden, und er nickte und neigte seinen Kopf zu Mrs. Wilson, bevor er verschwand. Wir gingen die Treppe hinauf, die sie wie jeden Tag sauber gefegt hatte, und sie drehte sich zu mir um, bevor wir durch die Tür gingen.

"Kathryn, du wirst mir erklären, was hier los ist und warum ich nicht die Polizei rufen sollte, sobald wir in meinem Wohnzimmer sind."

"Ich dachte, die Polizei wäre schon hier, wegen des Feuers", sagte ich.

"Werden Sie nicht frech zu mir, Lady. Ich bin so kurz davor, Sie als entführt zu melden." Sie hob Zeigefinger und Daumen und tadelte mich.

"Mrs. Wilson, glauben Sie, ich würde zu ihm ins Auto steigen, wenn das der Fall wäre?"

Sie stieß mir in die Brust, und ich schluckte den Schmerzenslaut hinunter, als sie den Verband traf. "Das würdest du, wenn er mich oder einen der anderen bedroht. Du hast ein zu großes Herz in dir."

Ich erschauderte bei dieser Bemerkung, und das Gefühl von Joshs Händen um meinen Hals geisterte für einen Moment hoch. "Du denkst zu nett von mir."

"Hm. Nicht das Geringste. Ich mache mir jetzt eine Tasse Tee und dann könnt ihr reden."

"Kann ich Kokosnuss auch füttern?"

Sie öffnete die Tür und warf einen Blick zurück, bevor sie antwortete. "Wenn sie dich lässt. Sie ist immer noch sehr aufgewühlt."

Kapitel 16

Der Wasserkocher pfiff, als ich Coconut mit fetten gelben Chips fütterte, die etwa die Größe einer zerdrückten Münze hatten. Kokosnuss hieß so, weil sie sich vor ihrer Rettung alle Kopffedern ausgerissen hatte, und als sie nachgewachsen waren, waren sie büschelig und standen in seltsamen Winkeln ab. Wie eine Kokosnusshütte, hatte Frau Wilson gesagt und den Vogel wie ein Neugeborenes gestreichelt.

Kokosnuss betrachtete mich mit ihren schwarz-silbernen Augen, nahm die Scheiben langsam und aß jede einzelne mit der Sorgfalt eines Kleinkindes, das sich das beste Törtchen aus der Schachtel aussucht. Sie war wirklich ein süßer Vogel, aber ihr Schnabel schien durch Mrs. Wilsons Bemerkungen im Laden noch schärfer geworden zu sein.

Frau Wilson brachte zwei Tassen herüber und stellte sie auf den Tisch. "Sie hat dir schon verziehen, wie es scheint."

"Ich glaube, es sind die Chips."

"Wahrscheinlich." Mrs. Wilson saß schwer in ihrem Stuhl mit der hohen Rückenlehne und den hohen Flügeln, die ihren Kopf flankierten, und hob ihren Tee an die Brust, bevor sie mich ansah. "Ich mache mir Sorgen um Sie, Kathryn."

"Wegen des Feuers?"

"Und das, ja. Denn ich habe dich in der ganzen Zeit, in der du hier bist, nicht mit solchen Leuten gesehen. Du bist als Waisenkind in Avon-on-Lee gelandet und hast es zu etwas gebracht. Ich möchte nicht glauben, dass das daran lag, dass du nichts Gutes im Schilde geführt hast."

"Ich habe keine Drogen genommen oder so etwas. Ich wäre nicht so gestresst wegen eines neuen Teppichs, wenn ich so viel Geld hätte."

"Hm." Sie nippte an ihrem Tee und beobachtete mich mit steinernen Augen über den Rand der Tasse hinweg. Sie hatte schöne graue Augen, mit einem Hauch von Blau darin, aber sie waren im Moment quer durch die Meere.

"Ich meine es ernst. Du weißt, dass ich nach dem Tod meiner Mutter hierher gekommen bin, und das stimmt auch. Ich war allein genug."

"Mit einem Verlobten, der nicht gekommen ist, um dir zu helfen." Sie senkte ihre Tasse.

"Das wollte ich nicht. Ich wollte auf meinen eigenen Füßen stehen. Sein Vater kam und bot es mir an, bevor ich hierher zog, und ich sagte ihm, er solle sich den Kopf zerbrechen."

Sie lachte darüber, und Coconut kräuselte ihre Federn. Ich fütterte sie mit einem weiteren Chip. "Das klingt schon eher nach dir. Was hat sich denn geändert?"

"Bastians Vater ist verstorben, also muss er das Geschäft übernehmen. Das bedeutet, dass wir in Bezug auf den Vertrag verheiratet sein müssen."

"Ist seine Mutter noch am Leben?" Ich nickte. "Sie hat dich nicht von ihm befreit?"

"Nein. Das sollte man meinen, aber es wäre eine Beleidigung für die Toten. Unseren beiden Vätern."

Frau Wilson summte und streckte die Hand aus, um Kokosnuss zu streicheln. Die anderen Vögel waren in ihren Käfigen in dem gemeinsamen Raum. Ich konnte ihr Trillern und Flattern durch den Korridor hören. "Man sollte meinen, dass ihr die Lebenden wichtiger sind als die Toten."

"Das würdest du."

Ein Klopfen störte uns, woraufhin Kokosnuss kreischte, und ich gab ihr einen weiteren Chip zur Untersuchung, während ich zur Tür ging. Seb stand draußen mit meinem Laptop. Ich öffnete die Tür und nahm ihn ihm ab, woraufhin er mich schief anlächelte.

"Geht es dir gut?", fragte er.

"Alles in Ordnung. Kokosnuss scheint mit dem Geschenk zufrieden zu sein."

"Gut. Sag mir Bescheid, wenn du fertig bist. Ich räume unten weiter auf."

"Wird gemacht. Danke." Ich nahm ihm den Laptop ab und drückte ihm zum Zeichen einen Kuss auf die Wange. Er grinste und zwinkerte mir zu, als er sich umdrehte, um die Treppe hinunterzugehen.

Ich nahm die Tasche mit ins Wohnzimmer und fand Coconut auf der Armlehne von Mrs. Wilsons Stuhl, als ich zurückkam. Sie färbte Mrs. Wilsons Strickjacke, ein echtes Zeichen dafür, dass sie mit meinen anderen Besuchen zufrieden war, und ich lächelte sie an, als ich mich wieder hinsetzte.

"Ist das Ihr Laptop?"

Ich nickte und hockte mich auf einen Stuhl, um das Gerät aus dem Koffer zu holen. "Ja, damit ich einen Anspruch anmelden kann. Ich muss den Laden wahrscheinlich eine Woche lang mit Brettern vernageln, bis er trocken genug ist, um einen neuen Teppich zu verlegen."

"Hört sich gut an. Werden sie zurückkommen und es erneut versuchen?"

Autsch. Bevor ich antwortete, kaute ich auf der Innenseite meiner Lippe. "Das glaube ich nicht. Ich bleibe in der Zwischenzeit bei ihm, nur für den Fall, das sollte sie von hier wegbringen. Avon-on-Lee, meine ich."

"Hat es damit zu tun, dass du ihn geheiratet hast? Mag dich jemand nicht?"

"Es hat mit ihm zu tun. Ich bin eine Hilfskraft, könnte man sagen." Ich tippte den Laptop an und navigierte zu meinem Versicherungsanbieter.

"Du gehst also in das Herz der Bestie, anstatt wie ein vernünftiger Mensch wegzulaufen. Das sieht dir gar nicht ähnlich, Kathryn."

Ich versuchte, mein verschnupftes Lachen als Husten zu verbergen. "Der Feind meines Feindes ist mein Freund. Im Moment habe ich mit ihm mehr Chancen zu überleben als ohne ihn."

"Das ist nicht schön zu hören." Sie griff wieder zu ihrer Tasse und beobachtete mich über den Rand hinweg, während sie einen Schluck Tee trank.

Ich begann mit meiner Behauptung, während ich sie halb im Auge behielt und versuchte, die netteste Art und Weise zu finden, sie vorzubringen. "Besser die Stadt ist sicher als gar nicht, oder? Und Seb ist ein guter Mann. Vorsichtig und behutsam. Sehr entschlossen, auf mich aufzupassen."

"Er hat Hand an dich gelegt?"

"Nein, ganz und gar nicht." Ich schüttelte den Kopf und sah zu ihr auf.

"Warum hast du dann blaue Flecken an deinem Hals?"

Ich klappte den Kiefer zusammen. Es gab keine richtige Antwort, die sie nicht beunruhigt hätte. "Ich wurde zu Hause angegriffen. Jemand wartete auf mich, als Seb mich zurückbrachte. Er hat mir geholfen, mich zu befreien."

Sie starrte mich eine lange Minute lang an; die Stille wurde nur dadurch unterbrochen, dass Kokosnuss ihre Flügelfedern sträubte. "Das ist nicht sicher, Kathryn. Woher weißt du, dass das nicht jemand war, den er geschickt hat, um dich zu erschrecken, damit du mit ihm zurückgehst?"

"Das würde er nicht."

"Er steht vor Ihrer Tür und erzählt, dass sein Vater im Sterben liegt, und Sie glauben nicht, dass er etwas Unangemessenes tun würde? Ich habe solche Männer im Krankenhaus gesehen. Ich weiß, dass sie böse Dinge tun, selbst wenn sie weinen, dass sie ihrer Frau nie etwas antun würden."

"Seb ist nicht so. Er macht diese Art von Arbeit nicht. Ich weiß, was du meinst, und ich kann verstehen, warum du das denkst, aber er ist nicht so. Ich bin mit ihm aufgewachsen, bis wir weggegangen sind, und ich weiß, dass er kein böser Mensch ist."

"Er hat dich elf Jahre lang nicht besucht. Nicht einmal, als deine Mutter gestorben ist?"

Ich schüttelte den Kopf. "Es war kompliziert."

"Darauf wette ich." Sie schimpfte über Coconut, bevor sie wieder sprach. "Ich will nicht, dass du in etwas Gefährliches verwickelt wirst. Brandstiftung und Anschläge, sag ich dir. Wenn du ein erfolgreiches Geschäft und ein gutes Leben hattest, hier. Schweigen Sie. Ich wusste, dass deine Vergangenheit etwas Ungewöhnliches hat, aber das habe ich nicht erwartet."

"Ich hatte keine andere Wahl." Ich schaute aus dem Fenster auf die lange Straße der Geschäfte. Um diese Zeit am Morgen war sie belebt, ein Gewirr von Menschen und Fahrzeugen. "Man hat es mir als Kind versprochen. Das muss man einhalten, auch wenn es nur für eine gewisse Zeit ist."

"Scheidung?" Ich nickte. Sie neigte ihren Kopf zur Seite und nickte leicht. "Wenn du so denkst, gut."

Ich blickte zu ihr zurück. "Gut?"

"Ich weiß ein oder zwei Dinge über Scheidungen. Eine meiner Stationsschwestern hat eine Umschulung zum Familienrecht gemacht. Sie hilft vielen von uns bei Problemen, die unsere Kinder und Enkelkinder haben könnten. Sie könnte Ihnen Recht geben. Und wenn sie es nicht tut, weiß ich immer noch, dass ich meine Drogen nehme, und ich werde Ihnen helfen.

Ich hatte kurze Visionen davon, wie sie einen komatösen Seb ihren Vögeln servierte, und beschloss, dass das für heute zu viel war. "Okay, du bist also weniger besorgt."

"Ich bin nicht glücklich, versteh das nicht falsch." Sie gurrte Kokosnuss an und kratzte sich an dem kleinen Hautfetzen oberhalb ihres Schnabels. "Aber du denkst praktisch. Das gefällt mir. Wird er erwarten, dass du den Laden aufgibst?"

"Nein. Wenn ich wieder öffnen kann, habe ich das vor. Das weiß er."

"Du vertraust ihm?"

"Ja. Wenn er mich barfuß und schwanger haben wollte, wäre ich schon weg."

"Braves Mädchen. Gut. Aber wenn du mich in einer Woche nicht wieder besuchst, rufe ich die Polizei an. Ich habe Fotos von ihren Autos und Nummernschildern."

Ich lachte sie an und nahm einen Schluck von dem Tee, den sie uns gekocht hatte. Er glühte warm, als ich schluckte. Die Vorstellung, dass sie sich an ihre Autos heranpirschte, bevor sie ihnen gegenüberstand, fand ich so lustig. Natürlich schaute sie ihnen hinterher. Süße, furchterregende Frau.

"Ich werde zurückkommen. Einige aus der Familie könnten mir mit dem Laden helfen, so dass du auch Zeit haben wirst, sie kennenzulernen, zumindest solange wir reparieren."

"Gut. Sie haben sich zu sehr um den kleinen Laden gekümmert, um ihn von einem Idioten ruinieren zu lassen. Brandstifter oder Verlobter."

"Ich glaube, du wirst Seb mögen, wenn du ihn erst einmal kennengelernt hast."

Sie schüttelte den Kopf über mich. "Ich habe ihn kennengelernt. Ich habe mir nicht viel dabei gedacht."

"Vielleicht eine Tasse Kaffee. Oder Abendessen, irgendwann mal. Du kannst zu mir nach Hause kommen."

"Hm. Vielleicht."

Ich klappte den Laptop-Deckel zu, das Formular war abgeschickt, und so wartete ich einfach auf eine E-Mail oder einen Rückruf von ihnen, um zu erfahren, was sie brauchten. "Wir können das besprechen, wenn ich wieder vorbeikomme, ja?"

"Ja. Gehst du?"

"Ja, es gibt nicht mehr viel zu tun, außer Fotos zu machen und auf den Bescheid der Versicherung zu warten. Wir werden den Laden sichern und dann zurückfahren."

Sie stand auf und ließ Kokosnuss auf eine Lehne des Stuhls hüpfen. "Ich nehme alle Pakete an, aber sie sollen nicht mein Haus vollstopfen. Ich erwarte, dass sie mindestens einmal pro Woche abgeholt werden."

"Überhaupt kein Problem, Mrs. Wilson. Ich danke Ihnen." Ich beugte mich vor, um sie zu umarmen.

"Sei bloß vorsichtig." Sie klopfte mir auf den Rücken. "Ich habe zu viele Frauen gesehen, die mit dummen Vorstellungen von Romantik durchgebrannt sind. Ich will nicht, dass du in Schwierigkeiten gerätst."

"Ich werde mich kümmern. Versprochen." Wir trennten uns, und ich schnappte mir meine Laptoptasche und schulterte sie. "Und das nächste Mal bringe ich auch mehr Chips für Coconut mit."

"Nicht jedes Mal. Wir wollen nicht, dass sie verwöhnt wird." Frau Wilson streichelte Kokosnuss' Kopf, und das Leuchten in den kleinen Augen verriet mir, dass es eine kluge Entscheidung war, ihr eine Banane mitzubringen.

~

Ich fand Seb allein vor, der Fotos von den Schäden in der Werkstatt machte. Das zweite Auto war weg, also nahm ich an, dass Fred und Daniel etwas anderes vorhatten.

"Alles in Ordnung da drinnen?" rief ich, als ich hereinkam.

"Mir geht es gut. Sind Sie entlassen worden?"

"Ja. Sie will mich einmal pro Woche sehen, und sie ist nicht glücklich darüber, aber sie wird mich nicht als entführt melden."

"Das ist beruhigend." Er beugte sich tief hinunter, um den Ausgangspunkt des Feuers zu fotografieren. Dabei konnte man gut sehen, wie sich seine schwarze Jeans über ihn spannte, und ich wandte mich ab, um nicht unanständig zu sein.

"Sie hat aber Fotos von den Autos gemacht. Also wird sie etwas melden, wenn sie mich nicht sieht."

"Es ist schön, so fürsorgliche Nachbarn zu haben."

Das war es. Als ich mich im Laden umsah, kicherte ich und schüttelte den Kopf. Ich brauchte nicht ins Büro zu gehen, um die Sicherheitsaufzeichnungen zu sehen, die in einem Cloud-Account gesichert waren, aber dort war mein Ordner mit allem. Ich sollte ihn mitnehmen, um mehr Informationen für die Versicherer zu bekommen. Das würde bedeuten, das arme tote Ding wiederzusehen, und ich seufzte bei dem Gedanken.

"Wie geht es dir?" Seb stand auf und steckte sein Telefon ein, als er näher kam.

"Ich werde ja nicht mehr krank sein. Fred war super nett zu mir."

"Er ist ein guter Kerl, er packt mit an. Er und Daniel sind unterwegs, um Holz zu besorgen, um das Fenster zu vernageln, und ein paar Luftentfeuchter. Sie können hier bleiben, um heute aufzuräumen."

"Das musst du nicht tun. Ich will mich nicht einmischen."

Seb zuckte mit den Schultern. "Es ist ein sicherer Job. Ich würde sagen, sie sollen die Tür offen lassen, aber nicht mit dem Teppich." Er beugte sich vor, um das Wasser zu verdrängen. "Vielleicht, wenn alles abgetrocknet ist. Ich zahle für die Renovierung."

"Das brauchen Sie nicht, ich bin versichert."

"Das tue ich. Das wäre nicht passiert, wenn sie dich nicht mit mir verbündet hätten."

"Die Nachricht scheint das zu zeigen, ja. Und dass sie wissen, wie ich heiße, was unheimlich ist. Armes Baby, das für etwas so Schreckliches getötet wird."

"Es ist ein überfahrenes Tier." Ich blinzelte ihn an und neigte meinen Kopf zur Seite. "Ich habe es gerochen, um sicherzugehen. Es ist zu faul, als dass es einfach über Nacht liegen geblieben wäre. Und auf dem Fell am Hinterbein sind Trittspuren zu sehen. "

Ich zuckte zusammen bei dem Gedanken, das zu riechen, wenn man bedenkt, wie schlimm es gewesen war, als ich die Tür öffnete, aber ich nickte, als ich wieder ins Büro sah. "Okay, sie haben also eine tote Katze, um mich zu erschrecken. Das ist schon etwas besser, denke ich?"

"Nicht wirklich, aber wenigstens weißt du, dass es nicht deinetwegen zu Schaden gekommen ist. Es scheint etwas zu sein, worüber du dir Sorgen machen würdest."

"Ja." Natürlich wollte ich nicht, dass etwas meinetwegen umkam, weder die Katze noch sonst etwas. "Ich muss reingehen und etwas von dort holen."

"Soll ich das tun?" Er berührte meinen Ellbogen und lenkte meine Aufmerksamkeit wieder auf ihn. "Wenn du es nicht mehr sehen willst, kann ich reingehen."

"Ich meine, es wird mich nicht beißen. Tote Dinge sind nicht das Problem. Jemand Lebendiges ist es."

"Dann gehe ich mit dir rein. Wir können das und alles andere, was du brauchst, mitnehmen und dann nach deinem Kleid suchen."

"Was ist mit den Jungs?" fragte ich.

"Sie können sich selbst einen Laden sichern. Wenn jemand irgendetwas versucht, bin ich sicher, dass Mrs. Wilson ihn zurechtweisen wird."

Er hatte nicht Unrecht.

Kapitel 17

Der Einkaufsbummel führte uns den Weg zurück, den wir gekommen waren, etwa vierzig Minuten außerhalb von Avon-on-Lee in ein großes Gewerbegebiet, das ich während meiner Zeit hier ein- oder zweimal im Jahr aufgesucht hatte. Es war ein teurer Ort mit einer Mischung aus Boutiquen und riesigen Designerläden, deren Eingangstüren von Sicherheitsleuten bewacht wurden.

Obwohl ich mit meinem Unternehmen gut zurechtkam, kam ich nicht dorthin, ohne ein bestimmtes Ziel vor Augen zu haben - und ein knappes Budget -, das wir dieses Mal nicht zu haben schienen.

"Wo wollen Sie suchen?" fragte ich, als wir einparkten.

Seb zuckte mit den Schultern. "Wo immer du willst, es gibt hier ein paar Orte. Ich weiß, dass Marie ein Auge auf einen der kleinen Orte geworfen hat, Lily White oder so ähnlich."

"Nie davon gehört."

"Du hast nicht zufällig nach Kleidern gesucht?" Er zwinkerte mir zu, als er das sagte, und ließ unsere

Finger ineinander gleiten. Es war einfach, diesen Teil zu tun, als wären wir wieder Kinder und spielten damit, was wir jetzt sein würden. Der Gedanke stach, aber ich verdrängte ihn mit einem Lächeln.

"Ich kann nicht sagen, dass es ganz oben auf meiner Liste steht. Meistens geht es um neue Vitrinen oder um Arbeiten im hinteren Teil des Ladens, damit ich mehr Platz für die Ware habe. Die Hälfte davon befindet sich in meinem Haus, wie Sie gesehen haben."

"Es ist ein guter kleiner Laden. Sie nutzen den Platz gut."

"Danke. Ich versuche es."

"Wenn wir den neuen Teppich haben, sollten wir uns vielleicht ein paar Stehpulte anschaffen, diese großen Würfel, die man so bekommt. Damit könnte man die Rotation länger aufrechterhalten."

"Ich habe darüber nachgedacht, aber es stört den Fluss des Raumes. Der offene Grundriss lässt die Leute organischer wandern."

"Gutes Argument. Dann vielleicht ein paar von diesen Stehern, damit man sie bewegen kann, ohne die Gehwege zu blockieren."

"Hast du Augen für meinen Laden?" Ich verkniff mir ein Lachen, denn das Bild von Seb, der mit Bücherkisten um sich wirft, war vor meinem geistigen Auge völlig lächerlich.

"Nicht mehr als jeder andere Geschäftsmann auch. Ich weiß zu schätzen, was Sie damit gemacht haben, und ich denke darüber nach, was ich tun würde. Ich würde auch mehr Lagerbestand haben wollen, wie Sie sagen, und ich würde das Briefpapier differenzieren wollen. Ein paar Notizbücher einführen. Die Mädchen sind immer hinter ihnen her."

"Ja, das sind wunderbare Geschenke. Ich habe ein paar, aber nicht viele."

"Du bist vorsichtig damit, das gefällt mir." Er führte uns hinein und zeigte uns einen Plan des Ladens. Er war über zwei Etagen verteilt, wobei sich die Boutiquen hauptsächlich im oberen Stockwerk befanden. Ich ließ meinen Blick über die Liste der Namen schweifen und entdeckte die, die er erwähnt hatte, sowie einige andere: "*To Have and To Hold*", "*Best Dress*", "*Vows and Vixens*". Das ließ meine Augenbraue hochziehen, und ich notierte mir den Ort auf der Karte. Nicht allzu weit von Lily entfernt.

"Hier ist die, die Marie erwähnt hat." Ich stieß auf die Karte.

"Willst du zuerst dorthin gehen oder dir ein paar Designerläden ansehen?" fragte Seb.

"Eine Boutique wäre gut. Ich bezweifle, dass die Designerläden meine Größe von der Stange haben."

"Was meinst du?"

"Breite Schultern machen mich zu einer größeren Größe. Das ist in Ordnung, daran bin ich gewöhnt, aber es ist kein gutes Gefühl, wenn man erfährt, dass es im Laden nichts gibt, was passt."

Er brummte und starrte auf die Tafel. "Nein, das ist ja furchtbar. Ich wusste gar nicht, dass die Schultern so leicht für Frauensachen zu haben sind. Ich weiß von Taschen, aber daran habe ich nicht gedacht."

"Das sind die Gefahren des Kaufs auf der Schiene. Das ist in Ordnung, es macht mir nichts aus. Und wenn man in einer Boutique kauft, unterstützt man ein kleines Unternehmen, das ist viel besser."

"Wirklich?"

"Im Ernst. Ich bin immer dafür, einem kleinen Unternehmen zu helfen. Natürlich."

"Natürlich." Seb nickte abwesend und kratzte sich mit einem Daumen am Kinn, bevor er sich ein wenig schüttelte. "Es tut mir leid, Kat. Das ist wohl kaum die Art von Erfahrung, die du dir für deine Hochzeit wünschst."

"Mach dir keinen Stress. Mach dir einfach Notizen für das nächste Mal, damit deine richtige Dame genug Zeit hat."

"Sagen Sie das nicht so. Du bist anständig."

Ich klopfte ihm auf die Schulter und widerstand dem Drang, mit den Augen zu rollen. "Du weißt, was ich meine."

"Hm. Komm schon."

Wir fuhren mit der Rolltreppe nach oben und schlenderten im oberen Stockwerk entlang, während wir uns die einzelnen Geschäfte ansahen. Lily Whites befand sich ganz am Ende des Ganges, einige der anderen waren zwischen Parfümerien und Juwelieren mit glitzernden Auslagen verteilt.

Ich zögerte an einem Fenster und blieb an einem Set aus Ohrringen und Halskette hängen. Es war ein einfaches Modell; eine Reihe von Diamanten saß in einem Anhänger im Birnenschliff, mit einem leuchtend violetten Stein an der spitzen Basis, dem gleichen satten Farbton wie eine Pflaume im Herbst. Sie hatten alle das gleiche Design - fast ein Art-Déco-Gefühl in den scharfen Kanten - und sie fingen das Licht ein wie ein Bach an einem Sommertag, der unter den hellen LEDs funkelte.

"Scheint dir etwas zu gefallen?" fragte Seb, der sich zu mir gesellte.

"Nur etwas Hübsches. Von hier aus wird es bestimmt auch ziemlich teuer sein", sagte ich. Sie waren wirklich schön, viel ausgefallener als ich es brauchte, aber das Lila hielt meinen Blick fest.

"Welche ist es, die Perlen?" Er deutete auf eine Reihe natürlicher Wasserperlen über mir, eine stürmische graue Kette mit grünen und violetten Flecken darin. Sie waren auch schön, aber sie hatten meinen Blick nicht so gefesselt wie die Perlenkette.

"Nein, das diamantene und lilafarbene Set", sagte ich und bemühte mich, das Glas nicht zu berühren. Niemand mochte Fingerabdrücke auf einer prächtigen Auslage. "Sie sind wunderschön. Völlig unpassend, ich habe keinen Grund, sie zu kaufen, aber sieh dir diesen Glanz an. Sie sind wunderschön."

"Willst du sie?" fragte Seb.

"Ich meine, sie sind sehr nett. Wahrscheinlich aber zu viel. Komm, wir müssen uns ein Kleid besorgen." Er verweilte am Fenster, und ich zog ihn an den Fingern mit, um ihn wegzuziehen.

"Ich würde sie dir besorgen, wenn du sie willst."

"Ich weiß, dass du das willst. Und das tue ich auch, aber ich werde irgendwann zurückkommen, um sie zu holen. Ich komme ein- oder zweimal im Jahr hierher. Ich werde sparen und sie das nächste Mal holen."

"Wie Sie wünschen." Sagte er und blickte zurück. "Wo wollen Sie zuerst suchen?"

"Vows and Vixens" klang ziemlich lustig. Ich vermute aber, dass sie skandalös sein werden, also sollten wir uns Lily Whites ansehen."

"Wenn du willst, können wir bei der ersten Adresse vorbeischauen. Ich habe auch keine Ahnung, welche Möglichkeiten sie haben werden."

"Du hast nicht zufällig nach Kleidern gesucht?"

Er lachte und schüttelte den Kopf, bevor er meine Hand hob, um meine Knöchel zu küssen. "Das habe ich wohl verdient, was?"

"Hundertprozentig."

"Du bist doof, weißt du. Ich hatte ganz vergessen, wie viel Spaß du machst."

Diese einfache Ehrlichkeit überraschte mich, und ich stotterte, bevor ich antwortete. "Ich hatte nie einen Gedanken, den ich nicht geäußert habe. Liegt in der Familie."

Seb grinste, und sein ganzes Gesicht erstrahlte in der Sonne. "Das gefällt mir. Du hältst mich auf Trab."

"Jemand muss es tun. Ich habe gesehen, wie du dich auf Josh gestürzt hast. Läufst du überall so rein?"

"Nur dort, wo jemandem wehgetan wird." Auch seine Augen waren ehrlich, fast neugierig, wie sanft sie waren.

Ich wandte den Blick ab und seufzte. "Es war zum Teil meine Schuld. Ich habe ihm die Nase gebrochen. Das macht einen Kerl ganz schön wütend."

"Das entschuldigt nicht, was er getan hat. Ich erwarte, dass Will sich bei der Zeremonie für ihn entschuldigt."

"Ich bin sicher, dass sie das tun werden. Sie wollen ja schließlich in deiner Nähe bleiben. Da du Zahlen hast."

"Sie sollten sich benehmen. Vielleicht gibt es ein paar Rangeleien, wenn sich alle umgezogen haben, aber es gab keine Angriffe."

"Freut mich zu hören." Ich dachte kurz an Marie und die Nachricht, die sie erwartete. Ich wusste nicht, wie das mit dem Wechsel funktionierte, außer dass sie immer noch schwanger sein würde. Ich hoffte im Stillen auf sie und legte meine Hand flach auf meinen weichen Bauch. Sie hatte es bis zum vierten Monat geschafft. Daniel würde sie sicher beschützen.

Wir waren in dem Geschäft angekommen, einem langen, niedrigen Raum mit Fenstern, der das Ende des Ganges einnahm, den wir entlanggegangen waren. Die Auslage zeigte eine Auswahl von Schaufensterpuppen in verschiedenen Kleidern - leuchtend weiße Baiser-Röcke, glitzernde Meerjungfrauen, glänzende cremefarbene Seide. Im Inneren entdeckte ich einen stilisierten Baum, wahrscheinlich eine Skulptur, dessen lange Äste über die halbe Decke reichten. Weiße Blüten hingen und fielen von ihnen herab und gaben einigen Bereichen einen gewissen Sichtschutz, und die sanfte Beleuchtung ließ alles in einem ätherischen, zarten Glanz erstrahlen, der die Spiegel versöhnlicher stimmen musste.

"Ich verstehe, warum Marie hierher wollte", sagte ich.

"Es sieht... besonders aus. Schön." Seb nickte, sein Gesicht war nicht zu erkennen, als er durch das Fenster schielte. "Ich sehe niemanden sonst hier. Ich muss mal kurz telefonieren. Kannst du mit ihnen reden, und ich komme zurück, sobald ich mit Daniel gesprochen habe?"

"Sicher. Wir sehen uns drinnen."

Er holte sein Handy heraus und schlenderte den Weg zurück, den wir gekommen waren. Ich lachte in mich hinein, als ich den Laden betrat. Die Luft war kühl, wahrscheinlich, um die Kleider zu pflegen, und die Wände waren mit großen Spiegeln verkleidet, deren Rahmen aus altem Holz und antikem Gold bestanden und so warm wie Whiskey waren. Am anderen Ende konnte ich ein paar Türen sehen, die mit schweren Vorhängen verdeckt waren - ich nahm an, dass es sich um die Umkleideräume handelte.

Am anderen Ende erschien eine Frau, dünn wie ein Whippet und mit hochgezogenen Augenbrauen, als sie mich sah. "Es tut mir so leid. Haben Sie lange gewartet?" Ihr Haar war leuchtend rot, nicht annähernd natürlich, und in einem schrägen Bob geschnitten, der Papier hätte zerfetzen können, so scharf war er. Sie machte eine Schlange vor mir und legte das Buch, das sie in der Hand hielt, in der Ecke ab.

"Ist schon gut, ich bin gerade erst gekommen."

"Gut, ich würde mich schrecklich fühlen, wenn Sie auf mich warten müssten. Wie können wir Ihnen heute helfen?" Sie hatte mich jetzt erreicht, ihre kleinen Kätzchenabsätze liefen leise auf dem polierten Holzboden.

"Ich will ehrlich zu Ihnen sein - ich werde morgen heiraten. Ich hatte mein Kleid schon ausgesucht, aber jemand hat letzte Nacht mein Geschäft angezündet und das Kleid war noch da, also hat mein Verlobter es nicht gesehen. Es ist ruiniert und ich muss heute ein neues finden."

"Meine Güte, Mädchen, was für eine Katastrophe!" Das Gesicht der Frau erbleichte, eine Hand bedeckte ihren makellosen Lippenstift - ein leuchtendes Rot, das zu ihrem Haar passte.

Ich holte mein Handy heraus, mit einem Daumen simste ich Seb meine Lüge, damit er mir die Geschichte nicht vermasselte. "Wir sind ziemlich gestresst. Er ist hier bei mir, er telefoniert mit den Leuten, die uns helfen, die Dinge im Laden zu retten, also wird er sich uns anschließen, aber kannst du mir sagen, was du in meiner Größe hast?"

Sie sah mich kurz an und nickte kurz. "Wir haben Optionen für dich, Schatz, kein Problem. Aber bist du sicher, dass du willst, dass er es sieht? Das bringt Unglück."

"Wir glauben nicht viel an Glück, wenn man alles bedenkt." Ich sollte mich schuldig fühlen, weil ich hier gelogen habe, aber im Sinne einer Tarngeschichte war es fast wahr. Wir waren gestresst - oder zumindest ich war es. In meinem Geschäft hatte es gebrannt. Wir wollten morgen heiraten. Den Teil mit den Wölfen und den Morden habe ich weggelassen, und wir wären alle besser dran gewesen.

Sie nickte, ihre Augenbrauen hoben sich und senkten sich dann wieder. "Nein, nun, ich nehme an, das ist fair. Wie ist der Name Ihres Mannes?"

"Seb. Etwas größer als ich, dunkelblond, in dunklen Farben gekleidet." Ich hielt eine Hand hoch, um seine Größe zu zeigen.

"Gut, ich werde nach ihm Ausschau halten, und wir können in der Zwischenzeit nach anderen Möglichkeiten suchen. Wie wäre das? Übrigens, ich bin Ricki." Sie streckte ihre Hand aus. Hübsche Nägel, scharf wie Katzenkrallen und mit einer hübschen umgekehrten französischen Maniküre versehen. Die musste was kosten.

Ich schüttelte ihre Hand. "Danke Ricki, ich bin Kat."

"Niedlich, Kat und Seb, ich liebe es."

Sie führte mich tiefer in den Laden, vorbei an Reihen von Kleidern, deren Röcke sich auffächerten wie Reihen von Ballerinas, die auf ihren Tanz warten. Das Licht war sanft, warm genug, um die Edelsteine und das Material zum Leuchten zu bringen, aber nicht zu viele Unvollkommenheiten in den sich abzeichnenden Spiegeln zu zeigen.

"Die müssen euch ja ganz schön auf Trab halten", sagte ich.

"Nicht so viel, wie wir es gerne hätten, aber es geht schon." Sie zwinkerte und lächelte leicht. "Also, willst du ein Kleid wie das, das du verloren hast, oder etwas anderes, damit es dich nicht aufregt?"

Ich brummte und sah mir die ganze Auswahl an. Mir drehte sich der Magen um bei der Vorstellung, sie anzuprobieren, eine pantomimische Verkleidung dessen, was wichtig sein sollte. "Ich glaube, ich möchte etwas ganz Bestimmtes haben."

"Erzählen Sie mir alles darüber, und ich werde tun, was ich kann."

Kapitel 18

So fand Seb mich mit einer Auswahl von vier Kleidern vor, die er zusammen mit Rickis scharfem Auge begutachtete. Sie hatte meinen ersten Instinkt, ein einfaches weißes Kleid im Shift-Stil, über Bord geworfen und stattdessen eine Auswahl in die blumengeschmückte Einsamkeit des hinteren Teils des Ladens gebracht. Wir hatten die Auswahl auf die jetzigen vier Kleider reduziert, die nun wie Wächter dastanden, während wir die Möglichkeiten der einzelnen Kleider besprachen.

Das erste war so zerbrechlich wie ein mattes Blatt, das von einem Baum fällt, ganz aus Spitze und zarten Details, das hauchzarte Material floss in einem vollen Rock und einem hohen Ausschnitt mit einem verzierten, verschließbaren Kragen. Die geschwungenen Ärmel reichten bis zu den Hüften hinunter und wurden dabei dünner wie Nebelschwaden. In meinen Augen war es dramatisch, aber wunderschön, und die Kunstfertigkeit der Arbeit war offensichtlich.

Das zweite war viel schlichter, ein warmes, cremefarbenes Seidenkleid, das fast den Farbton einer

Crème brûlée hatte, mit einem Rock in A-Linie, der in eine kurze Schleppe auslief. Es hatte breite Träger, fast wie ein Teekleid, und glänzte wie eine Perle im einladenden Schein der Lichter.

Das dritte, ein Joker, war ein Kleid im Flapper-Stil, das mir gerade mal bis zur Mitte des Oberschenkels reichte und mit Perlen übersät war. Es raschelte, als Ricki es hereinbrachte, das Klicken der Details war fast so laut wie das Art-Déco-Muster, das sich um das Mieder schlängelte und ein Maß an Aufmerksamkeit verlangte, das ich wohl nicht ertragen konnte. Sie hatte es mit einem weichen grauen Pelzmantel kombiniert, dessen Glanz mich an die Perlen erinnerte, die Seb vorhin erwähnt hatte.

Das letzte und vielleicht schönste Kleid war ein Kleid mit Meerjungfrauenschwanz, dessen Rock mit Kristallen besetzt war wie ein Nachthimmel. Sie funkelten in einem kalten Licht und krochen den Stoff hinauf, um sich am Prinzessinnenausschnitt zu verfangen. Auch das würde ein Shrug brauchen, um meine Schultern und meine Brust zu bedecken, aber es war fast ätherisch in der Art, wie es glitzerte.

"Tut mir leid, dass ich dich aufgehalten habe", rief Seb. Er warf einen Blick auf die ausrangierte Kleiderstange, dann wieder zu mir und lächelte, als er sah, dass ich Gesellschaft hatte. "Ich bin Seb."

"Das habe ich gehört. Ricki." Sie winkte ihm zu und wandte sich sofort wieder der Auswahl zu. "Ich denke, du solltest sie anprobieren und sehen, wie sie sich anfühlen."

Ich hob die Augenbrauen zu ihr. "Alle vier?"

"Ja, alle vier! Das ist dein Rettungskleid. Das heißt, wir müssen sicher sein, dass es gut passt. Dein altes hat sich vielleicht in Rauch aufgelöst, aber wir wollen, dass dieses hier genau passt."

"Ich glaube, sie hat recht", sagte Seb. Ich warf ihm einen finsteren Blick zu, weil er mich verraten hatte, und bekam ein süffisantes Grinsen zurück.

Ricki nickte. "Du probierst sie an und ich kümmere mich um weitere Accessoires. Brauchst du Schuhe?"

"Ja", sagte Seb, bevor ich antworten konnte.

"Das wäre schön, danke", sagte ich.

"In Ordnung, ich werde zurückkehren. Ich vertraue darauf, dass du mir beim Verschließen hilfst?" Sie warf Seb einen prüfenden Blick zu, und er nickte. "Gut. Benimm dich."

"Benehmen?", wiederholte er, als sie in ein Hinterzimmer verschwand.

"Offenbar werden manche Paare zu verliebt. Überwältigt von der Schönheit des Kleides."

"Oh, richtig. Dann werde ich mein Bestes tun, um mich zu benehmen." Er trat in die Privatsphäre des geschützten Raums und stellte sich neben mich, während er die Kleider begutachtete. "Hast du ein Lieblingskleid?"

"Ich würde einfach ein weißes Kirchenkleid anziehen", sagte ich mit einem übertriebenen Seufzer, "aber die sind alle sehr schön. Ich bin mir nicht sicher, für welches ich mich entscheiden würde."

"Dann machen wir am besten, was die Dame vorschlägt, und sehen, wie sie sich fühlen. Ich bin beim Verschließen zur Stelle."

Ich blinzelte ihn an, dann nickte ich. Es hatte keinen Sinn, sich zu schämen, wenn er mich morgen darin sehen würde. "Sicher. Zuerst muss ich Marie Bilder schicken. Sie will wissen, was ich vorhabe."

"Tut sie das?"

"Das war nur fair, weil du sie vom Einkaufsbummel ausgeschlossen hast." Ich zwinkerte ihm zu, um ihm den Spaß zu verderben, und er nahm es mit einem halben Augenrollen hin.

"Du bist genauso schlimm wie sie."

"Was für ein Schock", sagte ich. Ich machte Fotos von jedem Kleid und der Detailarbeit der beeindruckenden Teile und schickte sie in einer kleinen Flut von Nachrichten. Sie konnte antworten, wenn sie Zeit hatte. "Hast du eine Vorliebe?"

Er sah sie sich noch einmal an und biss sich dabei auf die Lippe. Es sah so sorglos aus, so natürlich für ihn, von weißen Blumen und goldenem Licht umgeben zu sein, als ob er das wirklich tun würde. Als wäre es nicht nur ein eintägiger Versuch, uns zu bedecken, verfolgt von einem Vollmond und der Erinnerung an scharfe Messer. Ich zitterte ein wenig und rieb mir die Arme, um die Gänsehaut zu vertreiben.

"Das ist cool. Für die Seide, ja?"

"Ja. Woher wissen Sie das?"

"Einer meiner Freunde war eine Zeit lang Schneider, der es mit der Pflege von Kleidungsstücken sehr genau nahm. Ich war traurig, als er wegzog. Komm, wir probieren die mal an und sehen, was dir gefällt."

"In Ordnung. Ich versuche es zuerst mit dem baumelnden."

"Welche?"

"Mit den Armen." Ich deutete auf den ersten, und er nickte, das Gesicht sorgfältig neutral, ohne einen Zentimeter zu weichen. Ich widerstand dem Drang, mit den Augen zu rollen. "Du kannst sagen, was du denkst, weißt du."

"Ich möchte keinen Einfluss auf Ihre Entscheidungen nehmen."

"Es ist kühn von Ihnen anzunehmen, dass Sie das schaffen würden."

Er schnaubte lachend und schüttelte den Kopf über mich. "Da hast du recht, meine Schöne. Es hat noch nie funktioniert, nicht wahr?"

"Heben Sie sich die schönen Worte für die Kleider auf. Hasst du eines von ihnen? Lass uns das stattdessen versuchen."

"Auf den bin ich weniger scharf." Er zeigte auf die Nummer drei. "Die Perlenstickerei ist wunderschön, aber ein bisschen zu auffällig. Und wenn Sie rennen müssen, rutscht der Rock hoch."

"Musst du laufen?"

Er zuckte mit den Schultern. "Wir müssen auf viele Dinge vorbereitet sein. Ein Angriff auf der Hochzeit ist zwar unwahrscheinlich, aber trotzdem."

"Nach dieser Logik wäre es dann sicher die beste Lösung. Es ist einfacher, schnell zu laufen."

"Ich sorge dafür, dass du das nicht musst." Er beugte sich vor und drückte einen Kuss auf mein Haar, seine Brust drückte gegen meinen Rücken. "Das ist eine meiner Verpflichtungen, als dein Gefährte. Ich werde dich immer verteidigen."

Die Worte durchströmten mich wie eine reißende Flut und zerrten an meinem Herzen. Er würde mich verteidigen. Natürlich würde er das. So war er nun mal. Vorsichtig, beschützend, wertvoll. Es wäre so einfach, ihm zu glauben, sich auf das kleine Spiel einzulassen, dass wir das wirklich taten. Und es war echt, echt wie der Stoff der Kleider vor mir, aber nicht echt. Nicht aufrichtig. Es fühlte sich zu falsch an, diese Rolle zu spielen, und ich schob die Locken der Bequemlichkeit beiseite, als ich zu den Kleidern schritt.

"Dann probieren wir das hier zuerst." Ich nahm Nummer drei in die Hand. "Wenn es so schlimm ist, wie wir denken, können wir es wegwerfen."

Das war es. Das Kleid war wunderschön, und das Licht kräuselte sich über die Details wie ein Sonnenschein auf einem Feld, aber es saß gefährlich hoch auf meinen langen Beinen, und wenn ich mich zu schnell umdrehte, würde es einen Skandal geben. Also nicht die richtige Wahl für mich.

Ich warf einen Blick auf Seb, der mir anerkennend hinterherpfiff, aber den Kopf schüttelte. "Das könnten wir auch kaufen, für später? Das perfekte Flitterwochenkleid."

"Halt die Klappe. Und mach mir den Reißverschluss auf." Ich wandte mich von ihm ab und beobachtete, wie er sich im Spiegel näherte. "Du hattest also recht. Gibt es noch andere, die du weniger magst?"

Er rümpfte nachdenklich die Nase und sah sich die übrigen Kandidaten an. "Das mit den herunterhängenden Ärmeln gefällt mir nicht. Könnte in Flammen aufgehen."

Ich blinzelte ihn im Spiegel an, seine Augen auf meinem Rücken, während er den Reißverschluss öffnete. "Willst du mich in die Kerzen schieben?"

"Nicht absichtlich, aber es gibt Kinder. Die machen dumme Sachen."

"Du bist so ein Sorgenmacher." Ich schlüpfte aus dem Kleid, reichte es ihm und griff nach Kleid Nummer eins. Es war fast durchsichtig, bis auf den Seidenslip darin, und würde mehr Hilfe erfordern als der Flapper-Stil. "Du wirst mir bei diesem Kleid helfen müssen."

"Sagen Sie mir, was ich tun soll."

Ich schlüpfte in das Kleid und schob es höher, bis der Rock an meinen Hüften saß. "Halten Sie den Stoff hier fest." Ich tippte auf meine Seite. Seine Hände waren sofort da, ein sanfter Druck, damit die Seide nicht herunterrutschte. Ich fädelte meine Arme in die zarten Ärmel, schob sie nach unten, um die Fäden nicht zu gefährden, und zerrte dann vorsichtig die Schulterkappen nach oben. "Okay, mach mir den Reißverschluss zu."

Er tat, wie ihm geheißen, und wich zurück, als sich der Stoff um mich schloss. Ich griff nach hinten, um den Kragen zu schließen, die kleinen Knöpfe waren in diesem Winkel fummelig, und er strich meine Hände weg. "Lass mich."

Ich erstarrte und ließ dann meine Hände fallen, damit er sie festmachen konnte. Die kühle Luft des

Ladens verstärkte nur noch, wie warm er neben mir war, mit seiner breiten Brust an meinem Rücken, und ich schluckte, als der Kragen enger wurde.

"Danke", sagte ich.

"Ist es zu eng?", fragte er. Ich drehte mich um und sah ihn an, wobei das Kleid ein wenig an meinen Beinen zerrte, als ich mich bewegte. "Der Kragen, meine ich."

"Es ist näher, als mir lieb ist." Ich blickte zurück in den Spiegel. Es war ein wunderschönes Kleid, aber es sah an mir aus wie gefrorene Spinnweben, zu blass und zu zart, um echt zu wirken. Ein märchenhaftes Geschenk, das sich noch vor Ende der Nacht auflösen würde. "Es steht mir sowieso nicht."

"Nein?" Er legte den Kopf schief und hob die Brauen.

"Der Ausschnitt ist mir zu hoch am Hals, und die Details sind zwar schön, aber es sieht umständlich aus."

"Wie du sagst, wunderschön. Sie würden sowieso jedes dieser Kleider in den Schatten stellen."

"Hört euch diesen Smoothie an." Ricki tauchte wieder auf, ein gesegneter Rettungsring im Sturm dessen, was wir nicht sagten. "Kein Wunder, dass sie dich nach einem Brand immer noch heiratet. Ich kenne Bräute, die wären meilenweit davon gelaufen. Sie würden es als schlechtes Omen sehen."

"Wir glauben in meiner Familie nicht viel an Glück", sagte Seb. Sein Lächeln als wölfisch zu bezeichnen, ginge zu weit und würde der gewollten Höflichkeit, die er an den Tag legte, nicht gerecht, aber an seinen Zähnen blitzte etwas Scharfes auf.

"Nicht nach all dem hier, wette ich", sagte Ricki. Sie führte eine Auswahl von Gegenständen auf einen der langen Tische in der Nähe: Schuhe und Schmuck, Fascinators und etwas, das wie eine Jacke aussah, oder vielleicht ein Blazer. Es fiel mir so sehr ins Auge, dass ich näher heranrückte, weg von Seb, damit ich es mir ansehen konnte.

"Was ist das?" Es war nicht die gleiche zarte Spitze wie bei den Kleidern, sondern eher ein Tüll, unter dem man die Finger sehen konnte, als ich das Stück anfasste. Perlen waren in einem Wellenmuster aufgenäht, als hätte jemand Wellen auf einen Meereshintergrund gemalt, und sie bedeckten den ganzen Stoff mit dem eintauchenden, glänzenden Muster.

"Das ist ein Topper - ein sehr beliebtes Accessoire für schlichtere Kleider. Man trägt es über einem schlichteren Kleid, um ihm ein wenig Pep zu verleihen", sagte Ricki. "Wie hast du deine Haare, brauchst du dafür neue Accessoires?"

"Ja, bitte, machen wir." Ich betrachtete immer noch den Topper und fuhr mit den Fingerspitzen leicht über die Perlen. "Mein Haar wird jetzt offen sein, also wäre etwas, das es ordentlich hält, großartig."

"Ich komme mit den Tiaras zurück, du gehst weiter." Sie zwinkerte mir zu, als sie wieder verschwand, und Seb setzte sich zu mir an den Tisch.

"Das gefällt dir." Es war keine Frage, sondern er nickte dem Topper zu.

"Ich schon. Es ist so... ich weiß nicht. Ich mag es, wie es sich anfühlt."

"Es würde dir gut stehen. Die Perlen, meine ich."

"Das ist aber nicht gut für die Kleider."

"Vielleicht mit diesem hier." Er deutete auf Kleid zwei, das schlichtere Seidenkleid. Die warme Farbe würde die Perlen zum Leuchten bringen; da hatte er nicht unrecht.

"Gefällt dir das?" fragte ich.

"Das ist mein Favorit von allen."

"Das sagst du mir jetzt!" Ich schlug ihm auf die Schulter, und er lachte und schüttelte den Kopf.

"Die Diamanten auf dem anderen sind wunderschön, aber der Rock ist nicht sicher. Man kann darin auch nicht laufen."

Ich drehte mich um ihn und drehte meinen Fuß so, dass ich ihm in die Brust stoßen konnte. "Okay, nächste Mrs. Weir, sagen Sie nicht so etwas. Ich verstehe es, wirklich, aber mein Mann. Das können Sie nicht." Ich nahm sein Kinn in die Hand, drehte ihn so, dass er meinen Blick erwiderte, und schüttelte den Kopf über ihn. "Sagen Sie ihr, wie schön sie aussehen wird, wenn sie zum Altar gleitet, dass sie atemberaubend sein wird. Oder dass sie darin aussieht, als könnte sie einen Mann umbringen. Das hängt wohl von der Dame ab, nehme ich an. Aber lass den Teil weg."

Er war so ruhig unter meiner Hand, dass ich meinen Griff lockerte, um nicht zu hart zu sein. "Du wirst mich umbringen, Kat."

"Was?" Ich nahm meine Hand zurück und zog den Kopf ein, um den Blickkontakt zu unterbrechen. Es war dumm, so handgreiflich zu werden, er tat nichts, außer vorsichtig zu sein.

"So etwas zu sagen." Er schüttelte den Kopf. "Probieren Sie das Kleid an. Ich glaube, du wirst atemberaubend aussehen."

"Danke." Ich biss mir auf die Innenseite der Wange, um keinen weiteren Sarkasmus zuzulassen. "Ich brauche deine Hilfe mit dem Oberteil. Er wird hinten befestigt."

"Ich werde für dich da sein."

Mein Herz krampfte sich zusammen, die Sanftheit der Bemerkung war so sanft wie Seide. "Danke."

Ich schlüpfte in das Kleid, drehte mich um, damit er mir den Reißverschluss schließen konnte, und schlang meine Arme in das Oberteil. Ich ließ es bis zu meiner Brust hinuntergleiten und ließ mich von ihm zuknöpfen, vier kleine Knöpfe am Rücken, die den Stoff sanft auf meiner Haut sitzen ließen.

Ich wandte mich dem Spiegel zu und begutachtete das Ergebnis. Die Spitze saß auf dem Kleid wie Sand auf einer Düne, sie bewegte sich und glitzerte, wirkte aber ganz so, als würde sie dazugehören und nahtlos mit der darunter liegenden Seide verschmelzen. Sogar als die gezackte Endnaht an der Linie meines Brustbeins hing, wirkte es natürlich, als würden die Perlen herausfließen. Niemand würde Flecken des Verbandes auf meinem Brustbein sehen, vor allem nicht, wenn ich etwas Foundation über die Ränder legte.

"Ich habe dir doch gesagt, dass es fantastisch aussehen wird", sagte Seb. Ich schaute zu ihm in den Spiegel. Er war einen Schritt zurück getreten und verschränkte die Arme, während er mich betrachtete. "Du wirst die schönste Frau im Raum sein. Niemand könnte dir das Wasser reichen."

"Du klingst sanft", sagte ich, aber es war keine Wärme dabei. Es fühlte sich so intim an, ihn dort zu haben, zu beobachten, wie seine Augen die Form und den Fluss des Kleides aufnahmen. Als ob er es sich einprägen würde. "Aber es ist eine ausgezeichnete Kombination. Du hattest recht." Ich strich mit der

Hand über die Seide, direkt unter den Perlen, um das Licht zu verändern.

"Ich denke, es ist perfekt."

"Dann sollten wir das tun." Ich drehte mich um und sah ihn an, als er näher kam und eine Beule verursachte, als wir zusammenstießen. Er packte mich an der Taille, um sicherzugehen, dass ich nicht zurückfiel, und seine Hände brachten mich auf den Boden. Ich blinzelte ihn an, plötzlich so nah, dass ich seine Wimpern zählen konnte, und er verstummte, wie er es zuvor getan hatte.

"Ich stimme zu", sagte er flüsternd. "Wir sollten es versuchen."

Ich öffnete den Mund, um etwas zu sagen, aber die Worte kamen mir nicht über die Lippen - verloren zwischen der Art und Weise, wie seine Augen in diesem sanften Licht so golden wie der Sonnenuntergang waren, und der Art und Weise, wie seine Zunge herausglitt, um seine Unterlippe zu benetzen. Es wäre so einfach. Wenigstens sahen wir wie ein echtes Paar aus.

"Ich glaube, Sie haben Recht. Sie haben ein gutes Auge."

"Ich glaube schon." Seb neigte den Kopf ein wenig und für einen kurzen Moment hätten sich unsere Lippen treffen können, bevor er sich zurückzog. "Das wird allen gefallen."

Ich nickte und ignorierte das Schwanken in meiner Brust, als er "alle" sagte. Das war natürlich alles für die Meute. Erwartungshaltung. Das brachte mir ein flaues Gefühl im Magen, die Nachricht von Marie. "Dazu habe ich eine indiskrete Frage."

"Und weiter?" Er war nicht zurückgetreten, und ich drehte mich um, damit er stattdessen den Aufsatz abnehmen konnte.

"Wird es Erwartungen in Bezug auf Kinder geben?"

Er blinzelte mich im Spiegel an, als hätte ich ihm eine Ohrfeige verpasst. "Wie meinen Sie das?"

Es war nicht ganz ungefährlich, diese Frage in der Öffentlichkeit zu stellen, aber ich konnte die Sorge nicht unterdrücken, also wählte ich meine Worte sorgfältig. "Schwangerschaften können hart sein. Besonders für Menschen wie mich. Wird es einen Zeitplan geben, den die Leute im Kopf haben?"

"Nein. Es wird viel Freude geben, wenn es passiert, aber niemand wird Ihnen mit einem Wollknäuel hinterherlaufen und fragen, wann er mit dem Stricken anfangen soll. Warum fragst du?"

"Blut und Pfirsiche", sagte ich und fing mich wieder. "Es hört sich blöd an, aber in meiner Familie gibt es dieses Klopfzeichen, an dem man erkennt, wenn jemand schwanger ist. Wir riechen Blut und Pfirsiche, oder wir träumen davon. Das ist ein untrügliches Zeichen. Ich werde es also wissen. Und ich habe mich gefragt, ob du es auch weißt."

"Das ist ein toller Trick."

"Dient uns gut genug." Ich lächelte ihn im Spiegel an und hoffte, dass es natürlich wirkte.

Es war nicht so, dass es mir Spaß machte, ihn zu belügen. Er war so dumm und ernsthaft, so erpicht darauf, die Dinge, die wir tun mussten, zu erledigen. Wie konnte ich ihm da böse sein? Wie konnte ich *lügen*? Aber es war eine Lüge oder ich riskierte Schaden. Ich musste ihm sagen, was ich wirklich war, was ich geworden war, was seine Mutter zu sehr fürchtete, ihm zu sagen, und mich stattdessen dazu drängte. Als ob ich es mir ausgesucht hätte. Wenigstens litten wir alle gemeinsam. Das war ein schwacher Trost.

Ich wich seinem Blick in den Spiegel aus und tippte mir auf die Schulter. "Komm schon, hilf mir da raus, dann können wir es holen, bevor Ricki uns den ganzen Laden verkauft."

"Sie ist sehr gut darin." Er legte seine Hand auf meine, wodurch ich aufschreckte und zu ihm hinübersah. "Geht es dir gut?"

Ich lächelte wieder und stieß ein Lachen aus. "Gut, ich bin nur bereit, mit dem Verkleiden aufzuhören. Morgen bei der Zeremonie haben wir genug Zeit für mehr."

"Ich kann es kaum erwarten, dass die Leute dich darin sehen. Du wirst fantastisch aussehen."

"Danke, Seb."

Kapitel 19

Die Rückfahrt hätte einfach sein sollen, unsere Beute war in Sébs Auto geladen und bereit, ausgepackt zu werden, sobald wir das Haus erreicht hatten. Vorne herrschte Schweigen, unser Beinahe-Kuss war laut auf meiner Haut zu spüren, und Zweifel hatten sich wie Fäulnis in meine Überlegungen eingeschlichen. Ich wälzte die Dinge in meinem Kopf hin und her, schlug meine Optionen auf und zu wie ein Buch, das meine Aufmerksamkeit nicht halten konnte.

"Alles klar bei dir, Kat?" fragte Seb.

"Hm? Ich denke gerade darüber nach, einen neuen Teppich zu bestellen." Ich ließ meinen Blick wieder zum Auto schweifen und lächelte ihn an.

"Ist das so?"

Ich nickte und versuchte, ein vernünftiges Gesprächsthema zu finden. "Es ist nicht das Ende der Welt. Ich habe Geld. Es ist eine unerwartete Sache."

"Fühlen Sie sich unsicher? Oder machen Sie sich über etwas Sorgen?"

Die Frage erwischte mich unvorbereitet und blieb irgendwo in meinem Gehirn hängen. "Was hat das mit Teppich zu tun?"

"Wir haben schon über den Teppich gesprochen, meine Schöne." Er zwinkerte mir zu und schüttelte den Kopf.

Hitze stieg mir in die Wangen, aber auch ein Lächeln. "Hat mich erwischt. Tut mir leid."

"Was hast du auf dem Herzen?"

"Ich meine, ein Messer in einer Katze ist ziemlich spitz. Ich fühle mich besser, wenn sie schon tot ist, aber es ist immer noch eine deutliche Bedrohung. Und obwohl ich nicht an deinem Versprechen zweifle, mich zu verteidigen, frage ich mich, wer will, dass das nötig ist."

"Keine geheimen Feinde, die in den Startlöchern stehen?"

Ich stieß einen Seufzer aus und meine Brust verdrehte sich. Es gab niemanden, der auf mich gewartet hätte. Kein familiärer Hintergrund, keine Cousins und Cousinen, die ein Erbe antreten wollten, nichts.

"Ich meine, nicht dass ich wüsste. Ich bin mir sicher, dass ich einige Leute verärgert habe, weil ich bestimmte Bücher in der Erscheinungswoche nicht vorrätig hatte, aber das ist nicht genug, um dies zu verursachen. Das heißt, es hat wahrscheinlich mit dir zu tun und damit, was mit deinem Vater passiert ist."

"Wie Fred sagte, wäre es grün, anzunehmen, dass es nicht um uns geht."

"Und ehrlich gesagt ist das ein bisschen schwierig zu navigieren."

"Kniffliger als bei dem Überfall zu Hause?" Seb sah mit zusammengekniffenen Augenbrauen zu mir herüber.

Ich lachte, ohne wirklich warm zu werden. "Nein, ich denke nicht. Das haben wir auch schon besprochen."

"Was ist es dann?"

"Ich fühle mich nicht wohl dabei, von der Gnade anderer Leute abhängig zu sein. Der Gedanke, dass du da sein musst, um mich zu retten, oder Marie vorzuspielen, dass dies ein großes Abenteuer ist, obwohl es nur dazu dient, uns alle in Sicherheit zu bringen, bis ich wieder gehen kann." Marie hatte das Kleid gefallen. Das war zumindest ein kleiner Gewinn. Ich merkte, dass ihr auch das Oberteil gefallen würde, etwas, das ein wenig funkelte.

"Das musst du nicht. Wegfahren, meine ich." Er zog den Wagen an den Straßenrand und schaltete die Notbeleuchtung aus. Ich vermisste die Ruhe von früher, der Druck dieser Spannung war wie eine Nadel hinter meinem Auge. Wir saßen eine Weile schweigend da, sein Blick auf die Straße gerichtet, während ich meinen auf das Armaturenbrett richtete.

Ich brach zuerst zusammen. "So etwas darfst du nicht sagen, Seb."

"Warum nicht?" Er drehte sich auf dem Sitz, so dass seine Schulter gegen die Rückenlehne drückte und er mich gut sehen konnte.

"Das ist nicht fair."

"Für wen?"

"Keiner von uns." Ich sah zu ihm hinüber und wich vor der Hitze in seinen Augen zurück.

"Warum ist es so schlimm?"

"Wir waren Kinder! Wir waren Kinder, und dann war mein Vater tot, und ich, wir kennen uns nicht einmal mehr." Ich hasste es, wie es mir im Hals stecken blieb, wie mir die Hitze in die Augen stieg, und ich bedeckte mein Gesicht mit den Händen, damit er nicht sah, wie leicht ich in Tränen ausbrach. Ich konnte das nicht tun, ich konnte *ihm* das nicht antun. Es war nicht richtig. Aber ich konnte mich auch nicht einfach überschlagen, weil jemand Probleme mit seinem Vater hatte.

"Kat, meine Schöne, nicht weinen." Seb war so verdammt ernst, so sanft, als er versuchte, mich in dem engen Raum an sich zu ziehen, und ich stieß ihn weg und drückte mich zurück gegen die Tür. Er sah mich an, als hätte ich ihn geschlagen, sein Mund öffnete sich ein wenig, als wollte er etwas sagen.

Ich schüttelte den Kopf über ihn. "Tu es nicht. Ich kann nicht."

"Was nicht können?"

"Ich kann das nicht, Seb, ich kann nicht das sein, was das Rudel von mir verlangt, und du bist du, du bist so du, und das bricht mir das Herz."

"Was soll das bedeuten?"

"Es bedeutet, dass es einfach wäre! Das hier, wir. Du wärst so leicht zu lieben, mit deinem dummen, verdammten Herzen und deinem hübschen Lächeln, und du verdienst etwas Besseres als das. Du verdienst jemanden, der dich wirklich liebt, nicht nur, weil es einfach ist."

Ich griff nach dem Türgriff und stürzte hinaus, als ob ich vor meinen Worten davonlaufen könnte. Es war lächerlich und bockig, aber ich konnte den Blick auf seinem Gesicht nicht vergessen, als ich ihn weggestoßen hatte. Der Schmerz, der gestern Abend noch nicht da gewesen war.

"Kat, warte!"

"Ich brauche eine Minute!" rief ich über die Schulter, und mit langen Schritten entfernte ich mich vom Auto und ging auf die hohen, dunklen Bäume zu. Die Luft war warm, sogar abseits des Asphalts, aber der Wald roch lebendig, der grüne Geruch von Saft und Mulch überwältigend, als ich an den Rand ging und mich an einen Baum lehnte. Ich hielt mir den Mund mit der Hand zu und hatte Mühe, meine Schreie zu unterdrücken, den Ausbruch von Schmerz und Adrenalin zurückzuhalten. Es war nicht fair, ich hätte das nicht zu ihm sagen dürfen. Ich hätte nicht so dumm sein dürfen, das zu sagen.

"Babygirl, du musst das nicht alleine machen." Ich zuckte zusammen, als er mir die Hand auf die Schulter legte, und war zu erschrocken, um zu protestieren, als er mich umdrehte und in eine Umarmung zog. "Bitte, lass mich dir helfen."

Ich war ihm zu nahe, um zu antworten, mein Kopf war an seine Brust gedrückt, seine Arme zogen mich an sich. Und so sehr ich mich auch bemühte, ich konnte nicht aufhören zu weinen. Er brachte mich zum Schweigen, streichelte meinen Rücken mit einer breiten Handfläche und ließ mich sein Hemd durchnässen. Die Scham mischte sich mit allem anderen, so heiß wie die Tränen, die mein Gesicht verbrühten.

Wir standen so da, bis die Tränen aufhörten, bis mein zitterndes Schluchzen in einen Schluckauf überging und dann Stille eintrat. Autos fuhren vorbei, aber keines hielt an, die Szene war wahrscheinlich typisch genug, um keine Aufmerksamkeit zu erregen.

"Es tut mir leid", sagte ich schließlich.

"Es muss dir nicht leid tun."

"Ich habe dich dumm genannt."

Seb schnaubte ein kurzes Lachen. "Ich glaube, du hast gesagt, ich hätte ein dummes, verdammtes Herz, genau genommen. Ich wusste gar nicht, dass Herzen Tests machen können. Meins ist wahrscheinlich so dumm wie ein Ziegelstein."

"Du hast deinen Abschluss gemacht, das bedeutet wahrscheinlich etwas."

"Und du hast gesagt, mein Lächeln sei schön."

Ich lehnte meinen Kopf an seine Brust, auf die feuchte Stelle, die meine Tränen hinterlassen hatten. "Ich nehme es zurück. Es tut mir nicht leid."

"Gut. Du musst dich nicht dafür entschuldigen, dass du Gefühle hast. Oder Nerven. Welche Braut ist nicht nervös?"

Ich sah ihn stirnrunzelnd an. "Sogar unechte?"

"Du bist keine falsche Braut. Du bist ein echter Mensch mit echten Gefühlen und echten Ängsten. Ich weiß, das muss beängstigend sein. Du warst lange weg und hast dein eigenes Leben geführt. Du verdienst etwas Besseres als eine solche Hochzeit. Aber ich werde das Beste für dich daraus machen, wenn du mich lässt."

"Ich kann dich nicht wirklich aufhalten. Wir stecken da gemeinsam drin."

"Gemeinsam ist es am schönsten. Wir sind ein Team. Das ganze Rudel natürlich, aber du und ich sind ein Team. Auch wenn es nur für eine Weile ist, bis wir die Dinge geklärt haben. Ich würde mich freuen, wenn es länger dauern würde."

Ich sah ihn stirnrunzelnd an. "Warum?"

"Ich schätze, ich mag dich einfach."

"Klingt verdächtig."

Er zog die Augenbrauen hoch und schüttelte den Kopf. "Du bist sehr gut darin, es einfach erscheinen zu lassen. Ich wüsste nicht einmal, dass es nicht echt ist, wenn du es mir nicht ständig sagen würdest."

Ich lachte und unterdrückte ein Rollen mit den Augen. "Als ob. Du brauchst mir nicht zu schmeicheln."

"Ich meine es ernst, du hältst alle anderen zum Narren. Ich habe gesehen, wie Josh dich angeschaut hat, nachdem er wusste, wer du bist. Das war Angst."

"Ich glaube, das lag an dem Kampf und daran, dass er Angst hatte, du würdest ihn verprügeln. Ich glaube nicht, dass er sich vor der großen bösen Hexe gefürchtet hat."

"Hrm, das werden wir bei der Hochzeit sehen." Er trat zurück und legte seine Hände auf meine Schultern. "Lass uns zurückgehen. Du kannst Marie das Kleid zeigen, und wir werden es überstehen. Vielleicht amüsieren wir uns sogar. Es ist eine Hochzeit. Sie soll Spaß machen."

"Klar. Klingt wie ein Plan."

"Ich habe übrigens etwas für Sie." Er stellte sich auf die Zehenspitzen, griff in beide Taschen und enthüllte in jeder Hand eine schwarze Schachtel.

"Was in aller Welt?"

"Öffne sie. Diese hier zuerst." Er reichte mir das größere, das noch klein genug war, um in meiner Handfläche zu liegen. Es war aus schwarzem Samt, mit feinen silbernen Linien, die wie Ranken die Innenseite des Deckels umrahmten, und es war so schwer, dass ich es am liebsten zerschlagen hätte.

Ich ignorierte den Impuls und öffnete stattdessen den Deckel. Darin befand sich die Halskette, die ich im Schaufenster bewundert hatte und die selbst im gedämpften Licht des Waldes funkelte. "Seb."

"Kat."

"Ich dachte, du würdest Daniel anrufen."

"Das habe ich. Dann habe ich die hier geholt. Sie werden fantastisch zu dem Kleid aussehen, wenn du sie dann tragen willst, oder einfach fantastisch an dir. Sie glänzen wie du."

"Ich leuchte nur, weil ich blass bin."

"Sei still, du Dummkopf, und mach die andere auf." Seb schob die kleinere Schachtel vor, und ich fand darin auch die Ohrringe, die mir zuzwinkerten wie Perlen in einer Auster. "Ich wusste, dass sie dir gut stehen würden, also wollte ich, dass du sie bekommst."

Ich grinste, schüttelte den Kopf und zeichnete die Linien der Teile nach. "Du bist doof, weißt du. Ich hätte sie bekommen."

"Ich weiß, dass du es tun würdest, aber ich wollte es. Also habe ich es getan."

Es hätte mir nicht warm ums Herz werden dürfen, als ich ihn das sagen hörte. Es hätte mich nicht zum Lächeln bringen sollen wie einen dummen Teenager, der von einem Geschenk beflügelt wird. Aber das tat es, und ich lächelte und drückte ihm einen Kuss auf die Wange. "Danke. Dann werde ich sie morgen tragen. Sie werden viel besser passen als meine eigenen."

"Sie gehören jetzt dir, aber ja. Ich würde mich freuen, wenn du das machst."

Wir gingen gemeinsam zum Auto zurück, eng aneinander geschmiegt, aber ohne uns zu berühren, und ich verstaute die Kartons in meiner Tasche. "Warum sind sie in zwei Kartons? Habe ich dir die Überraschung verdorben, die du geplant hattest?"

Er gluckste und schüttelte leicht den Kopf. "Nein, ich habe sie darum gebeten, damit ich sie leichter verstecken kann. Es würde ein bisschen auffällig aussehen, wenn ich mit einer richtigen Geschenkschachtel zurückkomme."

Ich lachte über seine Logik und nickte. "Das hätte sogar mir auffallen können, ja. Was ist der Plan, wenn wir zurückkommen?"

"Wir sollten etwas essen, es ist schon lange nach dem Mittagessen, dann werden Marie und meine Mutter dich für den Rest des Nachmittags brauchen."

Natürlich die Planung der Zeremonie. Urgh. Wenigstens könnte Gillian mich aus meinem Elend herausholen. Heute Morgen war sie gar nicht so schlimm gewesen, als mein Schmerz nachgelassen hatte. "Solange ich etwas Zeit für die Versicherungsleute finde, kein Problem."

Wir stiegen ins Auto und fuhren wieder los.

"Ja, natürlich. Und heute Abend werden wir in Ruhe gelassen, also können wir tun, was du willst", sagte er.

"Oh?"

"Es ist eine Art Probelauf für die Flitterwochen. Wir verbringen einen Abend damit, uns kennenzulernen, aber wir kennen uns bereits, also ist es wirklich eine Pause in der Planung, damit jeder eine Verschnaufpause hat."

Ich neigte den Kopf zu ihm. "Du wirst bei der Arbeit nicht gebraucht?"

"Victor hat mich die ganze Woche über betreut. Er war eine enorme Hilfe, um alles vorzubereiten."

"Ich kann mir vorstellen, dass es für ihn ein gemischter Segen ist."

"Wie das?"

"Nun, es ist gut für das Rudel, wie du sagst. Und er wird sich natürlich für dich freuen, du bist der Sohn seines besten Freundes. Aber er hat Michael verloren, und John auch, das muss weh tun. Die Vorbereitungen zu sehen, die du für deine eigene Sippe erwartet hast, und sie sind nicht da."

Seb brummte und biss sich auf die Lippe. "Denkst du an deine Mutter?"

"Ich war nicht da, zumindest nicht bewusst, aber wahrscheinlich, irgendwo, ja. Es ist kein Schock, dass sie nicht hier ist, aber es ist schade."

"Vielleicht kannst du mit Victor darüber reden. Ich weiß, er ist nicht der Kuscheligste von uns, aber er hat dich auch aufwachsen sehen. Er kennt das Gefühl."

"Ich nehme an." Es wäre vernünftig, mit ihm zu sprechen. Vielleicht sogar freundlich, etwas, das ich zu ihm nicht gewesen war, als meine Mutter starb. Der Gedanke saß mir schwer im Nacken, aber vielleicht war das nur der alte Griff der Trauer, der sich wieder einstellte. Ich würde sehen, was ich tun konnte.

Kapitel 20

Zurück im Haus ging der Nachmittag nahtlos in den Abend über, als ich mit der Auswahl der Speisen, der Musik, der Dekoration und der Beleuchtung konfrontiert wurde. Marie und Gillian hatten bereits einige Entscheidungen getroffen, aber für eine Hochzeit, die erst zwei Wochen in der Planung war, hatten sie alles gut vorbereitet.

"Wir dachten, es wäre gut, wenn ihr euch einbringen würdet, aber niemand will eine Hochzeit auf Anhieb planen", sagte Marie. Sie hatte einen riesigen Ringordner hervorgeholt, der bis zum Rand mit Ausschneidebögen und Optionen gefüllt war, und ihren Couchtisch mit Vergleichen überschwemmt, aus denen wir auswählen konnten.

Die Trauung sollte in einem Festzelt am Umkleideplatz im Wald stattfinden. Das würde das wilde Laufen später einfacher machen, und es bedeutete, dass wir die Dekoration auf die Bäume und das Zelt selbst beschränkten, anstatt Tische zu schmücken und Sitzordnungen zu planen. Es bedeutete auch, dass die rivalisierenden Wölfe zwar im Wald, aber nicht in den Häusern des Rudels sein würden, und ich würde lügen, wenn ich sagen würde, dass das keine Erleichterung war.

Als wir uns auf das geeinigt hatten, was uns gefiel, ging ich zurück in die Küche zu Seb. Er war bis zum Ellbogen in die Zubereitung einer Soße vertieft, wenn man dem hektischen Rühren Glauben schenken konnte. Er hatte sein Hemd abgelegt, so dass die Weste, die er darunter trug, zum Vorschein kam, und starrte stirnrunzelnd auf ein abgenutztes Exemplar eines Kochbuchs, das ich vielleicht im Page Turner verkauft hatte.

"Alles klar bei dir?" fragte ich, als ich meinen Mantel ablegte.

"Nicht ganz."

"Du schaust das Buch an, als würdest du gleich Stücke daraus herausreißen."

"Ich koche gerade, aber die Anleitung für die Soße scheint mir nicht ganz zu funktionieren."

Ich gesellte mich zu ihm an den Herd und schaute ihm über die Schulter, um mir die Seite anzusehen. Der Überschrift auf der Seite zufolge handelte es sich um eine Fischpastete, und ich konnte sehen, dass eine Pfanne mit Kartoffelpüree auf der Rückseite des Herdes bereit stand. Auch auf dem Küchentisch lagen die Spuren der Kämpfe mit der Soße - verschüttetes Mehl, massakrierte Butterfässer, ein grün-weißer Fleck auf dem Schneidebrett.

"Du machst eine weiße Soße?" fragte ich.

"Ich habe es versucht."

"Soll ich helfen?" fragte ich.

Er blies sich Luft ins Gesicht und nahm die Pfanne vom Herd, damit er sich das Gesicht abwischen konnte. "Das sollte eine Überraschung sein."

"Ich bin überrascht."

"Eine richtige." Er schüttelte den Kopf über mich. "Deine Mutter hat immer gute Fischpastete gemacht. Sie ist die einzige Person, die ich kenne, die das kann. Wir sind nicht gerade die größten Fischfresser im Rudel. Ich dachte, es wäre eine schöne Art, sie in der Nähe zu haben."

Süßer, süßer Mann. Ich stützte mein Kinn auf seine Schulter und schüttelte den Kopf. "Tja, zum Glück hat sie mir beigebracht, wie man es macht. Denn du machst das ganz falsch." Ich deutete auf den weißen Teig in seiner Pfanne.

"Oh?"

"Du fügst die Milch zuerst hinzu, das wird nie funktionieren. Erst die Butter, dann das Mehl, dann die Milch. Als würdest du eine Mehlschwitze machen."

"Offensichtlich bin ich in Sachen Soße unterlegen. Ich wäre Ihnen sehr dankbar, wenn Sie es mir zeigen könnten."

Er trat vom Herd zur Seite, und ich nahm seinen Platz ein, kratzte den Glibber heraus und begann von neuem, nachdem ich die Pfanne abgespült hatte. Ich nahm die Butter und ließ sie bei schwacher Hitze schmelzen, bevor ich das Mehl hinzufügte und mit dem Schneebesen verrührte, dann streute ich ein, was ich vom Schneidebrett retten konnte. Er beobachtete mit mir die Mehlschwitze - er stand hinter mir, damit er sehen konnte, was ich tat -, und als sie goldbraun war, gab ich unter Rühren nach und nach die Milch hinzu.

"Der Trick ist, die Bewegung beizubehalten", sagte ich, ergriff Sébs Hand und legte sie über den Griff auf meine. "Wenn man sich daran gewöhnt hat, kann man es auch mit einem Löffel machen, aber auch mit einem Schneebesen ist es eine einfache, sich wiederholende Bewegung."

"Machst du das oft?" Sein Atem war warm auf meiner Haut, als er sich näher heranlehnte und in die Pfanne schaute.

"Weiße Soße? Die kann man super machen. Manchmal mache ich sie und esse sie auf Toast. Oder als Dip verwenden."

"Ein Tauchgang?" Er drehte den Kopf, sein Kinn berührte meines.

"Klar. Wie Karottenstäbchen. Ist zwar nicht so gesund wie Guacamole, aber gut. Wo ist der Fisch?"

"Im Ofen." Er trat zur Seite, öffnete die Ofentür und brachte ein Backblech mit Fischstücken herüber. Als ich hereinkam, hatte ich noch nicht einmal einen Geruch vom Kochen wahrgenommen. Er muss die Fenster den ganzen Nachmittag über offen gehabt haben, um ihn zu verbergen.

Ich lächelte ihn an und nickte in Richtung des Topfes. "Geben Sie es hinein, ich rühre es für Sie an."

"Das ruiniert ein wenig das Element, dass ich es für dich mache, weißt du?"

"Wir machen es zusammen. Das ist doch viel schöner, oder?"

"Nicht ganz das, was ich mir vorgestellt habe, aber ja. Sicher." Er schüttelte den Kopf und kippte den Fisch hinein. "Hast du alles für morgen vorbereitet?"

"Ich denke schon. Marie hatte schon das meiste im Kopf, ich musste nur noch meine Wünsche äußern. Sie ist so gut organisiert, sie wäre eine tolle Hochzeitsplanerin."

"Sagen Sie ihr das nicht. Sie könnte auf Ideen kommen."

Ich lachte und bestrich den Fisch mit der weißen Soße, während Seb die Auflaufform auf den Tresen stellte. "Ich meine es ernst. Wenn sie es so einfach machen würde wie dieses Mal, würde jeder sie bezahlen. Das war die einfachste Shotgun-Hochzeit, bei der ich je dabei war."

"Hast du ein paar in der Gesäßtasche?"

Ich schnaubte und schüttete die Mischung für ihn in die Schüssel. "Ja, jede Menge. Fünf vor dem Frühstück."

"Hm, das hätte ich wohl überprüfen sollen, bevor Marie beschäftigt war, nehme ich an. Meinst du, wir halten durch?"

Ich tat so, als würde ich darüber nachdenken, während wir das Gemüse über die Mischung streuten und Seb begann, das Kartoffelpüree darauf zu schichten. "Das glaube ich auch. Keiner der anderen hatte Werwölfe."

"Ah, wir haben ein Alleinstellungsmerkmal, ausgezeichnet. Cheese?"

"Ja, bitte."

Er streute eine großzügige Menge Cheddar darüber, bevor er das Gericht wegschob und in den Ofen schob. Er wischte sich die Hände ab und hinterließ weiße Flecken auf seiner Hose. Ich griff nach einem Handtuch und wischte das Mehl ab, das über seine Wange und sein Haar gelaufen war.

"Danke", sagte er.

"Nichts zu danken. Wenn Sie das nächste Mal beschließen, einen Krieg gegen den Vorratsschrank zu führen, lassen Sie es mich wissen, und ich werde Ihnen helfen, bevor Sie zu tief in den Schützengräben stecken."

"Wie wäre es dann mit einem Kriegsbericht bei einem Glas Wein, bevor wir essen?" Er wandte sich dem Kühlschrank zu und holte eine Flasche Weißwein heraus.

"Das klingt nach einer ausgezeichneten Idee. Haben Sie das als Sonderangebot bekommen?"

Er nickte und nahm die Kappe ab. "Ich dachte, da wir uns ja schon kennen, wäre es vielleicht ganz nett, wenn wir uns ein wenig unterhalten. Ein vertrautes Essen, ein bisschen Wein, ein Gefühl dafür bekommen, was wir morgen machen wollen.

"Abgesehen vom Heiraten?" Ich fand zwei Gläser und stellte sie ihm hin, damit er sie einschenken konnte. Er füllte sie großzügig, wenn auch nicht übermäßig, so dass genug in der Flasche für mehr zum Essen übrig blieb.

"Das ist eine der wenigen Gewissheiten. Vielleicht gibt es noch andere. Ein Angriff. Eine soziale Herausforderung."

"Jemand hat Einwände, weil er heimlich in dich verliebt ist?" Ich nahm das angebotene Glas Wein.

"Nicht so wahrscheinlich, aber wenn du glaubst, dass irgendein schwärmerischer Herzensbrecher um deine Hand anhalten wird, lass es mich bitte wissen. Ich hatte keinen Nahkampf geplant, aber falls nötig...."

"Oh, werde ich auch gegen jeden kämpfen müssen, der dich für sich beansprucht?"

"Willst du das?" Er grinste und klickte unsere Gläser zusammen. "Auf die Fischpastete."

"Auf die Fischpastete." Ich nippte, bevor ich antwortete, und ließ den Wein über meine Zunge rollen. Er war gut gekühlt, trocken, ohne sauer zu sein. "Ich könnte mit jemandem kämpfen, aber ich bin mir nicht sicher, ob ich eine Chance gegen eines der Wolfsmädchen habe. Vielleicht, wenn sich eine von ihnen an meinen Haaren vergreift, aber bei einem richtigen Faustkampf würden sie mich sicher ins Gras schlagen."

"Sie würden ihnen nicht einfach die Nase brechen?"

"Scheint ein bisschen unhöflich zu sein."

"In einer Schlägerei?" Er lachte in sein Glas und schüttelte den Kopf über mich.

"Ja, es gibt Regeln für Damen. Kein Ziehen an den Haaren, kein Ziehen an Ohrringen, keine Schläge auf die Augen. Alles, was ihr macht, ist: keine Schläge in den Schritt. Wir haben Schichten, um die wir uns kümmern müssen."

"Oh, ich wusste nicht, dass es so viele Nuancen gibt. Haben Sie damit auch viel Erfahrung?"

Ich lehnte mich gegen den Tresen und hielt das Glas hoch, während ich beobachtete, wie die

Flüssigkeit das Licht auffing. "Ich muss dir sagen, dass Buchkongresse sehr gewalttätige Orte sein können. Wenn du die Regeln nicht kennst, bist du auf dem Boden der Kongresshalle tot."

Seb nickte und lehnte sich grinsend auf der Insel vor. "Beängstigend. Ich dachte schon, ich könnte dich in eine Welt voller Gefahren ziehen und ignoriere, dass du bereits ein abgehärteter Krieger bist."

"Schon gut, du kennst das Leben im Buchladen nicht. Woher willst du das wissen?" Wir schwiegen einen Moment lang, während draußen das Surren des Ofens und das Treiben der Leute auf dem Heimweg zu hören war. "Glaubst du wirklich, dass es einen Angriff geben wird?"

"Das sollte es nicht geben. Aber genauso wenig hätte jemand meinen Vater umbringen dürfen, und doch sind wir hier. Ich ziehe es vor, vorbereitet zu sein."

"Darin bist du sehr gut. Vorbereitet sein, meine ich." Ich nahm einen weiteren Schluck Wein und nickte in Richtung Waschbecken. "Deine Erste-Hilfe-Kästen sind toll. Und du weißt, was jeder tun kann. Du warst heute Morgen ein Naturtalent im Umgang mit der Meute."

"Glauben Sie das?"

"Ja. Alle waren so begeistert von dir, wenn ich mit ihnen gesprochen habe oder sie getroffen habe. Es gibt viele neue Leute, aber einige kennen mich. Irgendwie ist das schön."

"In gewisser Weise?"

"Lügen schmeckt niemandem. Ich bin vorsichtig mit dem, was ich mitteile, aber es gibt viel zu sagen in der Stille."

"Du musst nur sagen, was du willst. Niemand wird sich nach deiner Mutter erkundigen. Ich glaube eher, dass sie sich schlecht fühlen, weil sie nicht hier ist, aber das ist bei mir und meinem Vater genauso. Sie werden meinen, dass sie respektvoll sind.

"Ich habe verstanden." Ich nahm noch einen Schluck. "Es kommt von einem guten Ort. Und wir werden morgen so gut sein, wie wir können, und dann werden die Leute über etwas anderes reden. Bis sie nach meinen.... Pflichten fragen, würdest du sagen? Die Dinge, die mein Vater für das Rudel getan hat."

"Wir müssen uns nicht mehr so viele Sorgen um sie machen. Als du gegangen bist, haben wir andere Dinge getan. Das können wir auch weiterhin tun."

"Wird man das gutheißen, wenn ich jetzt hier bin?"

"Einige Leute werden sich vielleicht beschweren, aber ich habe bereits gesagt, dass du dein Geschäft hast. Solange du für die Dinge da bist, die wichtig sind, wird es ihnen gut gehen."

"Die Dinge, die wichtig sind, wie Vollmonde?"

"Das. Und Feiertage, Feste. Es gibt eine Menge Freude im Rudel. Wenn du dazu gehörst, dann sind sie auch für dich da."

In meiner Brust pochte es bei dieser Vorstellung, und eine Wärme, die nichts mit dem Wein zu tun hatte, breitete sich unter meiner Haut aus. "Wir müssen abwarten, ob ich dafür lange genug hier bin. Der Kuchen riecht fertig."

Er nickte und stellte sein Glas ab. "Ich serviere, wenn du den Tisch deckst?"

"Klingt gut." Ich stellte mein Glas ebenfalls ab und griff in einen Schrank, um die Teller für ihn zu holen. "Ich warte auf dich."

Kapitel 21

Die Pastete war zweifelsohne ausgezeichnet. Seb hatte einen fantastischen Fisch, flockig und zart, als ich ihn auf meine Gabel legte, und der Cheddar roch, als würde er auf der Zunge zergehen.

"Du hast dich wirklich ins Zeug gelegt", sagte ich.

Er zuckte mit den Schultern und schenkte noch mehr Wein ein, bevor er antwortete. "Ich wollte dir zeigen, was ich kann."

Ich kicherte über den Schauer der Freude, der mich überkam, und nahm mir vor, einen Bissen zu nehmen, bevor ich noch mehr trank. Es wäre nicht gut, wenn ich auf meiner eigenen Hochzeit verkatert wäre. "Zeigst du damit, dass du zum Ehemann taugst?"

"So ähnlich." Er lächelte und setzte sich zu mir an den Tisch. Wenn wir uns so gegenüber saßen, war es intim - ein perfektes Date -, aber es war auch vertraut, so einfach, wie es gewesen war, als wir bei den Burgern angehalten hatten.

"Als ob du das für mich tun müsstest, du Dummkopf. Ich hätte einen Take-out akzeptiert."

"Ich weiß, aber das musst du nicht. Ich bin nicht dazu erzogen worden, eine Frau zu erwarten, die mich von vorne bis hinten bedient."

Ich nickte und deutete mit meiner Gabel auf ihn, bevor ich weiter aß. "Das überrascht mich jetzt nicht. So sehr deine Eltern sich auch geliebt haben, ich kann mir nicht vorstellen, dass Gillian dich mit dem Little-King-Syndrom davonkommen lässt."

Er schnaubte und schüttelte den Kopf über mich. "Ist das ein Fachbegriff?"

"Hundertprozentig. Mir wurde immer gesagt, es sei gut, dass ich nicht als Junge geboren wurde. Ich wäre genauso erzogen worden und hätte eine schreckliche Zeit gehabt."

Er legte den Kopf schief und setzte seine Gabel ab, während er einen weiteren Schluck Wein trank. "Ich bin auch froh, dass du nicht als Junge geboren wurdest. Als Frau bist du viel hübscher."

"Flirten." Ich habe mehr Kuchen gegessen.

"Ich bin froh, dass du es bemerkt hast."

"Wie könnte ich nicht? Ein hausgemachtes Essen, wunderbarer Wein, dieses Lächeln." Ich streckte meine Beine aus und berührte seine unter dem Tisch. Ich zog meine schnell zurück und schüttelte den Kopf über mich selbst. "Tut mir leid."

"Du musst dich nicht entschuldigen, das ist schon in Ordnung. Ich freue mich, wenn du dich ein bisschen mehr entspannst."

"Das könnte ich auch von dir sagen, jetzt starrst du nicht mehr auf das Buch."

"Hm."

"Das war eine blöde Art, die Soße zu machen", sagte ich mit einem Augenzwinkern. "Ich wäre dafür, dass du sie beißt. Vielleicht schreibe ich meine sogar auf, damit du sie in Zukunft verwenden kannst."

"Das würde ich gerne. Du könntest es mir auch beibringen."

"Ich hätte es fast getan, vorhin. Du warst nah dran und hast zugesehen."

"Vielleicht war ich abgelenkt." Sébs Augen blitzten auf, nur ein wenig, und mir stockte der Atem in der Kehle. Ich konnte fast schon wieder seine Hitze spüren, wie nah er mir im Laden und dann wieder am Herd gewesen war. Ich nahm einen Schluck Wein, um meine Reaktion zu verbergen.

"Irgendwie glaube ich, Seb Weir, dass es mehr braucht als eine sich wiederholende Bewegung des Handgelenks, um Sie abzulenken."

Er verschluckte sich an seinem Essen und griff nach einer Serviette, um sich den Mund abzuwischen. "Oh, der volle Name wird herausgezogen. War der Spruch so schlimm?"

"Ja." Ich schüttelte den Kopf, als ich einen weiteren Bissen zu mir nahm. "Ich weiß nicht, wo du gelernt hast, so geschmeidig zu sein, aber es ist ziemlich beeindruckend."

"Gut zu hören."

"Haben Sie sich überlegt, was Sie beim nächsten Mal anders machen werden?"

Er brummte und klimperte mit den Wimpern gegen mich. "Ich habe nicht vor, dass es ein nächstes Mal gibt, wenn ich es verhindern kann."

"Wissen Sie, eine Frau könnte das für eine Absichtserklärung halten."

"Könnten Sie jetzt?"

"Ich könnte." Seb lächelte und zuckte ein wenig mit den Schultern. Er machte mich wütend, und ich ließ es mir nicht anmerken. "Und wenn ich es täte, was würde das bedeuten?"

Er nahm einen Schluck Wein, und ich biss mir auf die Lippe, als ich sah, wie das Kerzenlicht in seinem Haar spielte, wie sich sein Nacken reckte, als er den Kopf zurückwarf. "Was würdest du wollen, dass es bedeutet?"

"Das ist nicht fair, ich habe zuerst gefragt." Es war so dumm, ihm das zurückzuwerfen. Ich hatte ihm den ganzen Tag über Dinge zugeworfen, auf die eine oder andere Weise, und er schlug sie immer wieder zurück.

"Nur für eine Weile, warum probieren wir es nicht aus?", fragte er. Er streckte seine Hand über den Tisch und verschränkte unsere Finger miteinander.

"Wir essen bereits dein Essen."

"Nein, Kat. Warum versuchen wir es nicht mit uns? Eine richtige Flitterwochenzeit. Du wirst bei uns bleiben, bis die Dinge geklärt sind, und wir werden heiraten. Warum lassen wir es nicht einen Probelauf sein?"

Ich setzte das Glas ab, das ich schon fast an den Lippen hatte, und drehte den Stiel in meinen Fingern. "Ist das eine gute Idee?"

"Warum nicht?"

"Das könnte beim Abschied weh tun."

"Nichts sagt, dass es eine geben muss."

"Seb."

Er schob seine Hand höher und bedeckte meine Hand mit seiner. "Ich meine es ernst. Gib uns eine Chance. Gib mir eine Chance. Du hast selbst gesagt, es würde einfach sein."

"Das würde es." Meine Stimme war so leise und blieb hinter meinen Zähnen stecken.

"Dann mach es einfach. Lass uns zusammen sein und sehen, wie es ist."

"Warum?"

"Das ist uns seit elf Jahren versprochen worden. Warum probieren wir es nicht aus? Keiner von uns hat sich mit einem anderen niedergelassen. Du kennst das Rudel, und sie kennen dich. Ich kenne dich." Er drückte meine Hand. "Und du bist immer noch wunderschön."

"Pst." Ich wandte den Blick ab, Hitze überflutete mein Gesicht. Seb stand auf, ging um mich herum, nahm meine Hände und kniete sich neben meinen Stuhl.

"Kat, ich meine es ernst. Ich glaube, wir können es schaffen. Warum geben Sie uns nicht eine Chance?"

Tausend Antworten lagen mir auf der Zunge. Denn dies war eine Lüge. *Ich* war eine Lüge. Und trotzdem flatterte etwas in meiner Brust bei dem Gedanken, dass ich tun könnte, was er sagte; mich in das Leben einfügen, das ich hier zurückgelassen hatte, und Teil dessen sein, was gewesen war. Als ich seinem Blick begegnete, schwankte meine Brust angesichts der Tatsache, wie nahe er war, wie leicht es sein würde, sich hineinzubeugen und zu beenden, was er heute Nachmittag begonnen hatte.

"Und wenn es nicht so einfach ist?" fragte ich.

"Warum muss es so kompliziert sein?"

Ich schloss meine Augen und atmete tief durch. "Manchmal ist es so, auch wenn wir es nicht wollen."

"Dann scheiß drauf." Er fasste mir an die Wange, und als ich die Augen öffnete, lehnte er seine Stirn an meine. "Das ist mir egal, Kat. Ich weiß, dass es einige Dinge gibt, die wir vielleicht nicht sofort teilen. Das ist in Ordnung, wir haben ein Leben. Bist du mit jemand anderem verheiratet?"

"Nein!" Ein erschrockenes Lachen entwich meinen Lippen, und Seb grinste mich an.

"Dann ist es auch nicht wichtig. Gib mir eine Chance, es für dich gut zu machen, dir zu zeigen, was wir sein können. Bitte?"

Ich atmete schwankend ein und starrte ihn an. Es wäre egoistisch und gemein, ja zu sagen, das wusste ich. Ich wusste es. Aber er war hier, und er war er, und es tat so gut, seine Hand auf meiner Wange zu spüren, die Wärme seines Blickes, der mich ansprach.

"Wenn ich ja sage...", begann ich. Er drängte sich vor, seine Lippen trafen auf meine, und ich konnte das Keuchen nicht unterdrücken, als ich mich an ihn presste, die Hand in sein Haar legte, um ihn zu halten, ihn näher zu spüren. Ich verlor die Zeit zwischen meinen Atemzügen, als wir so verharrten, die Hand an meiner Wange zog mich sanft vorwärts, meine Finger verhedderten sich in seinem Haar, während der Kuss anhielt.

Wir trennten uns, die Wangen errötet und die Lippen kribbelten von der Hitze zwischen uns. Seb brachte unsere Stirnen wieder zusammen und lächelte, als er mir kleine Küsse auf die Unterlippe drückte. "Das wollte ich schon seit heute Nachmittag tun. Es ging mir nicht mehr aus dem Kopf. Was hast du gesagt?"

Ich grinste ihn an und lachte ein wenig. "Ich habe gesagt, wenn ich ja sage, dann nur unter der Voraussetzung, dass es nicht garantiert ist. Es ist wie ein Testlauf."

"Ich kann mit einem Testlauf zufrieden sein." Er drückte mir noch einen Kuss auf die Lippen, bevor er aufstand und zu seinem Platz zurückkehrte. "Du musst mir nicht alles erzählen, meine Schöne. Das erwarte ich auch nicht von dir. Aber ich bin froh, dass wir es versuchen können."

"Ich auch." Ich hob mein Glas und fuhr mit einer Fingerspitze an meiner Unterlippe entlang, bevor ich einen Schluck nahm. "Ich wusste nicht, dass du so mutig bist."

"Ich finde, ich kann vieles für dich sein, meine Schöne."

Ich schüttelte den Kopf und schob mein Essen ein wenig auf meinem Teller hin und her, bevor ich einen weiteren Bissen wagte. "Das wirft eine andere Frage auf."

"Fahren Sie fort."

Ich bemühte mich, meine Worte sorgfältig zu wählen, aber ich war schon so aufgeregt, dass ich sie einfach so aussprach, wie ich sie dachte. "Was willst du mit dem Rest der Nacht anfangen?"

Seb brummte und saugte an seiner Unterlippe, bevor er antwortete. "Ich würde zwar gerne da weitermachen, wo wir aufgehört haben, aber ich denke, es wäre das Beste, die Flasche auszutrinken und zu reden. Wir haben immer noch die Höhle, die Daniel gebaut hat, so lächerlich sie auch ist."

"Das wäre schön. Das war sehr nett von ihm."

"Marie hat ihn gut trainiert. Manchmal rennt sie um ihn herum, aber sie sind reizend."

"Du klingst verliebt."

Er nickte und aß weiter. "Es ist ganz natürlich, dass man will, dass sie einen guten Mann hat. Papa war einverstanden, obwohl er Daniel immer das Leben schwer gemacht hat. Nur um sicher zu gehen. Nach dem, was du gesagt hast, habe ich ein gutes Gefühl bei ihrer Hochzeit."

"Sie wird fantastisch sein, wirklich. Sie hat sich so gut um mich gekümmert." Ich biss mir auf die Zunge, um nicht noch mehr zu sagen, und nahm einen kurzen Schluck Wein.

"Ich bin sicher, es wird beeindruckend sein. Sie wird all das nicht getan haben, ohne auch ein Auge auf sich selbst zu haben. Daniel wird das wissen. Und es war für alle schön, also wird es auch gut sein, noch einen zu planen."

"Du bist eine ziemliche Entenmutter, weißt du?" Ich kicherte und schenkte noch mehr Wein für uns beide ein. "Das ist niedlich."

"Niedlich?"

"Wie ein Entenküken." Ich zwinkerte und aß die Fischpastete auf. "Wie wäre es, wenn ich mich wasche und du die Höhle vorbereitest? Wir können es uns unter der Decke gemütlich machen, und du kannst mir sagen, welche Kampfformationen du dir für die Blumenmädchen ausgedacht hast."

Sébs Kopf hob sich, seine Augenbrauen waren höher als bei unserem Kuss. "Bekommen wir Blumenmädchen?"

"Ich finde es toll, dass du diese Frage überhaupt gestellt hast. Nein, nein, das sind wir nicht, aber es ist gut zu wissen, dass Sie einen Plan haben, um die gesamte Prozession zu bewaffnen."

Seine Schultern sackten zusammen, und ich konnte nicht sagen, ob es Entspannung oder Verlegenheit war. "Ich habe eher darüber nachgedacht, wie wir sie im Falle eines Angriffs schützen können."

"Natürlich, richtig, mein Fehler." Ich lachte und nahm seinen leeren Teller weg, während ich in Richtung Küche ging. An der Tür blieb ich stehen und sah zu ihm hinüber. "Weißt du, wenn sie die Hochzeit angreifen, vergisst du eine Sache."

"Was ist das denn, meine Schöne?"

"Nun, wir müssen sie auf meine Seite setzen, richtig? Wenn sie sich daneben benehmen, kann ich sie wie eine Zicke behandeln."

Er blinzelte ein paar Mal. "Ich kann nicht sagen, ob du scherzt."

"Gut." Ich zwinkerte ihm zu und zog mich in die Küche zurück, bevor er weiter fragen konnte.

Kapitel 22

Der Tag begann mit Sonnenschein und ohne Kopfschmerzen, was ein gutes Zeichen dafür war, dass ich genug Nachtisch gegessen hatte, um den Wein auszugleichen, den wir in der Höhle getrunken hatten.

Ich lächelte bei der Erinnerung: die Wärme von Sébs Arm an meinem, als wir auf den angepassten Sofas lagen, die Art, wie die Lichterketten auf seiner Haut geleuchtet hatten. Es war ein albernes Vergnügen, die Nacht hier zu verbringen, aber es hatte sich gut angefühlt, mit ihm zu entspannen, seine Gesellschaft zu genießen.

Ich setzte mich auf, rieb mir den Schlaf aus dem Gesicht, stieg unter die Dusche und wusch mich schnell ab. Die Wunde an meinem Schulterblatt schmerzte, aber es war nicht so schlimm, wie ich erwartet hatte, und die Schnitte an meiner Vorderseite konnten das Wasser ohne den gleichen zuckenden Schmerz wie gestern ertragen.

Als ich mich abtrocknete, sah ich, dass es fast acht Uhr war, spät genug, dass die anderen schon wach sein würden, und ich dachte über meinen Morgen nach. Ich würde den ganzen Nachmittag in Maries Haus mit den Vorbereitungen verbringen: Seb hatte zwar das Kleid gesehen, aber ich wollte nicht, dass er den ganzen Look vor der Zeremonie zu sehen bekam, also machte ich mich dort fertig. Und bis wir zur Lichtung kamen, trug ich Turnschuhe, weil ich die Wanderung nicht in Stöckelschuhen machen wollte.

So hatte ich immer noch ein paar Stunden Zeit, und während ich den Versicherern nachspüren konnte, ging mir eine Bemerkung von Seb nicht aus dem Kopf. Ich schaute aus dem Fenster und hielt nach Victors Haus Ausschau, um nach Lebenszeichen zu suchen.

Jemand bewegte sich hinter den Vorhängen in der Küche. Ich konnte den vertrauten Morgentanz sehen, als das Frühstück und der Kaffee zubereitet wurden. Es wäre unhöflich, sie beim Essen zu stören, aber vielleicht könnte ich ihn für fünf Minuten entführen. Nur um meinen Teil zu sagen. Er würde es wahrscheinlich sowieso erwarten, da er der Amtsinhaber ist.

Wahrscheinlich.

Ich zog mich an und ging, bevor ich mich versehen konnte, in einem adretten Oberteil und Rock zum Haus hinüber. Ich könnte respektvoll aussehen.

Ich klopfte schnell an die Tür, in der Hoffnung, niemanden zu wecken, der noch nicht wach war, und wartete. Rose antwortete - sie war kleiner, ihr erdbeerblondes Haar war mit grauen Strähnen durchzogen, die vorher nicht da waren, aber sie lächelte, wie sie es immer getan hatte.

"Kathryn, was für ein Vergnügen. Was kann ich für Sie tun?"

"Ich würde gerne kurz mit Victor sprechen, wenn er Zeit hat? Ich weiß, es ist noch früh."

"Kommen Sie rein, ich hole ihn für Sie." Sie geleitete mich ins Haus und setzte mich in die Küche, wo mich der Duft von Kaffee empfing wie eine Katze um meine Knöchel. Ich setzte mich an den Tisch und spielte mit meinen Händen, während ich auf Gesellschaft wartete.

Die Küche war tadellos - Rose war eindeutig fleißig. Die Theken sahen aus wie ein Regiment von Soldaten, und die Wand neben dem Fenster war mit Familienfotos geschmückt. Ich schlenderte hinüber, um sie zu betrachten, da ich es nicht ertragen konnte, mit dem Rücken zur Tür zu sitzen. Ich könnte sagen, das war eine Nebenwirkung davon, dass mich jemand angegriffen hatte. Zweimal.

Rose hatte auf den meisten Bildern weniger graue Haare, sie lächelte in die Kamera und legte einen Arm um Annabelle und Michael, ihr Gesicht leuchtete vor Liebe. Es war wie ein Donnerschlag, Michael zu sehen, aber die Wand war so voller Zuneigung, dass es schwer war, nicht zu spüren, wie sie sich ergoss. Er hatte so jung ausgesehen, obwohl er so alt war wie ich, und die eingefangene Freude war so klar wie das Sonnenlicht.

"Er war ein hübscher Junge." Victors Stimme überraschte mich und ließ mich herumwirbeln.

"Es ist schön, ihn zu sehen", sagte ich.

"Rose sagte, Sie wollten mich sprechen."

"Ja, tut mir leid, dass ich so früh vorbeikomme. Kann ich fünf Minuten Pause machen?"

"Du kannst zehn nehmen, wenn du willst. Kommen Sie ins Arbeitszimmer." Er öffnete die Küchentür und führte mich in ein geordnetes Vorzimmer, dessen Schreibtisch und Schränke vom Polieren glänzten. "Was kann ich für Sie tun?"

"Es waren eigentlich zwei Dinge. Ich wollte mit dir über den heutigen Tag sprechen, und, ähm..." Ich brach ab und versuchte, die richtigen Worte zu finden. "Und über meine Familie, nehme ich an."

"Ihre Familie?" Er setzte sich in den gepolsterten Stuhl neben dem Schreibtisch und winkte mir, mich auf das große Sofa neben dem Fenster zu setzen.

"Ich weiß nicht, wie ich es am besten sagen soll. Sie und Gillian kommen für mich einer Familie am nächsten, obwohl Mrs. Wilson über meinem Laden wahrscheinlich auch Anspruch darauf erheben würde." Ich lachte, wobei mir die Angst über die Zunge stolperte. "Ich habe niemanden, der für mich da ist. Niemanden, der mich zum Traualtar führt, oder solche Dinge. Und ich verlange auch nicht, dass du es tust. Ich weiß, du vertrittst John in deiner Rolle, aber es ist einfach... einsam, nehme ich an." In meinen Augen lag eine Hitze, eine verräterische Hitze, von der ich wusste, dass sie bedeutete, dass ich den Tränen nahe war. Es war so dumm, sich über den alten Schmerz aufzuregen, aber ich war dabei.

Victor brummte. "Und du dachtest, ich würde das Gefühl kennen, nachdem ich Michael verloren habe."

"Ja. Ist das falsch von mir?"

"Nein, natürlich nicht. Wenn wir die Freude teilen können, können wir auch den Kummer teilen. So ist das nun mal in einem Rudel."

Ich schnappte nach Luft und nickte, während ich mir mit dem Handrücken über die Augen wischte. "Ich schätze schon."

"Es ist noch nicht zu spät, wenn Sie das ändern wollen."

"Was?"

"Sie sind noch nicht verheiratet. Wenn du wirklich Angst vor uns und dem hier hast", er zeigte mit der Hand auf das Büro, "kannst du immer noch weggehen. Ich weiß, dass Bastian dies zum Wohle des Rudels tut, aber das ist seine Pflicht und nicht deine."

Ich hatte nicht erwartet, dass Victor eine Stimme der Vernunft sein würde. Der Schock darüber legte sich auf meine Schultern, und meine Worte kamen nur langsam. "Es wäre falsch, wegzulaufen."

"Wie deine Mutter?"

Die Bemerkung war wie eine Ohrfeige. Ich biss mir auf die Lippe, bevor ich sprach und schluckte. "Sie hielt es für das Beste, angesichts des Todes meines Vaters. Ob das richtig oder falsch war, kann ich nicht sagen. Den Rest hat sie mir bis zu ihrem Tod nicht erzählt."

Er neigte den Kopf zu mir. "Der Rest?"

"Ich. Der Rest über mich. Ich glaube, sie wollte, dass ich erwachsen bin, bevor ich es wusste."

"Alle Eltern würden versuchen, ihr Kind zu schützen.

"Sie waren damals auch ein Elternteil." Es war grausam, das zu sagen, eine unnötige Härte, wenn der Tod seines Sohnes noch nicht lange zurücklag, aber die kleine Wut in meinem Herzen, die ich weggeschlossen hatte, war wieder da und brannte hinter meinen Rippen.

Victor nickte. "Das war ich. Aber da hatte ich Annabelle noch nicht. Jetzt vermute ich, dass ich anders entschieden hätte, wenn ich sie gehabt hätte. Annabelle hat mich dazu gebracht, viele Dinge zu überdenken."

Ich ließ meinen Kopf nach vorne fallen, mein Zopf rutschte um eine Schulter und hing neben meinem Hals herab. Es hätte eine gute Sache sein sollen, das zu hören, aber es ließ Bitterkeit über meine Zunge sickern.

"Warum habt ihr das getan? Ihr alle, auch mein Vater. Warum fandet ihr das in Ordnung?"

"Wir haben es nicht leichtfertig getan, Kathryn. Ganz und gar nicht. Wir hielten es für notwendig für das Rudel. Und es schmerzte deinen Vater, es vor deiner Mutter zu verheimlichen. Eine Zeit lang habe ich mich gefragt, ob sie es war, die ihn getötet hat, aus Wut über das, was er dir angetan hat, aber sie wäre nicht weggelaufen, wenn sie es getan hätte. Sophie hatte mehr in sich als das."

"Das würde sie nie tun." Meine Zähne bohrten sich in meine Wange, Schmerz, um mich darauf zu konzentrieren, das Gift, das ich ihm entgegenschleudern wollte, zurückzuhalten.

"Ich glaube nicht, dass sie jemals getötet hätte, um dich zu verteidigen. Aber ich glaube nicht, dass sie es getan hat. Ich wünschte, ich wüsste, wer es war. Ich wünschte, ich könnte dir das sagen. Alles, was ich dir geben kann, ist das Versprechen, dass ich, wenn du bleibst, alles tun werde, um das Rudel zu beschützen, und wenn du gehst, werde ich niemandem erzählen, dass wir dieses Gespräch hatten."

"Du würdest für mich lügen?" Das hat mich überrumpelt.

"Wenn Bastian fragen würde, würde ich es ihm sagen. Aber nur ihm. Er würde die Wahrheit verdienen."

Das machte mich wieder wütend, als ob er ein Recht hätte, über solche Dinge zu sprechen. "Alles?"

Er zuckte zusammen und schloss für einen Moment die Augen, bevor er seufzte. "Das hängt von Ihnen ab, Kathryn. Und was du für angemessen hältst, zu teilen. Er ist ziemlich verliebt in Sie, wie Sie sicher bemerkt haben."

"Er ist freundlich."

"Wie auch immer Sie es ausdrücken wollen. Bastian ist ein guter Mensch. Wenn Sie ihm alles sagen wollen, wäre das nicht verkehrt. Vielleicht wollen Sie ihm aber auch den Schmerz ersparen. Es würde ihn verletzen, wenn er wüsste, was sein Vater getan hat. Aber da wirst du deinen eigenen Rat kennen."

"Ich weiß nicht, ob er in mich verliebt wäre, wenn er wüsste, dass ich eine Waffe bin."

"Er ist ein Wolf. Wunden sind uns nicht fremd."

"Sogar solche, die das Rudel gegen die eigenen Leute verübt?"

Er nickte und atmete zittrig aus. "Gillian und ich sind uns dessen vielleicht mehr bewusst als die anderen. Sie war besorgt, dass du hierher kommen würdest, um dich zu rächen, um Bastian zu verletzen."

"Warum sollte ich das tun?"

"Um uns zu verletzen."

Ich lachte, und es klapperte gegen meine Zähne wie eine Murmel. "Du verrätst dich damit selbst, oder? Ich würde keinem Kind etwas antun, um an seine Eltern heranzukommen. Ich hätte gedacht, das wäre klar gewesen, als ich Annabelle nach Hause geschickt habe."

"Das war es." Er sah mich eine Minute lang unergründlich an, seine Augen musterten mich. "Würden Sie stattdessen einen von uns direkt verletzen?"

"Daran habe ich noch nie gedacht." Ich lehnte mich auf dem Sofa zurück und schüttelte den Kopf. "Vielleicht fehlen mir die Instinkte des Wolfes. Meine Magie ist nicht so wie dein wildes Blut, aber nein. Ich habe nie daran gedacht, zu kommen und etwas dagegen zu tun. Ich habe euch gehasst, sehr gehasst, aber ich hätte euch nie etwas antun wollen. Ihr hattet alle Familien. Nur ich blieb allein zurück und versuchte herauszufinden, was ich nach ihrem Tod war."

"Hast du?"

"Ich bin untrainiert."

"Du hast im Wald etwas mit Joshua gemacht. Er sah fast ängstlich aus."

"Ich glaube nicht, dass er erwartet hat, dass ich ihm einen Kopfstoß verpasse, um ehrlich zu sein."

"Kathryn." Er versuchte, streng zu sein.

"Hat Seb dir von den Flammen erzählt, die ich habe?" Ich hielt meine Hände mit gespreizten Fingern vor mir. "Er hat sie gesehen, als ich zu Hause angegriffen wurde. Sie sind nicht automatisch, das macht normalerweise die Angst . Sie sind blau, die Flammen, wie bei meinen Vätern. Sie sind instinktiver als seine, ich sollte sie wirklich besser trainieren, aber wenn man eine Buchhandlung führt, ist das schwieriger. So viel Papier. Es war nicht schlimm, dass Josh wusste, dass ich eine Hexe war. Ein bisschen Angst könnte ihnen gut tun, wenn sie eine Bedrohung sind. Und Seb glaubt, dass sie das sind."

"Ganz recht." Victor nickte und sah von mir weg zum Fenster. "Es tut mir leid, was wir dir angetan haben. Wie deine Magie... verstümmelt wurde. Du musst wissen, Karl hat dich so sehr geliebt. Er hätte es für besser gehalten, dass du dich wehren kannst. Dass es notwendig war. Unsere Einmischung darin war unvernünftig."

"Du wolltest etwas Kraftvolles. Spontane Manifestation ist genau das. Ich kann nicht die Dinge tun, die mein Vater für die Rituale getan hat, aber ich kann damit zumindest andere schützen."

"Rituale?"

"Die Segnungen und die Fruchtbarkeitsriten. Er hat mir nie viel erzählt, welcher Vater würde das schon? Aber ich weiß, dass das fehlt."

Victors Lippen kniffen sich zusammen, und alle Farbe verließ die dünne Linie, die sie bildete. "Ich werde etwas sagen, das dir vielleicht nicht gefällt, Kathryn. Willst du es lieber jetzt oder nach der Zeremonie?"

Ein Schauer durchfuhr meine Brust angesichts der Ernsthaftigkeit seines Gesichts, einer anderen Grimmigkeit als die seiner gestelzten Entschuldigungen. "Jetzt. Ich habe noch Zeit zu laufen, wie Sie sagen."

"Schweig. Dein Vater war bei uns kein Ritualpraktiker. Er hat ein paar Zaubersprüche gesprochen, aber er hat keine Segnungen vorgenommen. Was er tat, war, uns bei bestimmten Aufgaben zu begleiten. Packarbeit, wo wir zusätzliche Feuerkraft brauchten."

Die Worte brachen wie eine Welle über mich herein und überspülten mich mit einem kalten Aufprall. "Er war auch eine Waffe?"

"Ja. Seine Feuerkraft war sehr buchstäblich, so wie Ihre."

"Dann haben wir wenigstens das gemeinsam." Ich schloss die Augen und schüttelte den Kopf. "Deshalb hat sich Seb auch keine Sorgen gemacht, dass ich die Riten nicht durchführen kann. Es gibt sie nicht."

"Sicherlich nicht mehr. Vielleicht haben sie es einmal getan. Und Bastian würde Sie niemals mit einem solchen Auftrag betrauen. Nicht, dass wir noch viele machen, er hat sich auf die legalen Wege verlegt. Die illegale Arbeit ist sicher, Personenschutz und Transport, die üblichen Dinge."

"Er ist ein Reformer." Ich atmete tief durch und öffnete meine Augen wieder. Ich würde nicht vor Victor zusammenbrechen. Nicht an meinem Hochzeitstag. Wenigstens hatten Seb und ich beide Geheimnisse voreinander. Da waren wir verdammt gleichberechtigt.

"Das kann man wohl sagen."

"Ich habe genug von deinem Vormittag in Anspruch genommen, Victor. Sie werden Ihre eigenen Vorbereitungen für den Tag treffen müssen. Danke, dass Sie mir zugehört haben."

Er beugte sich vor und hielt eine Hand hoch. "Ich möchte nicht, dass du das Gefühl hast, du müsstest dich beeilen. Was ich dir erzählt habe, muss schockierend sein."

"Noch schockierender als die Tatsache, dass mein Vater mich als Experiment benutzt hat? Wohl kaum. Er hat auch anderen Menschen schlimme Dinge angetan. Vielleicht sollte das ein Trost sein." Ich stand auf und streifte meinen Rock ab.

Victor stand auf und nahm meine Hände. "Er hat dich sehr geliebt. Das war ein Geschenk. Er sprach davon wie in einem Märchen; eine Hexe, die Silber spinnen und Feuer werfen konnte. Die das Herz der

Bestie mit einem Wort besänftigen konnte. Es war ein großer Wunsch, aber wir haben dir wehgetan."

"Danke, dass Sie sich Zeit genommen haben. Ich sehe Sie bei der Zeremonie." Ich zog meine Hände weg und ging zur Tür.

"Ich sehe dich dort. Es sei denn, ich tue es nicht. In diesem Fall wünsche ich Ihnen alles Gute."

"Das würde ich Seb nicht antun." Ich ging, bevor ich ihm noch etwas nachspucken konnte, meine Augen brannten, aber ich blinzelte die Tränen weg. Wir hatten eine Show zu veranstalten.

Kapitel 23

Als ich nach Hause kam, verkroch ich mich in meinem Zimmer und lauschte den Geräuschen von Seb, der sich für den Tag fertig machte. Er würde sich hier fertig machen, also würde ich riskieren, ihn irgendwann zu sehen, wenn ich zu Marie ging, aber ich konnte versuchen, es so zu timen, dass er beschäftigt war.

Ich grübelte über Victors Worte nach, während ich in meinem Zimmer saß, mein Haar zu einem Zopf flocht, die Wunden auf meiner Brust kontrollierte und den Bluterguss an meinem Hals im Spiegel betrachtete. Es gab viele kleine Dinge, die ich tun konnte, anstatt mich mit ihm zu streiten. Ich musste sie nur lange genug aufrechterhalten.

Meine Bemühungen wurden zunichte gemacht, als er an meine Tür klopfte, während ich gerade prüfte, wie viel von der Wunde an meiner Schulter zu sehen sein würde.

"Kat, bist du okay?"

Ich holte tief Luft und betrachtete mein Spiegelbild, als ich antwortete. Es wäre nicht gut, zu streiten. Wir konnten später reden. "Ja, ich mache mich bereit zu gehen."

"Ich wollte dir noch etwas geben, bevor du gehst."

Ich schloss die Augen, atmete so tief wie möglich ein und hielt einige Schläge lang an. "Warte mal kurz. Ich bin nicht anständig."

Ich entledigte mich des Handtuchs, das ich benutzt hatte, um kein Blut auf meinem Kleid zu riskieren, und zog mir ein T-Shirt über, bevor ich zur Tür ging.

Seb stand stramm und fummelte an einer kleinen schwarzen Tasche, die er zwischen beiden Handflächen hielt. "Darf ich reinkommen?"

"Es ist dein Haus, natürlich kannst du das."

Er zog die Augenbrauen hoch und runzelte die Stirn. "Bist du sicher, dass es dir gut geht?"

"Hochzeitsangst".

"Wenn du das sagst, meine Schöne. Ich wollte dir vor der Zeremonie etwas schenken. Es ist nicht genau das, was ich wollte, aber es ist das Beste, was ich so kurzfristig tun konnte. Ich werde dir später etwas Richtiges schenken, okay?" Er schwitzte fast, die Brauen zusammengezogen, als würde er eine schreckliche Nachricht überbringen.

"Seb, beruhige dich. Was ist los?"

"Hier." Er reichte mir die Tasche und ließ die Hände in seinen Taschen versinken. "Sei vorsichtig, wenn du sie öffnest."

"In Ordnung." Ich löste die Krawatte oben und tastete nach der Form von dem, was darin lag. Als ich nach oben drückte, wurde der Griff des Etwas sichtbar, und als ich danach griff, zog ich ein kurzes silbernes Messer heraus, dessen Klinge vielleicht die Länge meines Zeigefingers hatte und durch die Politur glänzte. Es war schwer, in der Mitte durch einen dickeren Kropf ausbalanciert, der die Kratzer der letzten Bearbeitung trug, und nur eine Seite war für den Gebrauch geschliffen, die andere abgeflacht wie ein Kochmesser. Es war wunderschön, eindeutig von jemandem gefertigt, der wusste, was er tat, und das Leder um den kurzen Griff war weich wie Butter. All meine frühere Wut auf ihn floss wie ein Strom aus mir heraus, das Geschenk war ein solches Zeichen der Sorge, dass ich es nicht über mich brachte, ihm meine Wut entgegenzuschleudern.

"Es ist Silber", sagte er und sah mir zu, wie ich es untersuchte. "Volles Silber, keine Beschichtung. Ich dachte, du würdest dich dadurch sicherer fühlen. Und es beruhigt mich, zu wissen, dass du eine richtige Waffe hast. Ein normales Messer würde in den meisten Fällen funktionieren, aber wenn dich ein Wolf angreift, wird das Silber wirklich wehtun. Es verschafft dir Zeit, zu mir zu kommen."

Ich sah zu ihm auf und wusste nicht, wie ich reagieren sollte. "Hast du das für mich, falls sie die Hochzeit angreifen?"

"Nein, ich wollte, dass du es bekommst. Ich weiß, dass ich nicht die ganze Zeit bei dir sein werde, aber es ist klein. Du kannst es in einer Verfolgung verstecken oder an dir tragen, wenn du es brauchst. Oh, und das auch." Er zog etwas aus seiner Gesäßtasche, ein zusammengefaltetes schwarzes Stück, das er ausschüttelte.

"Was ist das?"

"Das ist ein Strumpfband. Kein Hochzeitsstrumpfband, es ist für das Messer." Er hielt es hoch und zeigte zwei dicke Streifen aus schwarzem Stoff mit kleinen Halteschlaufen an einer Seite. "Ich weiß, es mag verrückt erscheinen, dich zu bitten, es bei der Zeremonie zu tragen, aber würdest du es tun?"

"Seb, du wirst direkt neben mir stehen."

"Ich weiß. Aber würdest du?" Er biss sich auf die Lippe, das Gesicht so grimmig wie ein Geist.

Ich schüttelte den Kopf, bevor ich sie ihm abnahm. "Na gut. Du hast Glück, dass ich ein Kleid in A-Linie gewählt habe. Es sollte nicht zu auffällig sein. Du wärst aufgeschmissen, wenn ich in diesem Meerjungfrauenkleid stecken würde."

"Zu unpraktisch. Du könntest nicht rennen." Er schüttelte den Kopf.

"Bist du sicher, dass du mir statt eines Blumenstraußes keine Keule schenken willst?"

"Wie der spitze Ball?"

"Da du mich bewaffnet hast und so."

Er lachte und schüttelte den Kopf. "Zu offensichtlich, selbst für einige der Idioten, die wir heute sehen werden."

"Ich bin mir nicht sicher, ob ich einen silbernen Dolch wirklich subtil nennen würde, aber gut. Er kann mit zur Hochzeit kommen. Vielleicht behalte ich ihn sogar heute Abend an."

"Danke. Sind Sie wirklich nur nervös?"

Ich lachte und zuckte mit den Schultern. "Hauptsächlich das, ja. Wir können das alles nach der Zeremonie und dem ersten Lauf durchsprechen. Ich nehme an, ich bleibe im Zelt, während du das tust?"

"Für die erste Schleife, ja. Danach werde ich zurückkommen. Die Lichtung ist nicht groß, es wird nicht lange dauern."

"Mehr Zeit für mich, das Essen zu essen."

"Das werde ich nie verraten." Er zwinkerte mir zu und nahm meine Hand. "Ich werde dir aus dem Weg gehen, damit du rübergehen kannst, aber ich freue mich schon auf heute Abend. Ich weiß, dass du umwerfend aussehen wirst."

"Das werde ich, wenn Marie etwas damit zu tun hat." Ich lächelte und drückte seine Hand. "Machst du dir wirklich Sorgen darüber?"

Er seufzte wie der Wind im Herbst, und seine schönen Augen schauten überall hin, nur nicht zu mir. "Ich würde mich besser fühlen, wenn wir wüssten, was mit meinem Vater geschehen ist. Da wir das aber nicht wissen und jemand aktiv versucht, dir zu schaden, habe ich kein gutes Gefühl, wenn ich ohne einen Plan reingehe. Das ist ein guter Anfang für einen Plan."

Süßer Mann. Wir würden uns noch unterhalten müssen, aber ich hätte wissen müssen, dass er Schuldgefühle haben würde. "Okay, damit kann ich arbeiten. Aber wenn du mir das nächste Mal Unterwäsche kaufst, musst du dafür sorgen, dass sie mehr Spaß macht, damit ich mir das ans Bein schnallen kann."

"Ich freue mich schon darauf." Er zog mich näher zu sich und drückte mir einen Kuss auf die Stirn. "Viel Spaß mit Marie. Wir sehen uns bald wieder."

~

Wenig später machte ich mich auf den Weg zu Marie und nahm den Dolch mit, während ich eine Handvoll Dinge in eine Tragetasche warf. Das meiste hatte ich bei Marie gelassen, auch den Schmuck, so dass ich nur mich selbst und meine Neuzugänge mitnehmen musste. Und meine Schuhe für den Weg nach oben.

Wir waren gerade dabei, mir die Haare zu machen, als es an der Tür klopfte und unser Geplauder unterbrochen wurde.

"Ich werde gehen", sagte Gillian.

Marie arbeitete weiter an meinem Haar, während Gillian zur Tür ging. Sie sah mich stirnrunzelnd an, während sie die Locken, die von meinem früheren Zopf übrig geblieben waren, in etwas verwandelte, das man eher als Stil erkennen konnte.

"Ich weiß nicht, wie du dich nicht jedes Mal kräuseln kannst, wenn du mit diesem Haar aus der Tür gehst. Es ist so dick!"

Ich zuckte zusammen. "Es beinhaltet eine Menge Conditioner, das verspreche ich. Auch Öle. Es trinkt alles, was es kriegen kann."

"Wenn du das sagst, Mädchen, dann muss ich die geringste Hitze einsetzen, die mir zur Verfügung steht, und das wird nicht schnell gehen."

"Ich vertraue dir, tu, was du tun musst!" Ich musste kichern, als ich sah, wie ernst ihr Gesicht war, die Augenbrauen tiefgezogen, genau wie Seb. Es war so süß.

"Mädels, wir haben Besuch. Kathryn, du solltest dich vielleicht etwas umziehen, bevor du sie triffst."

Ich saß in einem Bademantel, damit ich mein Haar nicht mehr als nötig stören musste, nachdem Marie ihren Zauber vollbracht hatte, und ich blinzelte Gillian eine lange Minute stumm an. "Gesellschaft?"

"Will Campbell besteht auf einem Treffen vor der Zeremonie. Ich wusste, dass sie darauf drängen, aber wir dachten alle, sie würden es sein lassen. Es ist altmodischer, als sie es sonst sind. Wenn du ein Wickelkleid anziehst, wird es sicher keine Probleme mit Maries Arbeit geben."

"Ist Josh bei ihm?" Marie schaute finster drein und stürzte aus dem Wohnzimmer, um mir etwas zu holen und zuzuwerfen. Ein leichtes Sommerkleid landete in meinen Händen, wobei die Ränder abfielen und ein Wickelkleid zum Vorschein kam. Ich entledigte mich meines Bademantels und zog es an, indem ich schnell den inneren Verschluss zuzog und dann den äußeren an meiner Hüfte befestigte. Es war mir vielleicht eine Nummer zu klein, da Marie kleiner war als ich, aber es bedeckte alles Notwendige.

"Nein, Victor und Will. Seb macht sich fertig, und das wird ihn nur in Bedrängnis bringen. Als Trauzeuge ist es eigentlich Victors Aufgabe, ihre Anwesenheit zu vermitteln, aber ich glaube, er will es hinter sich bringen." Gillians Gesicht war verkniffen, zu viel Spannung um ihre Augen.

Ich trat einen Schritt vor und fing ihren Blick auf. "Das ist in Ordnung. Wir können das machen. Es ist besser, wenn wir einen guten Eindruck machen, auch wenn sie Rivalen sind, ja?"

"Es wird für die Hochzeit nützlich sein, wenn wir das hinter uns bringen, ja." Sie warf einen Blick über ihre Schulter zurück. "Es ist unhöflich von ihm, so spät im Prozess darauf zu bestehen. Schockierend unhöflich."

"Wahrscheinlich, weil ich Josh einen Kopfstoß verpasst habe, um fair zu sein. Ich kann verstehen, dass ihn das in Schwierigkeiten bringt."

Gillian lachte fast. "Das könnte etwas damit zu tun haben, ja. Marie, bleib bei Kat. Auch wenn Victor etwas anderes sagt."

Marie nickte und verschränkte unsere Arme. "Kein Problem."

Wir verließen das Wohnzimmer und fanden Victor und einen anderen Mann, vermutlich Will Campbell, in der Küche vor. Victor hatte ihnen Kaffee gekocht, die Tassen standen auf dem Tresen, und der Dampf reichte aus, um die dichte Stille zu verstärken, in die wir hineingingen.

"Kathryn, danke, dass Sie uns noch so spät am Tag empfangen." Victor kam auf mich zu und umarmte mich halb, und Marie packte mich fester am Ellbogen. "Das ist Will Campbell. Er wollte mit Ihnen persönlich über den Vorfall im Wald sprechen."

"Ich wollte vor dem großen Ereignis reinen Tisch machen." Will stieß sich von der Theke ab und trat näher heran. Er war fast so alt wie ich, vielleicht in den Dreißigern, mit dunklem, lockigem Haar, das ihm dicht am Schädel saß, und der Art von blaugrauen Augen, die sich mit dem Licht veränderten. Er war schlanker, als ich für einen Wolf erwartet hätte, nicht klein, aber auch nicht so breit wie Seb oder Daniel, und obwohl er groß war, trug er es nicht zur Schau, sein Hemd war schlicht und ordentlich.

Er streckte seine Hand aus. "Es freut mich, Sie kennenzulernen, Kathryn."

Ich schüttelte seine Hand mit der freien und versuchte, nicht zu lächeln, als Marie sich rührte. "Und du auch. Josh hat sich bereits entschuldigt; ich glaube nicht, dass wir ein Problem haben."

"Er gab zu, dass er es getan hatte, aber ich wollte klarstellen, dass wir uns nicht alle so verhalten. Er ist manchmal übereifrig in seinen Bemühungen, so sehr er auch ein guter Sekundant für mich ist. Ich möchte nicht, dass wir an deinem großen Tag Grund zum Streit haben."

"Solange er mich nicht wieder würgt, werden wir das sicher nicht tun."

Er grinste, und seine Augen verweilten auf den Spuren an meinem Hals. "Wenn er das noch einmal versucht, breche ich ihm persönlich die Handgelenke.

Das verspreche ich dir. Das war eine schlechte Vorstellung."

"Danke, dass Sie sich die Zeit genommen haben, das zu sagen. Obwohl ich glaube, dass er Seb noch Schlimmeres angetan hat, als sie sich geprügelt haben."

Will zuckte mit den Schultern. "Was Wölfe in einem Kampf tun, ist der Weg der Natur. Du bist kein Wolf."

"Nein, das bin ich nicht. Obwohl ich schon lange mit ihnen zu tun habe."

"Kathryn war lange Zeit bei dem Rudel, bevor sie wegziehen musste", sagte Victor. Er steuerte auf Will zu, um seine Tasse auf dem Tresen abzustellen, und ich hätte ihn diesmal richtig umarmen können. Irgendetwas an Wills liebenswürdigem Lächeln und seinem verweilenden Blick machte mich nervös, trotz der herzlichen Art seiner Bemerkungen.

"Ich bin froh, dass sie wieder da ist. Ich hoffe, Sie werden Seb bei den Verhandlungen begleiten. Du scheinst einen guten Kopf auf den Schultern zu haben."

"Nichts für ungut, Will, woher willst du das wissen?" Ich neigte mein Kinn zu ihm, unsicher, ob er mich mit dieser schlagfertigen Bemerkung verhöhnen wollte.

"Du hast Marie hier behalten, nur für den Fall. Immer ein Vergnügen, Marie." Er grinste sie an, ein faules, wölfisches Grinsen, über das sie die Augen verdrehte. "Und du hast Josh die Nase gebrochen, um die kleine Annabelle nach Hause laufen zu lassen. Das ist nicht nur mutig, sondern auch klug. Ein bisschen Blut in der Luft, um die Aufmerksamkeit auf sich zu lenken. Ich bewundere jemanden, der so direkt ist."

"Ich bin froh, dass wir Klartext reden konnten. Ich freue mich darauf, Sie bei der Zeremonie zu sehen, es sei denn, es gibt noch etwas, das Sie besprechen wollten?"

"Oh, nein, ich denke, alles andere kann bis nach dem Spaß warten. Ich möchte dir nicht die Zeit nehmen, dich fertig zu machen. Außerdem braucht Victor hier Zeit, um sich in seinen Anzug zu zwängen." Will gab Victor einen Klaps auf die Schulter und ich hätte schwören können, dass das Geräusch in der Küche überlaut war.

Victor lachte und schüttelte den Kopf. "Ich bin froh, dass wir die Angelegenheit so schnell klären konnten. Ich werde die Mitglieder des Rudels abholen, wenn die Zeit gekommen ist. Vielen Dank für Ihre Gastfreundschaft, meine Damen."

"Du bist immer willkommen", sagte Marie. Es klang nicht wahr, aber ihr Lächeln hielt an, bis sie die Küche verlassen hatten. "Verdammte Widerlinge, das ganze Pack."

Kapitel 24

Der Weg zur Lichtung schien ewig zu dauern, auch wenn Marie mir fröhliche Gesellschaft leistete. Mein Magen drehte und krümmte sich und drohte, mir die leichten Snacks zu verderben, die ich während der Vorbereitungen zu mir genommen hatte, und der Dolch, den Seb mir gegeben hatte, saß schwer an meinem Bein, noch bevor ich in meine Absätze schlüpfte.

Sie hatten den Platz wunderschön hergerichtet: Das Zelt beherrschte das hintere Ende der Lichtung, Hunderte von Lichterketten waren in einem leuchtenden Bogen um den Eingang geschlungen. Die Lichterketten bildeten einen gewundenen Pfad von einem Ende der Lichtung bis zur Öffnung des Zeltes, und auch die Äste in den Bäumen waren mit Streifen aus blassgoldenen Lichtern geschmückt, die ein warmes Licht verbreiteten, das den Wölfen noch genug Platz ließ, um später darunter hindurchzulaufen.

"Daniel hat die ganze Nacht gearbeitet, um sie richtig zu machen", sagte Marie. Sie reichte mir meine

Absätze und schob meine Turnschuhe in eine unverschlossene Vorratskiste. "Wir holen sie später."

"Er ist so ein Süßer. Er hat uns auch diese Höhle gebaut."

"Da kommt die Hälfte der Lichter her. Ich wusste gar nicht, dass er Lichterketten erkennt, und er hat kilometerweise davon."

"Das verheißt nichts Gutes für euch beide." Ich zwinkerte ihr zu und sie kicherte und klopfte mir auf die Schulter.

"Noch keine Eile. Wir haben erst noch andere Dinge zu tun." Ihre Hand ruhte auf ihrem Bauch, der Rock ihres Kleides war zu locker, um etwas zu zeigen, und ich nickte.

"Erledigen Sie zuerst diesen hier, dann können wir einen neuen Ordner für Sie anlegen."

"Ich wollte, dass du etwas bekommst. Warte mal kurz." Sie kramte in der Schachtel, während ich den Slingback an meinen Fersen befestigte und den Gummizug in einer geraden Linie anbrachte, damit sie beim Gehen nicht scheuerten.

Sie stand auf und reichte mir einen Strauß tiefblauer, fast schwarzer Rosen, und als ich das Bündel nahm, spürte ich, dass die Blütenblätter aus Stoff waren.

"Sie sind eine alte Requisite aus einem Theaterstück, in dem ich als Kind mitgespielt habe.

Ich war diese furchtbare Geisterfrau." Sie winkte verlegen mit der Hand. "Ich habe sie aufbewahrt, aus irgendeinem Grund. Ich glaube, weil ich es konnte, und weil ich über die Traditionen nachgedacht habe. Man braucht etwas Altes und etwas Neues, etwas Geliehenes und etwas Blaues, richtig?"

"Das sagt man so."

"Das sind also drei deiner Möglichkeiten: alt, blau und geliehen. Ich bringe es zurück, wenn du fertig bist. Und der Schmuck ist neu, du hast also alles. Ich nehme an, wir hätten dir auch eine Silbermünze besorgen sollen, aber ich denke, Seb hat diese Seite mit seiner Spende abgedeckt."

"Warum eine Münze nehmen, wenn man auch ein Messer nehmen kann? Danke, Marie."

"Kein Problem. Ich wollte, dass Sie so viel Glück wie möglich haben. Ich weiß, wir sagen, dass wir uns unser Glück selbst machen, aber wir hatten in letzter Zeit nicht viel Glück, und ich möchte, dass es gut läuft."

Eine ganze Familie von Sorgenfressern, wie es schien. Ich beugte mich vor und umarmte sie, in meinen Stöckelschuhen war ich sogar größer als sie, und ich streichelte ihre Wange, als ich mich zurückzog. "Du wirst eine großartige Schwägerin sein."

"Oh, Kitty-Kat, sag doch nicht so etwas. Du bringst mich noch zum Weinen!" Sie drückte mir einen Kuss auf den Handballen und fuchtelte mit der eigenen Hand vor ihrem Gesicht herum, um die Tränen zu unterdrücken. "Komm schon, wir müssen reingehen. Die Leute werden schon warten."

"Werden sie sich schon hinsetzen?"

"Sie werden die letzten Nachzügler zusammentreiben. Ich werde dich bis zum Anfang des Ganges begleiten und dann hinter dir gehen, als wäre ich dein Sekundant. Ich weiß, es gibt niemanden, der dich hinunterführt, aber ich werde dir den Rücken freihalten. Versprochen."

Ich hätte fast geweint, als ich ihre Hand drückte. "Danke."

"Kein Problem. Lass sie uns umhauen." Sie zwinkerte, dann stieß sie einen scharfen Pfiff aus, woraufhin die Musik einsetzte.

Wir gingen den mit Lampen beleuchteten Weg entlang, der trotz des Sonnenuntergangs, der irgendwo hinter uns unterging, immer noch hell leuchtete, und Marie drückte ihren Ellbogen fest an meinen, während wir immer näher kamen. Als wir unter dem leuchtenden Bogen hindurchgingen, führte sie mich tiefer in das Zelt hinein, hinter geordnete Sitzreihen, an deren Rückseiten Ranken oder Blumen verflochten waren. Es war ein Meer aus Grün und Blau, so wild wie die Wälder und der Nachthimmel, und es gab nur wenige leere Sitze - sogar auf meiner Seite hatten sich Mitglieder des rivalisierenden Rudels eingefunden. Ich glaubte, Josh in den vorderen Reihen in einem Anzug gesehen zu haben, aber das würde ich erst glauben, wenn ich näher herangekommen war, um ihn zu inspizieren.

Marie ließ mich los, als wir den Anfang des Ganges erreichten, und am Ende sah ich Seb und Daniel stehen, die sich gegenseitig etwas zuflüsterten. Daniel bemerkte mich zuerst und lächelte strahlend, bevor er Seb mit dem Ellbogen anstieß und in meine Richtung nickte.

Seb drehte sich um, als ich zu gehen begann, seine Augen weiteten sich, als er mich wahrnahm, und ich lächelte ihn an, als ich mit gleichmäßigen Schritten näher kam und sie mit dem fröhlichen Marsch abstimmte, der irgendwo begonnen hatte. Es klang wie echte Musik, nicht wie eine schnelle Aufnahme, aber ich hatte keine Band bemerkt und war zu sehr darauf fixiert, Seb zu beobachten, um nachzusehen. Seine Augen hielten meinem Blick stand, der Wolf in ihnen war in der offenen Wärme deutlich zu erkennen, und mein Herz flatterte.

Ich erreichte ihn und lächelte Victor zu, bevor ich meinen Platz gegenüber von Seb einnahm und einen Blick auf die Reihen vor uns warf. Josh hatte sich wirklich die Mühe gemacht, einen Anzug anzuziehen, und Will saß neben ihm, ebenfalls für den Anlass herausgeputzt, eine Weste und eine Jacke über dem schlichten Hemd von vorhin. Eine Reihe anderer Männer saß bei ihnen, und eine einzelne ältere Frau, die ihr stählernes Haar zu einem wunderschönen französischen Dutt frisiert hatte, der wie eine Perle glänzte. Ich würde später herausfinden, wer sie war. Ihr Lächeln war freundlicher als das aller anderen an meiner Seite.

Victor hustete leicht, bevor er sprach, und blickte in die Menge.

"Danke, dass ihr uns in dieser verheißungsvollen Nacht begleitet. Bastian, der Anführer des Weir-Rudels und unerprobte Sohn von John, schließt sich mit Kathryn, der Hexe des Rudels und geliebten Tochter von Sophie und Karl, zusammen. Obwohl Kathryn einige Jahre von uns abwesend war und ohne ihre Verwandten zurückkehrt, heißen wir sie als eine der Unseren willkommen, und sie schließt sich uns heute Nacht bei Vollmond an. Ihr Versprechen hat die Zeit überdauert, und sie haben einander in der Dunkelheit von Trauer und Verlust gesucht."

Er hielt inne und drückte Seb kurz an die Schulter, bevor er fortfuhr.

"Diejenigen, die sich dem Rudel anschließen, tun dies im Vertrauen und im Wissen. Im Vertrauen darauf, dass unsere Zähne ihnen nicht die Kehle zuschnüren werden, und im Wissen, dass wir für sie Blut vergießen würden. Kathryn wiederum bringt ihre Magie mit, und Bastian geht diesen Bund im Vertrauen darauf ein, dass ihre Magie dem Wohl des Rudels dient, und in dem Wissen, dass sie ihm in die Nacht folgen wird, gebunden durch den Mond und die Zeugenschaft ihrer Rudelgefährten."

Bei den feierlichen Worten lief mir der Schweiß über den Rücken. Ich hätte es Seb sagen sollen. Ich hätte dafür sorgen sollen, dass er weiß, dass wir nicht lügen. Er hielt meinem Blick stand, ohne dass er sich an den Zeilen störte, und ich lächelte zurück. Das würde sich hinterher leichter erklären lassen. Wahrscheinlich.

"Wir werden jetzt die..."

"Ich habe ein kleines Problem, wenn ich darf?" Will Campbell war aufgestanden und hatte sich dabei den Nacken verrenkt, was auf der anderen Seite des Ganges zu einem lauten und wütenden Aufschrei führte.

"Was zum Teufel treibst du da, Will?" Marie war auf den Beinen und Gillian stand auf, um sie wieder nach unten zu ziehen.

"Was hat das zu bedeuten?" Victor warf dem Mann einen finsteren Blick zu, ohne den Anschein von Herzlichkeit zu erwecken, und stellte sich zwischen Seb und mich.

"Wir haben schöne Worte über die Liebe des Paares gehört, und ich habe keinen Zweifel an der Wahrheit. Man kann es in ihren Gesichtern deutlich sehen." Will wandte sich der versammelten Menge zu und deutete auf uns. "Aber wir haben nichts von ihrer Magie gesehen, nicht einmal seit sie mit dem Rudel angekommen ist. Gehört es nicht zu den Traditionen, dass ein Magieanwender seinen Wert unter Beweis stellt?"

"Eine uralte Tradition, die seit Jahrzehnten nicht mehr angewendet wird", sagte Victor. "Wenn ihr eine Demonstration wolltet, hättet ihr sie lange vor der Zeremonie einberufen müssen!"

"Was wird hier gespielt?" sagte Seb mit einem leisen Knurren in seiner Stimme. Ich griff um Victor herum und berührte Sébs Handgelenk, drückte ein wenig zu.

"Ich halte es einfach für angebracht, dass wir die Wahrheit sehen. Kat, wenn ich Sie so nennen darf, ist wunderschön, einfach umwerfend in diesem Kleid, aber obwohl ihre ätherische Schönheit bezaubernd ist, ist das nicht dasselbe wie wirkliches Talent."

Das Knurren hinter mir hätte Seb oder Marie sein können, ich konnte nicht sagen, wer von beiden. Ich hörte nur das Rauschen des Blutes in meinen Ohren und die Hitze meiner Wut, die in einer wütenden Röte meinen Hals hinaufkroch.

"Du hättest früher danach fragen sollen, Will. Dann hätte ich ein Kaninchen für dich aus dem Hut gezaubert."

Er sog die Luft durch die Zähne ein, als würde er das Angebot in Betracht ziehen. "Das ist ein alter Trick."

"Ich wette, du kennst die sehr gut." Ich grinste ihn an und schüttelte den Kopf. "Okay, wenn du sehen willst, was ich tun kann, dann bring einen deiner Männer dazu, mich anzugreifen."

Er blinzelte mich an. "Wie bitte?"

"Kathryn, auf keinen Fall!" Victor packte mich am Ellbogen und drehte mich um. "Das ist viel zu gefährlich."

Ich schüttelte ihn ab, meine Wut stieg in die Höhe. "Es ist in Ordnung. Josh, du hattest vorhin deine Hände an mir. Willst du noch einen Versuch? Ich werde dich sogar bewaffnen. Hier."

Ich bückte mich, um unter meinen Rock zu greifen und den Dolch zu lockern, bevor ich ihn herauszog. Ich warf ihn Josh zu, der immer noch saß und wütend blinzelte, und er fing ihn auf, als er gegen seine Brust prallte. "Du warst bewaffnet?"

"Natürlich war ich das." Ich zwinkerte Seb zu. "Und jetzt komm, steh auf und versuch es mit mir."

"Boss, nein, sind wir das wirklich?" Josh griff nach Wills Jackenärmel und Will schüttelte ihn ab, wobei sich ein breites Grinsen auf sein Gesicht legte.

"Du lädst einen meiner Männer ein, dich zu verletzen? Ich möchte, dass dies für alle Zeugen klar ist."

"Von wegen." Seb trat vor, und ich beugte mich vor, um ihm einen Kuss auf die Wange zu drücken, eine Hand auf seiner Brust.

"Vertrauen Sie mir."

"Josh, versuch, sie zu erstechen." Wills Kommentar unterbrach jede Chance, Seb zu überzeugen, also trat ich näher an die erste Reihe heran und beobachtete, wie Josh sich wie ein gescholtenes Kind aufrichtete. Das Getöse vom Morgen war verschwunden, seine Schultern hingen herab. Die Frau am Ende der Reihe bekreuzigte sich, die Lippen zusammengekniffen, als sie mich ansah.

Josh kam ein paar Schritte auf mich zu und rümpfte die Nase, bevor er seufzte. "Kat, ich weiß nicht so recht. Mir war das Hin und Her von vorhin viel lieber, wenn ich ehrlich bin, und ein paar gute Schläge auf ihn zu bekommen."

"Halt die Klappe und mach weiter." Ich spöttelte, um etwas von der Angeberei von früher wieder aufleben zu lassen, und ein Lachen brach aus ihm heraus wie ein loser Zahn.

"Nun, wer bin ich, einer Dame etwas abzuschlagen? Wenn Sie es sagen." Er warf das Messer schwungvoll in die Höhe, schnappte es aus der Luft, so dass die Klinge aus dem Ende seiner Handfläche ragte, und stürzte sich auf mich. Er war so schnell, dass ich die Hände vor mir hielt, um das Messer abzuwehren, als ob das helfen würde, und die Augen geschlossen hielt.

Arme schlossen sich von hinten um mich, eine heiße Brust in meinem Rücken, und jemand schrie. Als ich die Augen aufschlug, fand ich Sébs Arme um mich, seinen Kopf in meinem Nacken und Josh, der mit seinen Armen um sich schlug, während sich blaues Feuer hungrig an seinen Ärmeln labte.

"Du wusstest, dass ich in Sicherheit bin", flüsterte ich.

"Ich konnte ihm nicht dabei zusehen." Er drückte mir einen Kuss auf den Hals. "Außerdem steht meine Jacke in Flammen. Ich muss den Rest der Zeremonie in Hemdsärmeln absolvieren."

"Ich unterbreche diesen schönen Moment nur ungern, aber, Kat, würdest du bitte meinen Mann rausbringen?" Will tauchte vor uns auf und deutete auf Josh, der zu Boden gegangen war und sich auf dem für die Stühle ausgelegten Holzboden wälzte.

"Du kannst es niederschlagen", sagte ich. "Er hat die richtige Idee. Stop, drop and roll."

"Wir werden darüber reden, Will." Seb entfernte sich.

Victor drängte sich an uns vorbei, entledigte sich seiner eigenen Jacke und nahm auch die von Seb an sich, bevor er dabei half, Josh hinauszubringen. Jemand anderes aus dem Rudel schob Josh durch den

Torbogen weg - wahrscheinlich, um erste Hilfe zu holen, aber ich war abgelenkt, als ich mein Messer zurückholte, um den Überblick zu behalten. Es war viel zu heiß, um es wieder an meinen Oberschenkel zu legen, also schob ich es neben meinen Fuß und kühlte mich im Gras ab.

"Können wir diese Herausforderung als beantwortet betrachten, Will?" fragte Victor, als er zurückkam.

Will brummte und fasste sich ans Kinn. "Nicht ganz. Das war ein passiver Zauber, wenn ich mich nicht irre. Sie musste durch einen Angriff ausgelöst werden."

"Ja. Es ist ein schützender Ausdruck der Magie", sagte ich.

"Dann könnte das die Magie von jedem sein. Dein verstorbener Vater hat für das Rudel gearbeitet. Es könnte ein Sterbesegen von ihm sein. Du warst im Rudel, als er getötet wurde, nicht wahr, Kat?"

Mein Blut rauschte, das Lächeln auf meinen Lippen lag irgendwo zwischen einem Knurren und einer Grimasse. Es war mir egal, dass er Joshs Handgelenke gebrochen hatte, ich wollte ihm die Kehle durchschneiden, ohne mich unter dem Mond umziehen zu müssen. "Er ist im Dienst des Rudels gestorben, ja. Aber ich glaube, du hast keine Ahnung von Magie, wenn du glaubst, dass so etwas elf Jahre später immer noch funktioniert."

"Kannst du noch etwas anderes tun? Irgendetwas, das beweist, dass die Magie von dir stammt?" Will trat näher und musterte meine Gestalt. "Nur damit wir wissen, dass alles so ist, wie es sein sollte."

Ich nickte zu der Art, wie Josh verschwunden war. "Ich bin eine Hexe, kein Zauberer, aber ich glaube nicht, dass dein Zweiter denkt, dass die Dinge so sind, wie sie sein sollten."

"Hören Sie jetzt auf damit. Du hattest eine Demonstration." Victor wollte Will ablenken, aber Will schüttelte Victors Hand ab.

Er wandte sich an die anderen Wölfe und rief. "Sie riecht nicht nach Magie. Ich will Beweise für ihre Kräfte sehen."

"Gut." Ich griff nach dem Strauß, den Marie mir geliehen hatte, ließ ihn im Gedränge fallen und zupfte eine Rose frei. Ich führte die stoffliche Blüte an meine Lippen, schloss die Augen, um einen Kuss auf die falschen Blütenblätter zu drücken, und zwang meinen Willen in ihre Form. Ich stellte mir die Biegung und das Schwingen jeder Falte vor, das Gewicht des Stiels in meiner Hand, die Beulen und Stöße jedes falschen Dorns, und ich konzentrierte mich ganz darauf, bis sie in meinem Griff kalt und metallisch wurde. Die Fasern verwoben sich und veränderten sich mit einem leisen Zischen, und der anhaltende Geruch von brennendem Metall überholte das brennende Material hinter uns.

Ich streckte meinen Arm aus und hielt die silberne Rose hoch, damit sie die vielen kleinen Lichter einfangen konnte, die den ganzen Ort zum Leuchten brachten.

"Was zum Teufel?" Das war Daniel, ebenso wie das Grunzen, das folgte, als ihn jemand mit dem Ellbogen anstieß. Seb, hatte ich erwartet.

Will blinzelte zu der Blume hoch und senkte langsam die Augen, um mich anzustarren. Ich ließ die Blume wieder sinken, schwang sie herum und drückte sie an seine Kehle. Sein Rücken richtete sich auf, die Zunge glitt heraus und leckte über seine Unterlippe.

"Spontane Manifestation von Silber, zusammen mit dem Feuer. Ich nehme an, das ist für dich eine ausreichende Demonstration?" Er schluckte, und ich drückte die scharfen Kanten ein wenig fester, wobei sich Bosheit und Gift in dem Zittern meines Handgelenks bekriegten. "*Sprich.*"

Er hob die Hände und senkte den Kopf. "Ich nehme alles zurück. Wahrlich, du hast deine Magie, und du bist eine mehr als gute Partie für Seb. Er kann sich glücklich schätzen, eine so talentierte Frau zu haben."

"Danke." Ich nahm die Rose von seinem Hals und fädelte sie zurück in das Bündel. Das Silber würde sich in ein paar Stunden verflüchtigen, wie Frost, der in der Sonne schmilzt, aber es gab keinen Grund für sie, das zu wissen.

"Da die Herausforderung angenommen wurde, erkläre ich die Zeremonie erneut für eröffnet." Victor nahm seinen Platz am Ende des Ganges ein und zog Seb und mich wieder zu sich heran. "Ich hoffe, es gibt keine weiteren Herausforderungen?"

"Sie hat den Segen unseres Rudels." Alle Köpfe drehten sich zu der älteren Frau mit den Campbells, deren zusammengekniffene Lippen nun ein Lächeln zeigten. "Sie ist mehr als stark genug. Wir fordern sie nicht heraus."

"Danke, Irene." Victor nickte ihr zu. "In diesem Fall rufe ich alle Anwesenden auf, diese Nacht als die erste der Vereinigung von Bastian und Kathryn zu begehen. Möge ihre Verbindung Wohlstand für das Rudel bringen, und mögen diejenigen, die dazu in der Lage sind, mit uns in die Wälder gehen, um den Segen des Mondes zu genießen."

Seb beugte sich vor und umfasste meine Wange mit einer breiten Handfläche, um mich zu einem Kuss heranzuziehen. Es wurde gejubelt und geklatscht, auf seiner Seite lauter als auf meiner, obwohl einige der Campbells den Anstand hatten, für uns zu schreien, und als wir uns trennten, sah ich, wie Will mit den anderen klatschte.

Seb wandte sich an die Menge und winkte mit der Hand, die mich nicht festhielt. "Ich habe vor, meine Frau noch einmal zu küssen, dann werde ich mit euch mitlaufen. Einen Moment der Nachsicht."

"Aye, richtig!" rief jemand, und ich war dankbar, als Seb mich am Handgelenk packte, um uns aus dem hinteren Teil des Zelts in ein kleineres zu ziehen, von dem ich annehmen musste, dass es zur Abwechslung mal etwas Privatsphäre bot.

Kapitel 25

Das Zelt war größer, als ich erwartet hatte, und bot problemlos Platz für drei oder vier Personen, und als wir eintraten, stießen wir an einer Seite fast gegen eine abgewetzte Couch, die mit Decken und Kissen bedeckt war. Auf einem aufklappbaren Angeltisch lag auch ein kleiner Stapel Bücher, abgenutzte alte Exemplare von Büchern, die in den Regalen anderer Leute verstauben.

"Was ist das?" fragte ich.

Seb warf einen Blick auf die Couch und seufzte. "Ich habe ein Zelt aufstellen lassen, in dem du warten konntest, falls jemand etwas versucht. Was sie auch getan haben. Kat, was zum Teufel war das?"

"Sag mal, ich kenne die Regeln für Werwolfhochzeiten nicht, Seb. Ich habe nicht mitbekommen, dass sie dich während der Zeremonie herausfordern können! Ihr habt so viel über Angriffe geredet, aber diesen Teil habt ihr nicht erwähnt?"

"Du weißt, dass ich das nicht meine." Er ließ meine Hand fallen und verschränkte die Arme, während er mich stirnrunzelnd ansah. "Du hast gesagt, du hättest keine Magie."

Ich neigte mein Kinn zu ihm und verschränkte meine Arme. "Ich sagte, ich sei untrainiert, und das bin ich auch. Niemand hat mir je beigebracht, wie ich mit meiner Magie umgehen soll. Meine Mutter hatte nicht das Talent dazu und mein Vater war tot!" Ich bemühte mich, leise zu sprechen, weil ich vor Wut kochte, aber keinen Streit anfangen wollte, wenn alle in der Nähe versammelt waren.

"Und wie zum Teufel hast du dann eine Rose in Silber verwandelt?" Er stakste von mir weg und trat gegen die Couch, und meine Brust zog sich bei dem lauten Aufprall zusammen. Das hätte weh getan. Es würde auch weh tun, weiterzulaufen, wenn er sich umziehen musste.

"Es ist nur vorübergehend, schau." Ich warf ihm die Rose zu, deren Stiel sich bereits wieder in Plastik verwandelt hatte, obwohl die Blütenblätter glitzerten und es einen dumpfen Schlag gab, als sie auf seiner Brust aufschlug. "Wenn dauerhaft wäre, wäre ich verdammt viel reicher, als wenn ich eine Buchhandlung führen würde, oder? Ich musste mich alleine durchschlagen, ich weiß kaum, was ich tun kann oder ob es richtig oder falsch ist. Ich weiß nur, was ich bis jetzt tun kann."

Er warf die Rose auf das Sofa, sein Kiefer arbeitete, bevor er sprach. "Du hast mich angelogen."

"Das habe ich nicht. Ich habe dir gesagt, dass ich nicht unterrichtet wurde. Das ist wahr. Und du hast wenig Spielraum, um empfindlich zu werden, wenn du lügst."

Er zog sich hoch und ließ die Schultern hängen. "Was meinst du?"

"Die Rituale, um die ich mir solche Sorgen gemacht habe? Wie ich mich darüber gequält habe, dass ich nicht helfen konnte, weil ich nicht die Dinge tun konnte, die das Rudel brauchte? Du hast vergessen zu erwähnen, dass es sie gar nicht gibt."

"Kat, ich..." Er brach ab und kam näher. Seufzend wandte ich mich halb von ihm ab, beobachtete die Tür des Zelts, aber drehte ihm nicht den Rücken zu. Mir war heiß vor Wut, bis in die Knochen, aber wir hatten den Anschein, mithalten zu müssen. "Ich wusste nicht, was ich sagen sollte. Wenn deine Mutter es dir nicht gesagt hat, dachte ich, es gäbe einen Grund dafür. Dass sie wollte, dass du gut von deinem Vater denkst."

Ich lachte, ein schriller Laut, der von der Leinwand zurückprallte. "Dafür, dass du ein Muskelpaket für das Rudel bist? Eine lebende Waffe, Feuerkraft für die Jobs. Er hat noch Schlimmeres getan, du weißt es nicht einmal."

"Was meinst du mit "schön"?" Er hielt mich am Ellbogen fest und drehte mich so, dass ich ihn ansah. Ich ließ ihn, ließ mich wieder in diesen plötzlich ernsten Blick schauen.

"Das ist eine lange Geschichte. Ich bin nicht einmal geneigt, sie Ihnen zu erzählen, da Sie bereits mehr wissen als ich."

"Ich wollte nicht, dass du in Gefahr gerätst. Dass das Rudel dich als Waffe ansieht." Ich zischte die Luft durch die Zähne und atmete scharf ein, wobei ich meinen Blick von ihm abwandte, als hätte er mich geohrfeigt. Er meinte es gut. Ich wusste, dass er es gut meinte, irgendwo zwischen meiner Wut und meiner Angst, aber ich konnte ihn nicht ansehen. Natürlich würden sie mich als Waffe sehen, bis sie merkten, was ich sonst noch tun konnte, und dann würden sie mich als etwas viel Schlimmeres ansehen. Wölfe begrüßten nie eine Bedrohung. Das Schweigen zwischen uns hielt eine lange Minute an.

"Worüber haben Sie noch gelogen?" fragte ich schließlich.

Er räusperte sich. "Da waren ein paar Dinge. Wenn du wirklich willst, dass ich es dir sage."

"Ja, Seb, das tue ich wirklich." Ich blickte wieder zu ihm auf und hasste mich für seinen entsetzten Gesichtsausdruck. "Wir sind jetzt verheiratet, also können wir es genauso gut hinter uns bringen, oder?"

"Nun, wir haben den Papierkram noch nicht eingereicht..."

Ich schüttelte den Kopf über seinen schwachen Versuch, einen Witz zu machen. "Du hast Glück, dass ich den Dolch da drin gelassen habe."

"Und es hat mir nicht gefallen, dass du Josh bewaffnet hast."

"Ich wollte, dass es ein echter Schrecken ist. Die Flammen brauchen echte Angst."

"So effektiv das auch sein mag, es wäre unerträglich gewesen, dich mit einem Messer zu erstechen, das ich dir gegeben habe."

Ich schaute ihn finster an. "Dann reiche ich ihm ein Steakmesser, falls es mal wieder nötig sein sollte. Reden Sie."

"Können wir uns setzen?"

"Nein. Hör auf, mich hinzuhalten und sag es mir!" Ich drehte mich ganz zu ihm um und zerrte an den Zügeln meiner Zurückhaltung, um ihm nicht in die Brust zu stoßen.

"Ich habe Angst, dass du mich hassen wirst."

"Seb." Ich schüttelte den Kopf und hob die Hände, um meinen Mund zu bedecken, bevor ich wieder hinfiel. Hoffentlich würden die Lippenstiftflecken wie ein Kuss aussehen. "Seb, ich schwöre dem, der da oben zuhört, wenn du es nicht ausspuckst, gehe ich dir persönlich an die Gurgel. Ich werde dich nicht hassen." Wahrscheinlich.

"Wir hätten auch bis zum nächsten Vollmond warten können." Er sagte es in aller Eile, als ob es zwischen uns verschwinden würde, wenn es herauskäme. Ich blinzelte ihn an, meine Gedanken krabbelten.

"Wir haben was?"

"Für die Zeremonie. Wir hätten bis zum nächsten Vollmond warten können. Wenn man bedenkt, dass mein Vater gewaltsam ums Leben kam, wäre da noch Spielraum gewesen." Er ergriff meine Hände und drückte sie zwischen seinen eigenen großen Handflächen. Sie waren warm, selbst in der schwülen Hitze des Abends. "Aber ich hatte solche Angst, dass du in Gefahr sein könntest, und nach dem Angriff auf dein Haus und dann auf deinen Laden wusste ich, dass es nicht sicher war, dich in der Kälte stehen zu lassen."

Ich grübelte eine lange Sekunde über diesen Gedanken nach und ließ meine Zunge gegen den Gaumen pressen, bevor ich sprach. "Anstatt mir also zu sagen, dass du über die Schande und den Schmerz im Rudel gelogen hast."

"Es schien zu spät, es dir zu sagen, als du hier warst. Als wir noch freundlicher waren." Er berührte meine Wange, und ich schüttelte seine Hand ab, bereit zuzubeißen, wenn er noch einmal versuchte, mich zu berühren.

"Du hast mir ein schlechtes Gewissen wegen unserer beiden toten Eltern gemacht! Du hättest mir die Wahrheit sagen können."

"Ich weiß. Es tut mir leid, Kat. Als du bei dir zu Hause verletzt wurdest, sah ich nur meinen Dad. Das

Blut." Er klopfte sich auf die Brust und krallte seine Hand in sein Hemd. "Es gibt so viele Schäden nach einer Schrotflintenexplosion."

Ach, Scheiße. Natürlich hat er das gesehen, als ich geschnitten worden war. Ich war so von Angst überwältigt, dass ich an nichts anderes dachte als an die Trauer, und da musste es auch einen Schock geben. Er hatte seinen Vater tot gesehen.

"Gibt es sonst noch etwas?" fragte ich. "Über das Sie nicht ehrlich waren?"

"Ich wusste schon mit fünfzehn, dass ich dich heiraten wollte. Es war nicht nur das Versprechen. Ich weiß nicht, ob ich in diesem Punkt gelogen habe, aber ich möchte mich klar ausdrücken."

"Genau." Aber bis zum Tod seines Vaters kam er nie zu mir, um mich zu sehen oder mich zu entdecken. "Nun, ich habe auch ein paar."

"Ein Paar?"

"Aus Lügen. Erstens, Überraschung, ich bin wirklich magisch." Ich streckte meine Arme aus und schüttelte meine offenen Handflächen zu einem traurigen 'tah-dah'. "Autodidaktisch, also nicht sehr gut, aber ja. Magie. Zweitens, ein Teil davon..."

Ein Schrei zerriss die feuchte Luft, menschlich und weiblich, und wir sahen uns kaum an, als wir zurück ins Hauptzelt rannten.

Auf den vorderen Bänken kam es zu einem kämpferischen Gedränge. Gillian und Irene standen an einer Seite und umarmten sich, als wären sie angeschlagen, einige der Männer standen mit dem Gesicht nach oben, so dass sich ihre Stirnen fast berührten, und fletschten die Zähne.

Im Gang rangen Daniel und Josh miteinander, sie lagen auf dem Boden und tauschten Schläge und Knurren aus, als würden sie beim ersten Tropfen in die Wildnis schlüpfen, bereit, sich gegenseitig Stücke aus dem Leib zu reißen, und weiter oben stand Will Campbell mit einer Hand auf Maries Hals, ihren Rücken an seine Brust gepresst.

"Marie!" schrie ich, und das Geräusch drückte sich aus mir heraus, während ich in mich zusammensackte und ein furchtbarer Schauer der Angst durch meinen Magen fuhr. Das Gedränge wandte sich uns zu, selbst der Kampf auf geriet ins Stocken, und ich krabbelte nach vorne. Seb packte mich am Arm, verschränkte unsere Ellbogen und hielt nur inne, um mich nach meinem kleinen Messer greifen zu lassen.

"Was zum Teufel soll das?" rief Seb und drängte sich zwischen die posierenden Männer, um zu Daniel und Josh zu gelangen. "Wir zeigen dir Gastfreundschaft und du fängst auf meiner Hochzeit einen Streit an, Will?"

"Ich habe keine Hand angelegt, sie hat mich geohrfeigt."

"Du hast falsch herausgefordert! Wenn du ein Beispiel gebraucht hättest, hättest du es heute Nachmittag tun können, du kleines Arschloch." Marie wehrte sich in seinem Griff und seine Finger zogen sich an ihrer Kehle zusammen, um sie zu beruhigen. Das Würgen war für sie also eine Rudelsache.

"Nimm deine Hände von ihr." Daniel wollte aufstehen und machte einen Satz nach vorne, aber Josh hatte ihn im Griff, riss Daniel zurück und drehte sich auf ihn.

"Dein Zweiter hat mich auch bedroht, aber Josh kümmert sich darum", sagte Will. "Meine Herausforderung war zwar unangebracht, aber Kat hat sie mit Bravour beantwortet. Es gibt also keine Aggression auf unserer Seite. Sie haben zuerst zugeschlagen."

"Du hast Glück, dass ich nicht bis zur Flucht gewartet habe und dir die Augen aussteche, du wieselgesichtiges Arschloch." Maries Gesicht färbte sich rot - sie hatte Wasser in den Augen - und mein Magen flatterte. Das war nicht sicher.

"Du hast so eine große Klappe. Deshalb brauchen wir eine richtige Verhandlung und nicht irgendeinen Versuch, Frieden zu stiften." Will lachte und sah wieder zu Seb auf. "Komm in zwei Stunden zu mir an den Tisch in meinem Rudelraum. Ich werde sie mitnehmen."

Er wollte sich mit Marie umdrehen, und ich schoss nach vorne und ließ Sébs Arm los. "Nein, nimm mich!"

Will hielt inne, ebenso wie das Gerangel zwischen Josh und Daniel, und alle Augen richteten sich auf mich.

"Wie bitte?" fragte Will.

"Nimm mich stattdessen. Ich bin sein Liebling, und einen Wolf zu nehmen, ist eine unlautere Verhandlung. Ich kann mich nicht mit dem Mond verwandeln, also wisst ihr, dass ich keinen von euch verletzen werde." Josh räusperte sich, und ich warf ihm einen bösen Blick zu. "Halt die Klappe, er hat um eine Demonstration gebeten."

"Kat, was machst du da?" Seb war an meiner Seite und zerrte an meinem Ellbogen. "Das ist verrückt. Wir können sie nicht mit einem von euch gehen lassen."

"Dein ganzes Rudel ist hier. Kinder, Seb. Wir können kein Blutvergießen gebrauchen."

"Bietest du dich freiwillig für uns an, kleine Hexe?" Will ging näher heran und zog Marie mit sich. Sie schüttelte verzweifelt den Kopf, aber ihr Gesicht war immer noch purpurrot, und ich konnte nur an ihre geheimen Neuigkeiten denken.

"Nur für die Verhandlung, ja. Ich werde Ihre Geisel sein, nicht sie."

"Kat, nein!" schrie Seb fast, zog mich dicht an seine Brust und drückte mich mit seinen Armen an sich. "Babygirl, das ist zu viel. Das kannst du nicht machen."

"Ich muss."

Sein Griff um meinen Arm wurde fester, die Panik in seinem Atem war deutlich zu spüren. "Beautiful, tu nicht so etwas Dummes."

"Blut und Pfirsiche", sagte ich und drehte mich zu ihm um. Seine Augen weiteten sich, und ich neigte meinen Kopf ein wenig zu Marie. "Blut und Pfirsiche. Ja?"

Er schaute zwischen Marie und mir hin und her, sein Kiefer klappte. "Ja?"

"Ja. Also muss ich es sein. Lass mich." Ich stieß Seb von mir und sprang über das Gewirr von Beinen, das immer noch aus Josh und Daniel bestand.

"Kat, was machst du da?" sagte Daniel, und ich ignorierte ihn, so sehr es mir auch wehtat, und richtete meinen Blick auf Marie.

Will ließ sie erst los, als ich vor ihnen stand, und ich umarmte sie verzweifelt, als sie mit röchelndem Atem zusammenbrach. "Es ist okay, du bist in Ordnung."

"Kat, nein, nein, du kannst nicht mit ihnen gehen." Sie hielt sich an meinen Armen fest und schüttelte den Kopf. "Das kannst du nicht tun. Wir haben dich gerade erst zurückbekommen."

"Ich werde wiederkommen. Es hat keinen Sinn, eine gute Geisel zu töten, nicht wahr, Will?"

Er legte den Kopf schief. "Wenigstens nicht zu früh."

Marie schluchzte, und ich hielt sie fest und streichelte ihr Haar. "Ich bin gleich wieder da. Alles wird gut, ja? Daniel, komm schon." Ich klopfte Marie auf den Rücken und winkte ihn mit der gleichen Hand heran. Josh ließ ihn hoch, und ich musste Marie an ihn drücken, als sie wieder schrie.

"Was für eine Show. Willst du so dringend weg?" Will stand in meinem Rücken, seine Hand auf meiner Schulter, und ich richtete meine Wirbelsäule auf, anstatt ihn anzusehen.

"Ich brauchte keinen weiteren Vorwand, um eine Frau zu schlagen. Ich bin beeindruckt, dass die Prellung an seiner Nase noch nicht raus ist."

"Irene hat dabei geholfen. Sie kann auch zaubern. Kommst du leise?"

Ich sah zu, wie Daniel Marie zurück zu der wartenden Meute schleppte, die jetzt mehr schluchzte als schrie, und mein Herz schwankte, als ich sah, wie Seb zu Hilfe kam. "Ja, das werde ich."

"Gutes Mädchen. Ich wusste, dass du mehr Verstand in dir hast als dieser Welpe."

"Genug!" Der Schrei kam von Irene, die Gillian umarmte, bevor sie sich trennten. Sie sah sich unter den versammelten Männern um, bevor ihr Blick auf Seb ruhte. "Wir werden in unseren Raum zurückkehren. Kommt in zwei Stunden, wie Will gesagt hat. Bis dahin wird deiner Gefährtin kein Leid geschehen. Sie wird in meiner Höhle willkommen sein, als eine Mitstreiterin.

Seb nickte und ging zur Seite, um sie vorbeizulassen, während sie auf Will und mich zuging und die anderen Campbell-Rudelmitglieder sich hinter ihr einreihten.

"Wir sehen uns gleich, Seb", rief Will. Er reichte mir die Hand, und ich schüttelte den Kopf und hielt eine Faust über mein Herz, während ich Seb ansah. Er nickte, einen Arm immer noch um Maries schluchzende Gestalt gelegt, und ich wandte mich ab, bevor auch ich weinen konnte.

Kapitel 26

Der Weg zu den Campbells führte eigentlich nur bis zu ihren Autos, die auf einem Parkplatz warteten, von dem ich annehmen musste, dass er auch für andere Zwecke als für das wilde Rennen genutzt wurde. Meine Füße taten weh, als wir bei der Ansammlung von Fahrzeugen ankamen, aber ich wollte verdammt sein, wenn ich ihnen irgendeine Schwäche zeigen würde. Ich hatte in Stöckelschuhen gekellnert, das war nichts.

Sie lenkten mich in ein großes schwarzes Auto, dessen Rückbank breit genug war, um vier Personen Platz zu bieten, obwohl nur Will und ich einen Platz beanspruchten. Ich quetschte mich in die hintere Tür und ließ so viel Platz wie möglich. Josh nahm auf dem Fahrersitz Platz und Irene auf der Beifahrerseite, die Augen auf die fette Mondkugel gerichtet, die sich am Rande des Horizonts abzeichnete, aber noch nicht hoch genug stand, um richtiges Licht zu spenden.

"Wir sollten zurück sein, bevor die Nacht voll ist. Der Wechsel kann nur so lange verzögert werden", sagte Irene.

"Wissen wir. Es juckt mich schon unter der Haut", sagte Josh.

"Wahrscheinlich die Verbrennungen", murmelte ich.

"Ich bezweifle, dass sie helfen werden. Obwohl der arme Josh in letzter Zeit zweimal von deiner Gnade profitiert hat, würde ich mich hüten, ihn zu verärgern." Will lehnte sich näher heran, und ich hielt ihm eine Hand mit der flachen Handfläche entgegen, um ihn auf Abstand zu halten.

"Er hat mich angefasst, und du hast dich für ihn entschuldigt. Verschone mich."

"Das habe ich vor. Ich möchte nicht, dass dir in unserer Gesellschaft etwas zustößt, Kat."

Ich spottete. "Gut zu wissen."

"Wenn Sie jedoch versuchen zu fliehen, werden wir Sie überwältigen", fuhr er fort.

"Ich bin mit dir rausgegangen, spar dir die Panikmache." Ich schüttelte den Kopf und schaute wieder zu den vorbeiziehenden Bäumen hinaus. "Du weißt, dass ich ein Rudel überlebt habe, fünfzehn Jahre bevor wir gegangen sind. Ich weiß, wie die Scheiße läuft."

"Hast du dich deshalb freiwillig gemeldet, eine Mondkrankheit über den Wölfen?" Will strich mir beruhigend über den Arm, ganz sanft. Ich hätte ihn fast angefaucht und wünschte mir, ich könnte mich aus dem Fenster stürzen, anstatt dieses Theater mitzumachen - hier gab es keine Menschen zu unterhalten, kein Rudel zu beeindrucken.

"Das liegt an den Welpen", sagte Irene.

Wir alle sahen sie an, und ich trat gegen Joshs Sitzlehne, als er weiter starrte. "Schaut auf die Straße!"

"Sie ist schwanger?" fragte Will.

"Marie, ja. Man kann es an ihr riechen." Irene stieß einen wehmütigen Seufzer aus und lächelte wie eine zufriedene Tante. "Es riecht wie karamellisierte Äpfel im Sommer. Ist es das, was du auch bekommst, Kathryn?"

Ich lehnte mich in meinem Sitz zurück. "Pfirsiche, für mich. Pfirsiche und Blut."

Will lachte, kratzte sich am Kinn, und ein kurzes Lächeln umspielte seine Lippen. "Deshalb hat Seb dich ausgeliefert. Wusste er es schon vorher?"

"Nein, sie wollte die Nachricht für nach der Hochzeit aufheben. Ich habe es ihm gesagt. Deshalb hat er mich gehen lassen. Wahrscheinlich war es mehr der Schock als alles andere."

Will sah mich wieder an. "Und du hast dir Sorgen gemacht, dass wir Monster für sie sein könnten?"

Hitze blitzte an meinen Schläfen auf, ein Juckreiz, den ich besser nicht herauslassen sollte. "Du hast sie gewürgt und das Risiko für das Baby war zu groß. Es war mir egal, ob du es wusstest oder nicht. Es lag in meiner Macht, das Schlimmste zu verhindern, also tat ich es."

"So ein furchterregendes kleines Ding. Kein Wunder, dass Seb vernarrt ist."

"Umso besser für das, was du vorhast, nicht wahr?" Ich blickte hoch genug, um seinen Augen zu begegnen, die trotz der Düsternis im Inneren des Wagens wie Quecksilber leuchteten. Mir gefiel nichts von alledem, angefangen damit, dass man mir nicht sagte, dass sie einen Magieanwender hatten, bis hin zu der zufriedenen Art, mit der Will mich beobachtete, aber es gab eine gewisse Dynamik bei einer Verhandlung. Ich wusste, wie sie funktionierte.

Will zuckte mit den Achseln, wobei sein Hemd im Jackett leicht zerfiel und seine vorsichtige Haltung ein wenig ausfranste. "Ich vermute, seine schwangere Schwester käme nur knapp dahinter, aber ein Baby im Mutterleib würde ich nicht zerstören."

"Ein schlechtes Druckmittel also. Man muss schon bereit sein, die Hand zu verbrennen, damit sich das Spiel wirklich lohnt, und Seb weiß das. Also bin ich besser."

"Jeder würde denken, dass du so etwas schon mal gemacht hast." Er grinste mich an, er schien das zu genießen, und ich hasste ihn dafür auf eine ferne, weit entfernte Weise. Zu sehr erinnerte es mich an die alten Zeiten. Aber es war keine Zeit für alten Hass, wenn die Gefahr gegenwärtig war.

"Sie haben mir versprochen, mich mit fünfzehn Jahren zu entlassen. Glaubst du wirklich, ich wäre völlig blind?"

Will brummte in Gedanken und schüttelte leicht den Kopf. "Nein, ich glaube, das wäre ein Fehler."

"Gut. Was haben Sie übrigens mit Victor gemacht? Ich habe ihn nicht auf dem Boden gesehen."

Wills Augenbrauen hoben sich und sein Kopf neigte sich zur Seite. "Er ist weggelaufen, kurz nachdem Marie sich auf mich gestürzt hat. Ich nahm an, dass er sich dich und Seb holen wollte, da ihr so schnell zurückkamt. Ihr wart ziemlich lebhaft."

"Du hast sie zum Schreien gebracht."

Will nickte. "Das war ein oberflächlicher Schlag, nur zur Show. Sie hatte mich vor meinen Männern geohrfeigt. Ich musste Stärke zeigen."

"Wie du meinst." Ich schnappte nach Luft und schüttelte den Kopf über ihn. Ich hatte keine Zeit für diese Art von Hin-und-Her-Blödsinn, aber es gab wenig anderes für mich zu tun, während ich in dem Auto gefangen war.

"Er ist losgezogen, um eine Waffe zu holen", sagte Josh vom Vordersitz aus.

Ich wurde hellhörig und beugte mich vor, um zu sehen, ob ich seine Augen im Spiegel sehen konnte. "Was?"

"Ich habe ihn heute Morgen gesehen, wie er eine Schrotflinte und eine Schachtel mit Patronen in einer der Vorratskisten versteckt hat.

"Das haben Sie in Ihrem Bericht nicht erwähnt", sagte Will. Ich bemerkte den finsteren Blick, den er Josh zuwarf, und merkte mir das für spätere Zwecke.

"Ich dachte, er würde mich damit angreifen, da es sein Mädchen war, das ich geärgert habe." Josh zuckte mit den Schultern und ließ seine Hände auf dem Lenkrad ruhen. Sie heilten, die Anziehungskraft des Mondes war gut für Wölfe in dieser Hinsicht. "Sobald ich wusste, dass er es nicht war, hat er es versteckt, es schien nicht so wichtig zu sein. Wir würden sie sowieso überwältigen, wenn sie irgendetwas versuchten, und es waren keine Silberschüsse."

"Eine gute Versicherung für die Hochzeit." Ich lachte, meine Schultern zitterten unter dem Gewicht des schönen Toppers. "Er hat dir genug vertraut, um dich in Maries Haus zu bringen, aber nicht genug, um alte Gewohnheiten aufzugeben. Was für eine *durchschlagende* Bestätigung für dich, Will."

"Alte Gewohnheiten?" Will starrte mich an.

"Du weißt doch, was sie früher gemacht haben, bevor sie alt wurden und Seb seinen Einfluss geltend machte. Du musst die Geschichten kennen."

Will brummte wieder. "Ich weiß, dass das Rudel Schläger anheuern kann. Das ist gut dokumentiert."

"Ach ja, und der Rest." Ich drehte mich in die Ecke und sah ihn an, wobei das kalte Leder des Sitzes unter meinem Gewicht leicht quietschte. "Die Weir's waren nicht nur die üblichen Drogenhändler und Schwerverbrecher. Sie haben Leichen versenkt. Sie waren die Feuerkraft, die man brauchte, wenn man irgendwo neu ankam und die Zahl der Opfer reduzieren wollte. Eine blutige Mischung aus Talenten, die jeden ausschalteten, der dafür bezahlt wurde, dass er verschwindet. Mein Vater war die magische Seite von ihnen. Wenn du denkst, dass meine Flamme schlecht ist, hättest du sehen sollen, was er damit anstellen konnte. Angst mag meine beherrschen, aber die Bosheit in den Händen dieses Mannes? Die Art und Weise, wie er sie tanzen lassen konnte, damit sie am meisten wehtut." Ich seufzte und schüttelte den Kopf. Es war ein Märchen, eine Fortsetzung dessen, was Victor heute Morgen erzählt hatte, obwohl ich nicht wissen konnte, ob es eine Lüge war. Mein Vater hatte mir schlimme Dinge angetan. Es gab keine Garantie, dass er anderen nicht noch Schlimmeres angetan hatte. "Wir hörten die Schreie manchmal tagelang."

"Sie lassen dich in seiner Nähe sein?"

"Selten, aber Fehler passieren. Kinder sehen Dinge." Ich hatte viel mehr getan, als nur zu sehen. Ich war ein lebendiges Zeugnis seines Willens, seiner Angst, all der Dinge, die schmerzhaft und wahr waren.

"Wir wussten immer, dass er deshalb umgebracht wurde, dass jemand auslöschen wollte, was er getan hatte. Um das Risiko zu begrenzen. Und Sie haben das angesprochen. Oh, das war ein Fehler. Sie haben Glück, dass ich mich jetzt so gut im Griff habe. Wenn du das versucht hättest, als meine Mutter gestorben ist, wärst du aufgeflogen wie eine Packung Streichhölzer."

Er war lange Zeit still, nur der Klang meines rasenden Atems leistete mir in der Dunkelheit Gesellschaft. Mein Herz war unruhig, es raste mit dem Adrenalin der Lügen und der Angst und der verzweifelten Sehnsucht, meine Daumen in Will Campbells Augen zu versenken, obwohl er mir gegenüber vorsichtig still war.

Irene brach das Schweigen. "Du hast ihn geliebt, trotz alledem. Ich kann es hören."

"Er war mein Vater. Bastard oder nicht, natürlich habe ich das."

"Kluge Worte." Sie nickte sich selbst zu.

"Wer bist du eigentlich? Ich kenne deinen Namen, aber ich weiß nicht, was du mit dem Rudel zu tun hast. Entschuldige meine Unwissenheit."

"Ich bin die Hexe des Campbell-Rudels. Ich bin mit Wills Mutter verwandt, die früher mit dem letzten Anführer verheiratet war."

"Früher?" wiederholte ich.

"Meine Mutter verließ ihn vor meiner Geburt, blieb aber im Rudel. Ich bin also nicht rechtmäßig, aber wie du sagst." Will grinste mich an, der Wolf war deutlich in seinen Augen zu erkennen. "Bastard hin oder her, mein Vater hat mich geliebt."

"Du und Seb, ihr seid also dasselbe. Tote Väter und ein Rudel zum Anführen."

"Ich habe den Vorteil des Alters und er den Vorteil der Legitimität. Bis zu Ihrem Erscheinen vermutete ich, dass dies der einzige Vorteil war, und der ist nicht schwer zu brechen."

Ich lachte, laut in dem kleinen Raum, und schüttelte den Kopf über ihn. "Du meinst, du willst es mit ihrem Rudel aufnehmen? Viel Glück!"

"Wir haben zwar weniger Männer, aber wir sind nicht weich. Bitte verwechseln Sie meine Höflichkeit nicht mit einer mangelnden Bereitschaft, Blut zu vergießen."

Ach, scheiß auf ihn, als ob mir das im Moment irgendetwas bedeuten würde. "Das würde mir im Traum nicht einfallen. Ich hab deine Hand an Maries Kehle gesehen. Ich glaube nicht, dass du weich bist. Das Rudel *liebt* Seb. Nicht, weil er Johns Sohn ist, oder weil er mit seinem Schwanz herumfuchtelt, sondern weil er sich kümmert. Er weiß, wer sie alle sind, er kümmert sich um sie, und er kümmert sich auch um die neuen Rekruten. Er ist ein Anführer."

"Und trotzdem bist du vor ihm weggelaufen, und das auch noch vor ihnen."

"Ich habe das Rudel einmal verlassen und bin wieder zurückgekommen. Ein weiteres Mal wird sie nicht beunruhigen." Ich verschränkte die Arme und holte tief Luft. "Seb hat mich nur wegen der Angriffe so schnell zurückgebracht. Dein Werk, nehme ich an?"

"Ich weiß nicht, wovon du redest." Will beugte sich vor und sah mir in die Augen.

Ich warf ihm einen Blick zu, meine Geduld reichte nicht aus, um das Hin und Her aufrechtzuerhalten. "Wirklich? Ihr Junge da hat beim ersten Treffen seine Hände um meine Kehle gelegt, und das soll ich Ihnen glauben?"

"Ich habe mich entschuldigt", sagte Josh. Er klang wie bei der Zeremonie, mit einem Hauch von Zweifel, der seine Worte färbte.

"Wenn ich dich angreifen wollte, gäbe es keine Versuche. Ich bin ein ausgezeichneter Jäger", sagte Will. "Und ich wusste nichts von Ihnen, außer dem, was sie bei den Verhandlungen, Seb und Victor, vor dem heutigen Tag preisgegeben haben."

"Richtig, deshalb bist du heute Nachmittag hier herumgeschnüffelt. Du wolltest nur einen Blick auf mich werfen?"

Er ergriff meine Hand und senkte die Augenbrauen. "Ich meine es ernst. Ich habe keine

Männer auf Sie angesetzt. Wir arbeiten zwar immer noch in denselben Gebieten wie die Weir's, aber wenn ich gewollt hätte, dass Ihnen etwas zustößt, hätte ich es richtig gemacht, mit einer Warnung an das Rudel und nachdem ich Sie getroffen habe, um Sie zu beurteilen. Wir greifen nicht hinterhältig an."

"Nur andere Dinge? Ihre Herausforderung war unangemessen."

"Mir wurde gesagt, du hättest keine Magie."

"Nun, das ist eine verdammte Lüge. Hast du nicht mit deiner eigenen Sekunde gesprochen?" Josh gab ein erstickte Geräusch von sich, irgendwo zwischen einem Aufschrei und einem Husten, und ich hätte schwören können, dass sich seine Augen im Rückspiegel geweitet hatten. "Oh Scheiße, das hast du nicht, stimmt's?"

"Josh?" fragte Will mit einer Stimme wie Eis, die zu brechen drohte.

"Ich weiß es nicht. Ich weiß nichts von dem, was sie sagt."

Ich kicherte vor mich hin und schüttelte den Kopf. "Du hättest deinen eigenen Rat einholen sollen. Josh hat schon mal einen Platz in der ersten Reihe bei meiner Magie bekommen."

"Da war nichts von diesem Flammen-Scheiß. Sie war meistens sehr redselig", sagte Josh.

"Meistens", stimmte ich zu und verschränkte die Arme. "Er hat recht. Ich habe keine Magie benutzt, um ihm die Nase zu brechen. Aber das war eine gute Heilung. Ich muss dich nachher um Tipps bitten, wie das geht, Irene. Ich konnte mit meiner noch nie heilen."

Will drückte meine Hand fester. "Muss ich mir Sorgen machen, dass du etwas Dummes tust, Kat? Ich hatte gehofft, du wärst vernünftiger als das."

Ich lächelte vor mich hin und schaute zu ihm hinüber, als er sich dicht an mich heranlehnte und seinen Sicherheitsgurt ablegte, um mich zu umarmen. "Ich bin unheimlich vernünftig, Will. Don't you worry."

Er lehnte sich zurück, seine Nasenflügel blähten sich bei der Erwähnung seines Namens, er war offensichtlich nicht zufrieden, und ich richtete meinen Blick wieder in die Dunkelheit. Wir waren seit etwa vierzig Minuten unterwegs, wir mussten fast am Ziel sein. Wenn man bedenkt, dass sie sich den Laufwald teilten, war das ein sehr weiter Weg.

"Das freut mich. Ich möchte ein vernünftiges Gespräch mit Ihnen führen, unter vier Augen", sagte Will.

Ich schüttelte den Kopf über ihn. "Ich kann nicht für das Rudel verhandeln. Das wird Seb machen müssen."

"Es ist nur für Sie. Ein individueller Vorschlag."

"Sie wohnt bei mir, Will", sagte Irene. Sie schaute über ihre Schulter und sah mir in die Augen, als sie fortfuhr. "Kathryn hat mir ihre Gastfreundschaft gewährt. Nur so konnten wir ohne Blutvergießen gehen."

Will rollte mit den Augen. "Ja, ja, wie du sagst. Aber ich werde allein mit ihr sprechen, Gastfreundschaft hin oder her. Du kannst ja in einen Spiegel schauen oder so."

"Ich bevorzuge Eingeweide", sagte sie. Ich wusste nicht, ob sie gelogen hatte.

"Heb dir das für später auf, ich besorge dir frische. Ich muss raus und joggen gehen", sagte Josh.

"Gut. Solange du zurückkommst, bevor die Weir's hier sind, kannst du dich umziehen und dir die Beine vertreten. Das kann ich auch tun, nachdem wir gesprochen haben." Will drehte sich zu mir um und drückte meine Hand. "Wir werden bald da sein. Ich sorge dafür, dass du es bequem hast."

Ich nickte und traute mich nicht, etwas zu sagen. Ich könnte schluchzen oder spucken, und beides war nicht gut.

Kapitel 27

Das Campbell-Gelände glich eher einem Werksgelände als einem Dorf, die Häuser lagen hier und da verstreut, und Fahrzeuge und große Maschinen nahmen Plätze vor den vernachlässigten Gebäuden ein. Seb hatte mir erzählt, dass ein Teil des Rudels weggezogen war, also nahm ich an, dass es ihre Häuser waren, die jetzt dunkel und leer standen.

Will begleitete mich in ein ausreichend großes Anwesen, ein komfortables Haus mit fünf Schlafzimmern, das für die Gesellschaft hergerichtet war, mit einer sauberen Veranda und brennendem Licht, und Irene und Josh begleiteten uns. Ich konnte nicht sehen, wohin die anderen Männer gingen, aber die Autos schienen alle auf dem gleichen Parkplatz zu parken, so wie sie im Wald gruppiert worden waren.

Will führte uns in ein großes Wohnzimmer, das zur Hälfte mit einem großen Fernseher und einigen übergepolsterten Ledersofas gefüllt war, die zwar etwas durchhingen, aber offensichtlich gut genutzt wurden, und in dem Zeitschriften und Spielkonsolen herumstanden. Ich hatte das Gefühl, dass dort Kinder sein sollten, und ich fragte mich, ob sie irgendwo anders hinliefen, denn Irene war die einzige Frau bei der Hochzeitsgesellschaft.

"Bevor wir weitermachen, noch ein paar organisatorische Maßnahmen. Kat, bist du immer noch bewaffnet?" fragte Will. Ich nickte. "Gib mir das Messer."

"Das möchte ich lieber nicht."

"Ich nehme es dir ab, wenn es sein muss."

Ich grinste ihn an und neigte mein Kinn in seine Richtung. "Versuch es. Ich bin sicher, es wird mir einen echten Schrecken einjagen."

"Du brauchst das Messer nicht. Du hast meine Gastfreundschaft. Sie werden dir nichts tun", sagte Irene.

"Das bedeutet auch, dass Sie bei der Verhandlung unbewaffnet sind. Um meinen guten Glauben daran zu bewahren, dass tatsächlich etwas passiert." Will hob die Augenbrauen und ich hätte ihm am liebsten eine Ohrfeige verpasst. Das höfliche Verhalten hinderte mich nicht daran, mir bewusst zu machen, dass er ein Wolf war, ob er lächelte oder nicht, und dass ich mich nur wegen seiner Gewalttätigkeit gegenüber Marie freiwillig gemeldet hatte.

Ich schob eine Hand unter mein Kleid und in meinen BH und warf ihm mürrisch das Messer zu. "Na schön. Gib es mir zurück, wenn ich gehe."

"Keine an deinem Oberschenkel?"

"Ich hatte keine Zeit, meinen Rock hochzuziehen. Es gab noch andere Dinge zu tun. Sieh nach, wenn du willst." Ich setzte meinen Fuß auf ein Sofa und zog den Stoff meines Kleides fest an mein Bein. Der Abdruck des Holsters war zu sehen, leere Ringe, die unter dem Druck knirschten, keine Klinge, die die Lücken ausfüllte. Will trat näher heran, legte seine Hand auf die Form und tastete leicht um die Schlaufen herum. Ich blickte ihn an, während er das tat. Er konnte mein Bein abtasten, so viel er wollte, ich würde nicht nachgeben.

"Ich bin zufrieden, dass das die einzige ist." Er steckte die Klinge ein und trat zurück. "Also, Josh, du wolltest laufen. Du kannst das gerne tun, und Irene kann mit Kat sprechen. Ich werde mich ihnen anschließen, nachdem ich mich um andere Dinge gekümmert habe."

"Was zum Beispiel?" Ich fragte

"Es müssen Vorbereitungen für eine Verhandlung getroffen werden. So verlockend es auch wäre, einen Hinterhalt zu legen und denjenigen zu töten, den sie schicken, so ist das doch ein schlechter Weg, um echte Fortschritte zu erzielen. Wie ich bereits sagte, hat die List unter Wölfen nur begrenzte Vorteile."

"Gut zu wissen." Ich ließ mein Bein sinken und verschränkte die Arme. Das Haus war nicht wirklich kalt, aber die Luft war so still, als ob der Raum es nicht mochte, leer zu sein, und ich war müde von der plötzlichen Anwendung von Magie, um nach etwas anderem zu suchen. Ich sollte auch etwas essen, um einen Blutzuckerabfall zu vermeiden.

Will bemerkte mein Unbehagen. "Irene, gib ihr eine Strickjacke, wenn du in dein Zimmer kommst. Man wird uns nicht vorwerfen, dass wir sie schlecht behandelt haben."

"Wie du willst. Komm mit mir, Kat." Sie nickte zu einer Tür auf der anderen Seite, deren Farbe um den Griff herum von häufigen Berührungen verschmiert war. "Mein Zimmer ist ganz hinten, und es ist gut ausgestattet.

"In Ordnung."

Ich folgte ihr durch die Tür und fand uns in einem langen, schlichten Korridor wieder, der mit Türen gespickt war - die Art, die man in Hotels findet, wo das Personal zwischen der Küche und dem Servierraum hin und her eilt oder Wagen mit Wäsche vor den Gästen versteckt.

Irene schien zu spüren, dass ich mich umschaute, und so gingen wir gemeinsam weiter. "Ich wohne in der Dienstbotenwohnung. Umgestaltet, natürlich. Sie hatten das Haus ein paar Mal renoviert, aber ich habe darauf bestanden, dass sie diesen Teil separat halten."

"Du kommst mir nicht wie ein Diener vor."

Sie kicherte und presste die dünnen Lippen zusammen. "Nein. Aber es tut mir gut, getrennt zu sein, also ist es nützlich, es zu behalten."

"Gut."

Wir gingen eine Minute lang schweigend, das Schlurfen ihrer flachen Schuhe und der gedämpfte Aufprall meiner Absätze - meine Füße schmerzten noch immer von der improvisierten Wanderung, ich hätte meine Turnschuhe nehmen sollen - bevor sie wieder sprach.

"Ich kannte deinen Vater."

"Oh?"

"Viele der Praktiker, die mit Wölfen arbeiteten, verkehrten in denselben Kreisen. Es gibt nur so viele, die verstehen, wie es ist."

"Ich bin sicher, dass ich es herausfinden werde", sagte ich.

"Ich hoffe es. Da wären wir." Sie nickte zu einer hellen Holztür vor uns, Asche von der Farbe und der Maserung, und holte irgendwo aus ihren Rocktaschen einen Schlüssel hervor.

"Danke für die Gastfreundschaft", sagte ich, als sie die Tür öffnete.

"Du verdienst die gleiche Behandlung und den gleichen Respekt wie jemand, der gelernt hat."

Ich lachte schrill, während ich mir auf die Lippe biss. "Nun, so weit würde ich nicht gehen. Ich bin nicht ausgebildet. Ich habe es mir nach dem Tod meines Vaters selbst beigebracht."

Sie nickte. "Ich habe es vermutet."

"Ja?"

"Dein Feuer ist ihm so ähnlich. Wenn du dich mit deiner Kraft wohler fühlst, wird sie sich verändern, mehr zu deiner eigenen werden."

Ich nickte ihr stumm zu, da ich nicht wusste, was ich dazu sagen sollte. Sie lächelte und schaltete das Licht an, um den Raum zu zeigen. Es war riesig, eher ein Atelier als ein Schlafzimmer, und gefüllt mit Stapeln von Büchern, Pflanzen, hängenden Kristallen und Amuletten, der ganze Raum wie eine Wand aus stotternder Energie. Den Fußboden hatte sie mit einem Mischmasch aus Teppichen ausgelegt, die keinen wirklichen Sinn für eine Farbe hatten, da die Muster sich gegenseitig anschrieen, und ich blinzelte den Schwall der Magie zurück, der mich überkam, und die Haare auf meinen Armen stellten sich auf.

"Hier ist viel los", sagte ich.

Sie gluckste und nickte vor sich hin. "Ich bin schon eine Weile hier. Vielleicht bin ich besser darauf eingestellt als die meisten. Möchten Sie einen Tee?"

"Ja, bitte. Ich nehme nicht an, dass ich Sie davon überzeugen kann, mich auch gehen zu lassen?"

"Zumindest nicht, bis Will mit dir gesprochen hat, fürchte ich. Ich fürchte, er ist auf einem vergeblichen Unterfangen dort."

"Was meinst du?"

Langsam ging sie zu einer Arbeitsplatte auf der einen Seite des Raumes, nahm einen Wasserkocher aus dem Gewirr von Gegenständen und brachte ihn zu einem Waschbecken weiter hinten. "Will ist ein Mann mit langfristigen Perspektiven. Sein Blick ist immer auf den Horizont gerichtet. Er und Bastian sind sich da ähnlich, auch wenn es keiner von beiden zugeben möchte."

"Ja. Das ist mir aufgefallen."

"Will wird dich bitten, Teil seines Rudels zu werden. Dass du dich für ihn entscheidest und nicht für Bastian."

"Was?" Es war ein halber Schrei, der hohe Ton meiner Stimme war zwischen Schock und Angst ausgewrungen.

"Ich weiß, Süße, ich weiß. Eine sinnlose Frage angesichts dessen, was wir heute Abend gesehen haben."

"Die Hochzeit?"

Sie drehte sich zu mir um, stellte das Wasser ab und kam langsam zurück, um den Kessel wieder einzuschalten. "Das auch. Hast du das mit dem Feuer nicht gemerkt?"

"Ich habe Josh angezündet, und auch Sébs Jacke hat es erwischt. Er kommt mit meinem Feuer gut klar. Es verbrennt ihn nicht."

"Genau so, ja." Sie nickte, als ob das etwas bedeuten würde.

"Mein Feuer verletzt diejenigen, die mir wehtun wollen. Ich weiß, dass Seb das nicht tun würde. Er kann schimpfen wie alle anderen, so sind Wölfe. Aber er hat mir nie das Gefühl gegeben, unsicher zu sein." Das war alles andere gewesen. Das Versprechen, das Rudel. Die Zahl der Toten. In feindlichem Gebiet zu sein.

"Ah." Sie öffnete keuchend den Mund und schüttelte schnell den Kopf. "Autodidaktisch, natürlich. Dein Feuer schützt dich, ja, aber du denkst zu eng."

"Was meinst du?"

"Das Feuer tut allen weh. Alle außer dir und denen, die du liebst. Das deines Vaters hat deine Mutter nicht verletzt. Deiner schon?"

Mein Magen zog sich ein wenig zusammen, ein Stechen, als ob mir schlecht werden könnte. "Ich brauchte es selten in ihrer Nähe. Eigentlich nie."

"Also würdest du den Unterschied nicht sehen. Dann tut es mir leid, das zu sagen, aber dein Feuer nimmt Bastian an. Er ist dazu bestimmt, dir zu gehören."

"Ja, das wurde uns versprochen."

Sie gluckste und nickte wieder vor sich hin. "Ja, das warst du. Hast du dich jemals gefragt, warum?"

"Weil mein Vater der Praktiker des Rudels war. Jeder wusste das. Das hat so viel Ärger gemacht, als wir weggegangen sind."

"Schatz, es tut mir leid, dir das in einer so ereignisreichen Nacht zu sagen, aber du denkst nicht richtig nach. Hier, der Tee wird dir helfen."

Sie reichte mir einen dampfenden Becher, und ich nahm ihn in beide Hände. Es war ein dicker, kurzer Becher, robust genug, dass die Wärme durch ihn hindurchstrahlte und meine Handflächen wärmte, während ich ihr zublinzelte. "Danke."

"Gern geschehen. Ich werde dir auch eine Strickjacke besorgen, aber das hier zuerst. Hast du schon mal von Schicksalsgefährten gehört?"

"Natürlich, es ist wie die Wolfsversion eines Seelenverwandten. Jemand, zu dem man immer zurückkehrt. Ich habe alles über sie gehört, als ich aufgewachsen bin, so wie man es mit jeder Mädchenschar macht."

"Natürlich. Du bist mit dem Rudel aufgewachsen. Das ist der Lauf der Dinge. Aber Schicksalsgefährten sind nicht nur Wölfe."

"Ja, das ist Prinz Charming mit Fell. In den Geschichten geht es immer um Wölfe. Wölfe aus rivalisierenden Rudeln, Wölfe, die sich in einem Revierkampf begegnen, Wölfe, die irgendwie getrennt sind. Sie überwinden alles, oder wenn einer stirbt, schmachtet sich der andere zu Tode. Selbst der Trost des Rudels reicht nicht aus, um die verpasste Verbindung zu kompensieren. Sehr romantisch, aber auch düster."

"Das ist die traditionelle Lesart, ja. Aber der Grund, warum es so oft als zwei Wölfe dargestellt wird, ist, dass die Wölfe die Geschichten schreiben. So wie Märchen immer einen Menschen enthalten, der in die Magie stolpert. Wir mögen etwas von uns selbst in unseren Geschichten."

"Du bist kein Wolf?"

Sie schüttelte den Kopf. "Nein. Sie haben mir den Biss angeboten, aber ich habe ihn nicht angenommen. Genau wie dein Vater. Und genau wie dein Vater erkenne ich die Natur des Feuers. Ihr und Karls Feuer hat Bastian nicht geschadet, denn Bastian war an Sie gebunden. *Für* Sie. Schicksalhaft. Als Karl das sah, sagte er es John, und sie versprachen, Sie beide zusammenzubringen. Karl, um dich zu beschützen, weil du für viele andere begehrenswert sein würdest, und John, um Bastian zu beschützen, weil er sonst Schaden nehmen würde. Wie du sagst, sie schmachten."

Ich fühlte mich, als hätte sie mir einen Schlag auf den Kopf versetzt, mein Verstand wirbelte bei den

Worten wie unter Drogeneinfluss. Ich hatte noch nicht einmal an dem Tee genippt, es war nicht so, dass sie mich auf diese Weise erwischt hätte, aber ich taumelte fast über die Kommentare. "Das kann nicht stimmen."

"Warum nicht?"

"Seb ist...." Ich brach ab und schluckte, um meine Stimme zu befreien. "Seb ist wunderbar. Er ist ein guter Mann, und er ist freundlich. Es wäre sehr einfach, ihn zu lieben. Aber er sollte die Wahl haben, es zu tun. Er sollte es nicht tun, weil meine gebrochene Magie ihn nicht verletzt hat."

"Sie haben allen anderen wehgetan, nicht wahr?" Ich nickte. Davor hatte ich lange Zeit Angst gehabt. "Dann liebt etwas in Ihnen ihn, meine Liebe. Und er liebt dich eindeutig. Das ist vor niemandem ein Geheimnis. Er sieht dich an, als wärst du der Mond."

"Er wird ein großartiger Ehemann für jemanden sein. Und mir würde es gefallen, wenn ich es wäre. Aber ich denke, ich möchte, dass er es sich aussucht. Ich möchte nicht die Pflicht von jemandem sein." Pflicht war eine vertraute Last, und ich wollte mehr sein als das: Ich wollte um meiner selbst willen geliebt werden.

"Dann lass ihn dich wählen. Er ist sein eigener Herr, er ist in der Lage, für sich selbst Entscheidungen zu treffen, und wenn er dich nicht wollte, wäre er nicht so schnell bereit gewesen, dich zu heiraten. Das Rudel hat sich auch große Sorgen um dich gemacht. Ich weiß, dass John versucht hat, dich zurück ins Rudel zu holen, als Sophie gestorben ist."

Ich neigte meinen Kopf zu ihr. "Woher weißt du das?"

"Sie baten mich, Sie anzusprechen. Als du gestanden hast, dass du untrainiert bist, und sie beide aus der Tür geschrien hast. Es war natürlich besitzergreifend, so wie Wölfe nun mal sind. Aber ich glaube, John hatte dich wirklich gern und wollte nicht nur seinen Sohn beschützen. Er hat sich Sorgen gemacht, dass du allein unterwegs bist."

"Du bist aber nicht gekommen."

Sie lachte und schüttelte den Kopf. "Nein, das ging mich nichts an. Du warst alt genug, um deine eigene Meinung zu kennen. Wenn ich gewusst hätte, dass man dir die Umstände nicht richtig erklärt hat, nun ja. Das wäre etwas ganz anderes gewesen. Du armes Ding, nicht zu wissen, warum du mit einem Loch im Herzen herumstolperst."

"Ich dachte, es läge daran, was mein Vater mir angetan hat. Meine Kräfte sind nicht.... sind nicht richtig." Ich spürte, wie mir die Tränen heiß wurden und mir trotz aller Bemühungen die Wangen hinunterliefen, und ich stellte den Tee auf einer der wenigen verfügbaren Flächen ab, während ich mir den Mund zuhielt. "Warte, Seb, aber Seb muss es doch gut gehen. Wird es ihm gut gehen, wenn ich sterbe?"

Irene sträubte sich, als sie gerade einen Schluck Tee getrunken hatte, und schüttelte den Kopf. "Hast du etwas Heldenhaftes vor? Wenn ja, dann lass es, ich sorge dafür, dass du sicher zurückkommst. Es sei denn, du ziehst Will vor."

"Aber sterben wir wirklich, meine ich? In den Geschichten..."

"Ich glaube nicht, dass du das tust." Sie runzelte nachdenklich die Stirn und rümpfte die Nase, als sie ihre Antwort abwog. "Wenn das so wäre, gäbe es viel mehr Wölfe, die sich zu Tode grämen. Wenn man den kleineren Teil der Bevölkerung berücksichtigt, gibt es eine hohe Kindersterblichkeit, vor allem bei Wolfsschwangerschaften, Naturkatastrophen, die Neigung von Wölfen, kriminellen Aktivitäten nachzugehen. Ich weiß es nicht genau, aber ich weiß, dass deine Magie ihn als dein eigenes Kind willkommen heißt. Versuche, nicht zu sterben, das wäre wahrscheinlich das Beste."

Ich sah sie stirnrunzelnd an, wischte mir über das Gesicht und nahm den Tee wieder in die Hand. Mein Make-up würde so eine Sauerei sein. "Ich habe versucht, es nicht zu tun. Zwei Angriffe, ein Wolfskampf und eine Hochzeitszeremonie, und ich bin immer noch hier."

"Erzählen Sie mir mehr über die Angriffe. Ich habe gehört, dass Will gesagt hat, dass er das nicht getan hat, und ich würde ihm glauben. Er hat Bastian immer nur in der Öffentlichkeit unterminiert. Komm, setz dich, bis Will zu uns kommt." Sie winkte mich weiter in den Raum, zu einem Paar hochlehniger Stühle, die neben einem unbeleuchteten Kamin standen. "Du kannst auch die Strickjacke mitnehmen, wenn du willst."

Ich setzte meinen Tee ab und schlüpfte in eine übergroße Strickjacke, die von der Lehne des nächstgelegenen Stuhls hing. Es war ein riesiges Ding, zottelig wie ein Schaf mit regenbogenfarbenen Streifen, jeder so breit wie meine Handfläche. Ich konnte sie mir darin nicht vorstellen, zu lässig für die enthusiastische, wenn auch zurückhaltende Frau vor mir. "Danke."

"Gern geschehen. Es war ein Geschenk und ich habe es nie wirklich benutzt."

Ah, das erklärte es. "Danke", wiederholte ich.

"Das ist in Ordnung. Also, zwei Angriffe, sagten Sie?"

"Einer war bei mir zu Hause. Seb holte mich ab, um zurück zum Rudel zu kommen, und ich wollte reden. Wir gingen zu mir nach Hause, und ich wollte gerade kochen, als ein Kerl, der offensichtlich darauf gewartet hatte, dass ich nach Hause komme, mit einem Messer in der Hand in die Küche gestürmt kam. Er hat mich ordentlich geleckt, ich habe hier eine Wunde." Ich fuhr mit der Fingerspitze an meinem Brustbein entlang.

"Und dein Feuer?"

"Zündet ihn an."

"Hm. In Bezug auf. Die zweite?"

"Jemand hat versucht, meinen Laden in Brand zu setzen und eine tote Katze in die Wand gestochen. Es gab eine Nachricht über mich."

Irene verzog das Gesicht und rutschte auf dem Stuhl tiefer. "Nun, das sind wir sicher nicht. Will tötet, wenn es nötig ist, aber er würde kein Tier töten, wenn es nicht um die Jagd geht. Er ist nicht verschwenderisch."

"Gut zu wissen, nehme ich an. Eine Wertschätzung für den Zyklus."

"Er ist kein böser Mensch. Ich glaube, unter anderen Umständen hätten er und Bastian sich vielleicht gut verstanden. Ich bin mir nicht sicher, ob sie dazu zurückkehren können, nach allem, was heute geschehen ist, aber vielleicht ist dafür noch Zeit. Haben die Weirs irgendwelche Hinweise?"

"Ich weiß es nicht. Ich bin etwas abgelenkt durch die Hochzeit. Ich weiß, dass Seb den Mord an seinem Vater untersucht, und er hat angenommen, dass sie miteinander verbunden sind."

"Natürlich, aber damit haben wir nichts zu tun. Frag Will selbst. Er hat John respektiert. Es hat ihn wirklich geschmerzt, als John starb. Will hatte seine helle Freude an ihren Verhandlungen, auch wenn sie sich am Ende meist gegenseitig niederbrüllten."

"Du klingst eher wie seine Mutter als wie seine Tante", sagte ich.

"Ich glaube, das musste ich sein. Sie ist zu jung gestorben. Er ist vorsichtig damit, deshalb hat er Karl erwähnt, aber nicht Sophie. Lassen Sie ihn so sanft wie möglich herunter, ja?"

"Ich werde es versuchen."

"Gut. Und machen Sie keine Dummheiten, aber das Fenster ist nicht verschlossen." Sie nickte in Richtung einer kleinen Tür, die vielleicht zu einem Badezimmer führte. "Nur für den Fall. Ich mache die Tür auf. Du bleibst hier."

Sie stand auf, ließ ihren Tee stehen und schlenderte über die ungleichmäßigen Teppiche zurück. Das Klopfen ertönte, als sie den Kessel erreichte, und sie zwinkerte mir über ihre Schulter zu. Als sie die Tür öffnete, kam Will herein, die Anzugsjacke abgelegt, aber die Weste noch an ihrem Platz, und seine Hemdsärmel bis zu den Ellbogen hochgekrempelt, so dass seine Unterarme zu sehen waren. Es war ein Blick.

"Das ging schnell", sagte er.

"Ich hörte dich schon aus einer Meile Entfernung kommen. Sprich schnell mit ihr. Es ist nicht mehr lange hin, bis sie kommen. Ich gebe Ihnen das Zimmer."

"Danke, Irene." Er drückte ihr einen Kuss auf die Wange und trat zurück, damit sie gehen konnte, bevor er eintrat. Mir wurde flau im Magen, als er das Schloss der Tür zuschnappte.

Kapitel 28

"Ist das wirklich notwendig?" fragte ich. Uns gemeinsam einzuschließen, hatte beim besten Willen einen gewissen Reiz. Ich vertraute zwar Irene, aber nichts sprach dafür, dass Will dieselben Manieren haben würde.

Er drehte sich zu mir um, als er den Schlüssel einsteckte. "Es ist mehr für meinen Seelenfrieden als für alles andere. Wenn es irgendwelche Heldentaten gibt, möchte ich lieber wissen, dass du in Sicherheit bist."

"Ich bin sicher, du kannst mir meinen Dolch zurückgeben, wenn du dir wirklich Sorgen machst."

"Das ist ein gutes Argument." Er ging hinüber, nahm den Platz ein, den Irene frei gemacht hatte, und reichte mir das Messer zurück.

Ich nahm es am Griff und steckte die Klinge in eine der großen Taschen der Strickjacke. "Wie auch immer, wenn es so etwas gäbe, dann hätte Seb es getan, bevor er abgereist ist. Er würde sich zu sehr um das Baby im Bauch seiner Schwester sorgen, um etwas Dummes zu tun."

"Glaubst du das wirklich?" Will neigte seinen Kopf zu mir. Das erinnerte mich daran, dass ich eingeschätzt wurde.

"Ja. Er wird nicht die Sicherheit des gesamten Rudels riskieren, nur um mich zurückzuholen. Er wird tun, worum du ihn gebeten hast, und wir können ein Gespräch führen.

Will nickte, das Gesicht unleserlich, und nahm den Tee, den Irene hinterlassen hatte. "Wenn Sie das sagen. Ich glaube, Sie werden ihn besser einschätzen können als ich. Du kennst ihn schon länger. Unsere Rudel sind sich zwar nicht fremd, aber als Kinder haben wir uns nie besonders gut verstanden."

"Du bist älter als er. Du würdest andere Dinge tun."

"Deshalb haben wir uns auch nicht vermischt." Er hob die Augenbrauen zu mir. Objektiv betrachtet wäre er ziemlich gutaussehend, aber ich sah nur jemanden, der mich auf meiner Hochzeit reingelegt hatte. Gefälscht oder nicht, das war unhöflich.

"Ja, ich glaube, ich hätte mich an dich erinnert."

Will lächelte, die blassen Augen blitzten. "Ich bin sicher, ich hätte mich an dich erinnert."

"So charmant dieser Satz auch ist, du hast mich vor ein paar Stunden heiraten sehen, Will. Wenn du nicht auf eine bestimmte Art von Dingen stehst, muss das ein Spruch sein."

"Tut es das?" Er nahm einen weiteren Schluck Tee. "Du hast den Papierkram noch nicht eingereicht. Das wird frühestens morgen der Fall sein. Wahrscheinlich später, am Montagmorgen."

"Ich bin mir sicher, dass du dich nicht nach Gesellschaft sehnst." Ich nippte an meinem Tee und zog die Strickjacke fester um mich.

"Ich hatte Besuch. Ich werde nicht so tun, als wäre es anders. Allerdings keinen mit Ihren besonderen Talenten."

Ich hob eine Augenbraue zu ihm. "Deine Tante ist eine Hexe. Du brauchst nicht noch eine."

"Ich könnte euch viel mehr geben als Seb. Sein Rudel ist stärker als unseres, wirklich, aber er ist ein schlechterer Verhandlungspartner als sein Vater, und wir sind beschäftigt. Ich könnte dir ein sehr schönes Leben aufbauen."

"Daran zweifle ich nicht. Aber ich habe mir ein sehr schönes Leben aufgebaut, ganz allein, und das will ich behalten. Ich werde meinen Laden nicht aufgeben. Wäre das bei der Arbeit, die Sie machen, möglich? Als ich jünger war, war es das für meine Eltern nicht. Wenn du ein Ziel bist, ist jeder, den du liebst, auch eines."

Er grinste, zeigte all seine weißen Zähne, und ich konnte spüren, wie sich der Wolf an den Rand drängte, als er kicherte. "Es tut mir leid, dass ich deinen Vater erwähnt habe. So sehr wir auch auf übereinstimmen, es war ein billiger Versuch. Sie hatten uns versichert, dass Sie keine Magie besitzen, und es war ein einfacher Weg, Seb zu untergraben."

"Du hättest mich heute Nachmittag fragen können. Du hättest Victor nicht zu dieser Pantomime zwingen müssen, wenn du das die ganze Zeit geplant hättest."

Will zuckte mit den Schultern. "Es war Victors Idee. Ein Weg, reinen Tisch zu machen. Er war sehr hilfsbereit, seit John gestorben ist."

Irgendetwas an der Art und Weise, wie er das sagte, rüttelte mich auf, blieb in meiner Brust stecken wie ein Dorn in der Dornenkrone. "Was meinst du?"

"Er war ein gründlicher Unterhändler, der zwischen den Lagern hin und her pendelte. Er hat die Dinge bei Seb am Laufen gehalten. Er hat ein Auge auf alles und die Hände auf allem. Er ist fast in die Fußstapfen von John getreten."

"Er war sein zweiter."

"Solange ich die beiden Männer kenne, ja." Will trank noch einen Schluck Tee.

Ich fühlte mich, als würde mein Brustkorb zerspringen, etwas Gequetschtes und Zitterndes, das vor dem Schmerz zurückschreckte, von dem ich wusste, dass er kommen würde, aber nicht warum. "Er hat dir gesagt, dass ich meine Magie nicht habe?"

"Er und John hatten sich zuvor mit Irene über Sie beraten. Daran hat er mich erinnert. Entweder um mich zu demütigen, worüber ich nicht erfreut wäre, oder um Seb zu untergraben, indem er unsere Konfrontation herbeiführt."

Ich saß eine lange Minute lang da und überlegte, was ich antworten sollte. Ich hielt mein Gesicht so gerade wie möglich, als ich sprach. "Er wusste nicht, dass ich Magie habe. Ich habe ihnen immer gesagt, dass ich untrainiert bin."

"Autodidaktisch?"

"Ja."

Sein Grinsen blitzte wieder auf. "Entzückend. Heirate mich stattdessen."

Ich schüttelte den Kopf. "Ich kann nicht. So sehr ich auch glaube, dass du ein reizender Mann wärst, wenn ich dir nicht eine reinhauen wollte, geht es mir bei Seb um mehr als die Ehre toter Männer. Hast du gesehen, wie er mich gepackt hat, als Josh mich abstechen wollte?"

"Das habe ich."

"Das Feuer tut ihm nicht weh. Es ist ein alter Zauber, die Liebe. Es ist einer der grundlegendsten Bausteine, aber er ist da. Das Feuer würde dich verbrennen. Und es tut sehr weh, wie Josh dir sicher gesagt hat."

"Wie schade. Gibt es keine Möglichkeit, dass sich das mit der Zeit ändert?"

Ich zuckte mit den Schultern. "Ich weiß es nicht, wirklich. Nach dem, was Irene gesagt hat, glaube ich das nicht."

"Natürlich hat sie das bemerkt." Er schmunzelte und schüttelte den Kopf. "Was für eine Enttäuschung. Tja, man scheint mit mir gespielt zu haben."

Ich spritzte Tee und ließ beinahe meine Tasse fallen. "Ich habe nie den Eindruck erweckt, dass du..."

"Nicht du, Süße, nicht du. So sehr ich es auch begrüßen würde, wenn ich deine Meinung ändern könnte, es macht keinen Spaß, unwillige Beute für die Paarung zu jagen. Ich will keine Frau, die mich hasst. Nein, es scheint, ich wurde reingelegt für..."

Ein Schuss ertönte, laut und wütend in der relativen Ruhe des magischen Raums, und ich stieß mich zu Boden. Es war ja nicht so, dass aus den Fenstern geschossen werden musste; uns ging es gut, aber ich mochte Waffen beim besten Willen nicht, und das hier war kein Ort für sie, an dem ein fremdes Rudel saß, die Erinnerung an den Tod meines Vaters frisch wie frisch vergossenes Blut.

"Bist du verletzt?" Will war unten an meiner Seite, die Hände auf meinen Schultern, als er mich hochhob.

"Nein, es hat mir nur Angst gemacht. Ihr scheint zu sehr auf Waffen zu stehen."

"Wir benutzen sie, aber sie sind derzeit alle eingeschlossen. Ich habe sie nur bei Aufträgen draußen. Wir sind nicht gerade die Schützen, die auf die Jagd gehen."

"Das habe ich verstanden." Ich setzte mich auf und befreite mich aus seinem Griff. "Ist es wahrscheinlich, dass einer Ihrer Männer schießt?"

"Nicht bei Vollmond, da würden sie sich verwandeln. Bleiben Sie hier und halten Sie Ihr Messer bereit." Er klopfte mir auf die Schulter, seltsam sanft für einen Mann, den ich zuvor dabei beobachtet hatte, wie er Marie würgte, und ging zur Tür.

"Ich könnte mit dir kommen?" Ich kämpfte mich zum Stehen hoch, unbeholfen auf meinen Absätzen. "Magie und so?"

"Nein. Du stehst unter unserem Schutz. Bleiben Sie hier." Er schloss die Tür auf, schlüpfte hinaus und verriegelte sie wieder mit einem lauten Klicken, das ich wieder hörte. Ich schlüpfte aus den Schuhen und prüfte die Tür, wobei ich gegen das Holz klopfte, als ich feststellte, dass sie wie erwartet verriegelt war. Ich wusste, dass er vernünftig war, aber ich wollte auf keinen Fall allein in einem Raum voller Magie sitzen und auf die Nachricht warten, dass jemand erschossen worden war.

Ich pirschte mich wieder heran, zog die Absätze an, da keine anderen Schuhe in Sicht waren, und überprüfte meine Möglichkeiten, während ich den

Raum inspizierte. Mit meinem Dolch konnte ich das Schloss nicht knacken, und ich bezweifelte, dass ich es schaffen würde, die Tür aufzubrechen, also musste das Fenster herhalten.

Das Bad war riesig, viel besser als alle Dienstbotenzimmer, die ich je gesehen hatte - nicht, dass es viele gegeben hätte -, und wie versprochen gab es ein hohes, aber angeknackstes Fenster in der Wand über der Toilette. Es bestand aus zwei Teilen, die unteren zwei Drittel aus einem massiven, mattierten Stück, und das obere Drittel war durch einen Metallverschluss offen gehalten. Ich schaute nach oben, schätzte den Abstand zwischen den Rahmen und der kleinen inneren Fensterbank, die nur einen Fuß breit war, bevor ich zwischen dem oberen Teil und meiner Hüfte hin und her schaute.

Ich könnte passen. Wahrscheinlich. Sich auf der anderen Seite fallen zu lassen, wäre ein bisschen viel, aber ich würde die Fersen ausziehen, bevor ich loslasse. Ich könnte mir die Strickjacke ausziehen und versuchen, darauf zu landen, wie man es bei der Flucht vor einem Hausbrand gelernt hat.

Es machte Sinn, dass meine Mutter mir das so oft eingebläut hatte. Ich wette, das war nicht das, was sie im Sinn hatte.

Kopfschüttelnd stellte ich mich auf das Porzellan zwischen Toilettensitz und Spülkasten und balancierte auf den Zehen, während ich das Fenster aufstieß, um hinauszuspähen. Es war kühler als zuvor, die Hitze des Abends war in eine richtige Nacht übergegangen, und obwohl ich Schreie hören konnte, waren sie nicht in der Nähe.

Scheiß drauf.

Ich trat auf den Spülkasten und drückte mich schnell nach oben, um meine Arme durch das Fenster zu strecken und mein Gewicht gegen den Rahmen zu drücken. So konnte ich mich höher schlängeln und in die Dunkelheit hinausschauen. Ich hätte das Licht ausmachen sollen, damit meine Flucht nicht so auffällig wäre, aber die Zeit drängte, wenn jemand bei Vollmond auf der Jagd war. Man kam nicht zu einer Rudelschießerei, wenn man nicht unbedingt Blutvergießen wollte. *Bitte sei nicht Seb.*

Ich schüttelte den Gedanken ab. So dumm würde er nicht sein - er würde sich an die Regeln halten. Er würde mich nicht riskieren, ob er nun kämpft oder nicht.

Niemand sonst schien hier hinten zu sein, der Boden war von tiefen Schatten verdeckt, die das spärliche Badezimmerlicht kaum durchbrechen konnte, und ich glitt mit einer Hand zurück in den Raum, griff nach meinem linken Schuh und ließ ihn in die Dunkelheit fallen. Er landete mit einem leisen Aufprall, was bedeutete, dass wahrscheinlich Schmutz darunter war. Das würde weniger wehtun als andere Dinge.

Es war nicht genug Platz, um mich herauszuholen und dann hinunter zu steigen, wie ich es geplant hatte. Es gab keine verdammte Schwelle auf der anderen Seite, nur einen flachen Abhang! Verdammt! Ein Schrei ertönte, gefolgt von Laufen, und ich stählte mich. Das war eine dumme Idee, aber ich würde nicht tatenlos zusehen, wie ich umkam, oder wie jemand anderes wegen dummer Traditionen starb.

Ich griff wieder hinein, zog den anderen Schuh aus und ließ ihn ebenfalls nach unten fallen, bevor ich meine Füße auf den schmalen Vorsprung stellte. Ich konnte aufstehen, wenn ich mich nach vorne beugte und meine Brust aus dem Fenster schob. Der Rahmen stieß gegen meinen Rücken; das Holz drückte die Perlen des Toppers in mich hinein, aber es war zu spät, um mich wieder hineinzuwinden und ihn abzureißen. Ich war schon so weit, dass ich es versuchen musste.

Ich schaute nicht nach unten, als ich den Rahmen unter meinem Brustbein abnahm, sondern schaute mich um, ob mir jemand über den Weg laufen würde. Das war ein ebenso guter Grund wie jeder andere. Ich war noch nie aus einem Fenster gesprungen. Es würde schon gut gehen.

Sobald ich die Fersen meiner Handflächen in der Biegung des Holzes hatte, die harten Kanten brannten, als sie sich hineindrückten, drückte ich mich nach unten, kräftig, während ich mich mit den Fußballen hochschob. Das gab mir genug Schwung, um mich nach oben zu schieben, wobei mein Bauch und meine Hüften durch den kleinen Zwischenraum in die kühle Luft glitten, und dann kippte ich nach vorne und hinaus, hinunter in die Dunkelheit unter mir.

Ich drehe mich um mich selbst, ganz im Gegensatz zu meinem Namensvetter, und versuche, auf meinem Hintern und meinen Hüften zu landen, anstatt auf meinem Gesicht, und stütze mich in dem zu kurzen Zeitraum zwischen dem Fallen und dem Anhalten ab.

Der Aufprall strahlte von meiner linken Schulter und Hüfte aus und rüttelte an meiner gesamten Wirbelsäule, während ich meinen Kopf bedeckte, um mein Gesicht zu schützen. Der Schmerz, der von der Landung auf einer meiner Fersen ausging, war scharf genug, um Blut zu signalisieren, und ich biss mir auf die Wange, um den Schrei zu unterdrücken, der zu entweichen versuchte. Mein linkes Bein war heiß und wütend von der Stelle, wo der Schuhabsatz eine wütende Linie durch mein Kleid und in das Fleisch meines Oberschenkels gekratzt hatte. Ich hätte sie weiter wegschleudern sollen. Wenigstens war es außen, und obwohl mein Kleid zweifellos ruiniert war, konnte ich mein Bein noch bewegen.

Ich griff nach dem anderen Absatz, als ich mich im Sitzen zusammenrollte, und bedeckte meinen Mund mit dem Arm der Strickjacke, während meine

Muskeln protestierten und mein Rücken vor Schmerz stach. Dafür hatte ich später Zeit. Seb konnte mir ein weiteres verdammtes Bad einlassen, oder was immer er wollte, die ganze Nacht lang Theater machen, wenn ich wieder bei ihm war. Und dafür konnte ich hier nicht im Dreck liegen bleiben.

Kapitel 29

Der Dreck, auf dem ich gelandet war, war hart und es fiel mir leicht, mich von ihm hochzuziehen, eine kleine Gnade, während alles weh tat. Ich drückte mich zurück an die Wand, die ich heruntergefallen war, und überprüfte, ob mein Dolch noch in meiner Tasche war - ja. Eine weitere Gnade.

Vor mir befand sich ein weiteres Gebäude, ein kleines Haus, in dessen Fenstern kein Licht brannte. Auf dem Rasen vor dem Haus stand ein großer Pickup, wenn ich richtig gesehen habe, als wir vorhin hineingeeilt sind. Unbewohnt also, oder zumindest heute Nacht nicht in Betrieb. Ich könnte zu den Autos humpeln und versuchen, auf die Straße zu gelangen, um Seb anzuhalten, wenn sie sich nähern.

Ein weiterer Schuss ertönte, dicht und schmerzhaft prallte er von beiden Wänden zu mir zurück. Ich hielt mir den Mund zu, als mir ein leiser Schrei entglitt, und hielt den Atem an, falls jemand nach mir suchen würde.

Nachdem ich zweimal bis zehn gezählt hatte, waren keine Schritte mehr zu hören, also ging ich weiter. Wenn ich mich für den hinteren Garten entschied, konnte ich sehen, was zwischen den Häusern vor sich ging, ohne mich auf der Freifläche des Parkplatzes zu befinden, und von dort aus würde ich meine Entscheidungen treffen. Durch den Schlamm und die Strickjacke war ich etwas unauffälliger als zuvor, kein weißes Leuchtfeuer im Mondlicht mehr.

Ich kam auf eine Stelle zwischen zwei eingezäunten Gärten, wo nur wenig mehr als Gestrüpp den Hof einnahm, und eine Reihe von Zäunen zeigte einen Weg, der direkt an der Rückseite der kleinen Ansammlung von Häusern entlangführte. Kleinere Pfade verliefen zwischen den Einfamilienhäusern, hier und da gab es ein paar Lichter, aber es würde reichen, um bei Bedarf zu laufen - oder sich zwischen den Häusern zu verstecken. Das könnte funktionieren.

Meine aufkeimende Hoffnung wurde zunichte gemacht, als ich stolperte, mich in meinem unbeholfenen Flug überschlug und hart auf dem Boden landete. Als ich nach unten blickte, sah ich ein Paar Beine aus einem der kleineren Wege herausragen, die Schuhe ragten über den Zaun hinaus, aber das hatte gereicht, um mich aufzufangen. Ich krabbelte näher und beugte mich über die Länge des Körpers, um Josh zu finden, der sich eng an die Holzlatten gepresst hatte, verborgen in der Dunkelheit, und er stöhnte vor Schmerz, als ich ihn berührte. Ich zog meine Hand zurück, als hätte er sie verbrüht - seine Brust war blutgetränkt, sein Atem flach und schnell, als er sich unter meiner Berührung wand.

"Josh? Du musst aufwachen. Komm schon. Josh?" Ich zerrte an ihm, kniete mich hin, um an seinen Schultern zu ziehen, und er stöhnte erneut, als ich ihn hochzog und ihm eine Ohrfeige verpasste. "Was ist mit dir passiert?"

Jemand packte mich von hinten, eine Hand legte sich über meinen Mund und ein Arm drückte meinen eigenen gegen mich, als ich hoch und nach hinten gezogen wurde, die Kraft reichte aus, um mich fast zu erschlagen, während ihr Arm mein Zwerchfell zerdrückte, um jegliches Schreien zu verhindern. Ich zappelte und versuchte zu treten, aber sie zogen mich den Weg zurück, den ich gekommen war, in Richtung der Gasse zwischen Wills Haus und dem verlassenen Haus.

"Es ist okay Kathryn, ich habe dich, es ist okay." Victors Stimme klang tief und heiß an meinem Ohr, als ich aufhörte zu kämpfen. "Ich werde dich jetzt gehen lassen. Ich musste uns verstecken."

Er tat, wie ihm geheißen, ließ mich los, und ich stolperte gegen die Wand, schnappte nach Luft und konnte ihn mit meinen tränenden Augen in der Dunkelheit kaum sehen. "Was machst du da?"

"Ich komme, um dich zu holen, mein Mädchen. Du hast doch nicht geglaubt, dass wir ihnen das durchgehen lassen, oder?"

Ich blinzelte die Tränen weg und versuchte, mich zu fangen. "Ich dachte, Seb würde an den Tisch kommen."

"Er mag seine eigene Meinung zu dem haben, was vor sich geht. Er ist nicht sein Vater. Ich war lange Zeit mit seinem Vater zusammen."

Ich nickte, unsicher, ob er mich sehen konnte. Wahrscheinlich schon, als Wolf. Besonders heute Nacht. "Victor, hast du Josh erschossen?"

"Ja. Er hat mich überrumpelt, also habe ich zuerst geschossen."

"Er sagte, er würde sich umdrehen, wenn er rausgeht."

"Hat er? Er muss meine Fährte aufgenommen haben, bevor er es tat, unvorsichtig von mir. Wir müssen weiter." Victor packte meinen Arm, die Finger versanken in der Strickjacke, und ich zog mich zurück, jetzt mit dem Rücken zur Wand.

"Mir geht es gut, ich kann laufen."

"Du blutest." Er nickte mir zu, seine Haare fingen das Licht im Bad auf.

"Du kannst es riechen?"

"Ich hatte schon immer einen guten Riecher für Blut."

"Nur Seb ist besser, ja?"

"Ja, Kathryn, wir müssen jetzt wirklich gehen. Je länger wir hier sind, desto größer ist die Gefahr, dass sie uns finden."

"Was ist der Plan? Laufen wir weg, weil Seb nicht kommt?"

"Nein, er wird hier sein, aber du wirst weg sein, und der Sicherungskampf ist kein Ort für einen Menschen."

"Richtig. Richtig." Ich nickte und schluckte schwer. "Warum hast du Will gesagt, dass ich keine Magie besitze?"

Victor verstummte, sein Kopf sank, bevor er ein kurzes, bellendes Lachen ausstieß. "Will hat dir das erzählt?"

"Als er damit beschäftigt war, mich zu überreden, seinem Rudel beizutreten, ja."

"Der hinterhältige Welpe. Ich habe ihm gesagt, er soll dich nur töten."

"Was?" Kälte durchströmte meine Adern, als wäre ich in tiefes Wasser getaucht.

Das Geräusch des gespannten Gewehrs war laut, sogar über dem Echo meines Atems, dem zitternden Keuchen, das das kalte Metall verursachte, als es auf die weiche Haut unter meinem Kinn drückte. "Ich habe Will gesagt, dass er dich töten soll, aber er hat nicht reagiert. Jetzt sehe ich, dass es daran lag, dass er versucht hat, dich auf seine Seite zu ziehen, da deine Magie nicht so abwesend ist, wie du uns alle glauben machen wolltest."

"Victor, du machst mir Angst."

"Gut. Das solltest du auch. Du schwingst dich hierher zurück, als wärst du nie weg gewesen, und zeigst deine Kräfte, über die du jahrelang gelogen hast. Daddys kleine Experimente haben sich also bewährt, trotz des Schlamassels, den er mit dir angerichtet hat."

Ich ließ meine Hand so langsam wie möglich zu meiner Hüfte gleiten und versuchte, trotz der anhaltenden Tränen Augenkontakt zu halten. "Ich musste mir selbst beibringen, sie zu benutzen. Die Flammen schlagen jedoch aus, wenn ich Angst habe, also solltest du vorsichtig sein. Vielleicht solltest du die Waffe senken?"

"Wie ich gesehen habe, bei der Hochzeit. Ich dachte, der Idiot lügt, als er sagte, es sei ein blaues Feuer in deinem Haus. Ich dachte, du hättest ihn mit Öl erwischt, aber nein. Du warst nur eine bessere Lügnerin als eine Hexe. Aber das spielt keine Rolle. Wenn Bastian kommt, werden Sie tot sein, und seine Wut wird ihn über seinen Idealismus hinwegbringen. Er wird die richtigen Maßnahmen ergreifen, wie es sich gehört, und wenn du tot bist, kann er Annabelle heiraten."

"Was zum Teufel?" Ich drehte mich um und erstarrte, als er mir die Waffe fester gegen den Kiefer drückte und meinen Kopf nach oben zwang. Ich konnte sein Gesicht nicht mehr sehen, die Augen zwangen mich zu dem Stück Himmel, das zwischen den Dächern zu sehen war. "Sie ist ein Kind!"

"Er würde sie nicht anfassen, bevor sie volljährig ist. Dafür hat er zu viel Anstand. Er ist nicht so ein Biest wie manche von uns."

"Ich verstehe das nicht." Mein Nacken tat weh, durch den Vorsprung der Waffe unter dem Knochen hochgezogen. Ich wagte nicht zu schlucken, blinzelte nicht einmal, als er einen Seufzer ausstieß.

"Als Michael weg war, brach Rose vor Trauer zusammen. Ich beinahe auch. Als ich sie erhängt in der Garage fand, wusste ich, dass ich etwas tun musste."

Schließlich griff ich nach der Tasche und schloss die Augen, während ich meine Finger in die dicke Wolle krallte und den Stoff hochzog. "Rose hat versucht, sich etwas anzutun?"

"Ja. Aber sie hat sie nicht gefunden, sondern ich. Ich habe ihr versprochen, dass ich alles besser machen werde. Wir hatten Annabelle, um die wir uns kümmern mussten. Aber als ich mit John sprechen wollte, war er lächerlich. Lächerlich."

"Wie?" Ich musste ihn am Reden halten. Gerade lang genug, um das Messer zu holen und es in seinem verdammten Oberschenkel zu versenken. Es dauerte nur drei Minuten, wenn man den richtigen Teil erwischte. Ich konnte mich nicht erinnern, welcher Teil das war, aber ich würde mein Bestes geben.

"Ich habe ihm gesagt, wir sollten die Sache festigen und Bastian und Annabelle zusammenbringen. Ein Versprechen, nicht eine sofortige Hochzeit. Du warst nutzlos, nicht wertvoll für das Rudel, und da Will an den Rändern knurrte, brauchten wir eine Machtdemonstration. Ein Fundament, auf dem wir aufbauen können, damit wir von nun an stärker sind."

"Er ist mehr als doppelt so alt wie sie. Sie ist ein kleines Mädchen, Victor."

"Das warst du auch, als dein Vater dich fertig gemacht hat. Aber nein, John wollte nicht zuhören. Er sagte immer wieder, wir schulden dir was. Dir!" Die Pistole drückte fester in meinen Nacken, und ich schluckte ein schmerzhaftes Wimmern hinunter. Das Metall glitt über die Haut an meinem Hals entlang.

"Du hast also gestritten?" Meine Fingerspitzen berührten endlich Metall, das kälter war als die Waffe, und ich spannte meinen ganzen Arm an, als ich meine Finger um den Griff schlang.

"Nicht mehr lange. Ich konnte schon immer besser mit Waffen umgehen als John. Als er nicht auf mich hören wollte, wusste ich, dass ich handeln musste. Ich war traurig, dass Bastian ihn gefunden hatte, aber es gab keinen anderen Weg. Ich konnte es nicht sein. Untätigkeit tötet das Rudel."

"Ich glaube, es war die Trägheit, die Michael erwischt hat."

"Du kleine Schlampe!" Victor bäumte sich auf, als wolle er mich schlagen, und ich stürzte nach vorn, das Kinn tief gesenkt, um mich in seine Brust zu stoßen und die Pistole weit zu reißen, die Hand ausholend, um das Messer in seinem Bein zu versenken. Es landete nicht dort, wo ich es haben wollte, vor allem wegen des Aufpralls seiner Faust auf mein Gesicht, der meine Haltung weit machte, aber ich spürte den Widerstand der Muskeln, das zerrende Nachgeben des Messers, das durch das Fleisch glitt.

Er brüllte vor Schmerz; die Pistole fiel, als beide Hände zu seinem Bein wanderten, und ich ließ das Messer fallen, stürzte von ihm weg und machte mich auf den Weg zum Parkplatz. Er kam hinter mir her, griff mit den Händen nach der Strickjacke, und bevor ich sie abstreifen konnte, hatte er sein Gewicht auf meinen Rücken gelegt und uns beide in den Dreck gepresst.

"Ich brauche keine Waffe, um dich zu töten, Kathryn. Es ist Vollmond. Keiner wird den Unterschied zwischen meinen Zähnen und ihren erkennen."

"Das werden sie, Victor, sie kennen dich!" Ich stemmte mich gegen sein Gewicht, versuchte mich zu wehren, versuchte, nach ihm zu greifen, bis er mein Gesicht mit einer schweren Faust auf den Hinterkopf in den Dreck schlug. Weiß explodierte hinter meinen Augen, die Welt wurde für einen Atemzug stumm, während mein Gehirn in meinem Kopf herumsprang.

"Ich werde nicht so viel zurücklassen, dass sie nachsehen wollen." Sein Gewicht veränderte sich, der Druck seiner Knie auf beiden Seiten von mir verlagerte sich, kehrte sich um, und ein leises Knurren ertönte nahe genug, um meinen Nacken zu befeuchten, bevor sich die Zähne in mich bohrten und mein Gesicht in die schlammigen Tränen darunter zwangen.

Nein, *nein*, das würde ich nicht tun. Ich würde mich nicht für einen wütenden alten Mann wie Fleisch zerreißen lassen. Ich rappelte mich auf, warf meine Schulter verzweifelt weit, damit ich meine Hand in seine wogende Gestalt krallen konnte, das Fell glitt unter meinen Fingern, als ich meinen Griff festigte und tief einatmete.

"Stopp!" Ich kniff die Augen zusammen und steckte alles, was ich hatte, in den Kontakt zwischen uns, in das raue, sich bewegende Haar unter meinen Fingern. Es war nicht so gut wie Hautkontakt, die Veränderung war weiter fortgeschritten, aber ich konnte es schaffen. Ich wusste es. Das Biest konnte gezähmt werden, auch wenn meine Wut es nicht konnte, und ich würde ihm keine Chance lassen, mich wieder zu verletzen.

Ich ballte meine Faust, griff tief in die glühende Gestalt seiner Veränderung und riss meine Hand weg.

Victor fiel zur Seite, heulte auf, als hätte ich ihn verwundet, und krallte sich an mir fest, während er zuckte. Blut spritzte an meinem Arm hoch, Strickjacke und Kleid waren zerfetzt, seine Krallen waren scharf, bevor sie wieder zu Fingern wurden, und sein Knurren verwandelte sich in hustendes Husten.

"Was zum Teufel?" Er schlug nach mir, der Schlag prallte an meiner Schulter ab, und ich hätte fast gelacht.

"Meine Gaben. 'Silber spinnen und Feuer werfen. Die Bestie mit nur einem Wort besänftigen.' Ich bin diese Hexe, Victor, genau wie mein Vater es sich gewünscht hat. Und jetzt bist du nur noch ein Mann."

"Ich hätte ihn töten sollen, bevor er anfing, dich zu verarschen."

Ich schreckte vor seinen Worten zurück und rollte gegen die Wand, als er taumelnd aufstand und mir entgegenschwankte.

"Victor!" Ein Schrei ertönte in der Gasse, eine Stimme, die meine Brust anschwellen ließ, als hätte ich Sonnenlicht in der Dunkelheit gesehen, als Seb den dunklen Weg hinunterstürmte und mit seinem Körper mit Victor kollidierte und beide zur Seite schleuderte.

"Seb, da ist eine Waffe, pass auf!" rief ich, mein ganzer Körper zitterte von der Ausdehnung meiner unbändigen Magie, dem jagenden Biss des Wolfsgeistes, den ich herausgezogen hatte. Er steckte irgendwo in mir, das Heulen und der Sog des Wolfes, der sich gegen meine Energie stemmte, aber das war Wildheit, ein reiner Nervenkitzel, nichts von der Wut und der Bosheit, die ich von Victor kannte.

Das Geräusch ihres Kampfes unterbrach meine Konzentration und brachte mich zurück zum Dreck unter meinen Fersen. Die Dunkelheit, die von Grunzen und Schreien durchdrungen war.

"Du hast Karl getötet?" Ein Schlag durchbrach Sebs Frage, und ich kroch näher, um sie zu sehen.

"Nicht nur Karl." Victor spuckte mit Blut und Zähnen, das Rot verschmierte Seb im Gesicht. "Seit ich mich mit deinem Vater zusammengetan habe, räume ich für das Rudel den Dreck weg. Du bist vielleicht sein Welpe, aber du bist nicht wie er. Ich hätte dich stattdessen erschießen sollen."

Seb wich zurück und drückte sich mit dem Rücken an die Wand, während er keuchte und sein Gesicht zwischen einer Hinwendung zum Wolf und einem menschlichen Schrei hin und her schwankte, bis der Wolf die Oberhand gewann. "Nein!"

"Ja." Victor richtete sich schreiend auf, riss das Messer von seinem eigenen Bein und schlug wild nach Seb, schnitt ihm in die Brust, in den Arm, die Klinge wölbte sich höher.

"Halt!" Ich streckte meine Hand aus, mein Feuer loderte wie ein hungriges Ding, eine wütende Linie trennte Victor und Seb, als ich schließlich an Sébs Seite kam und ihn an mich zog. "Seb, geht es dir gut?"

Er schlang seine Arme um mich, hielt mich fest und schmolz mit seinem Gesicht zu sich selbst zurück. "Du bist hier, natürlich bin ich hier."

"Wie verdammt rührend." Victors Stimme kam von der anderen Seite des blauen Feuers, ein kläglicher, tiefer Ton. Das aufspringende Licht zeigte ihn in scharfem Relief, wie ein Gespenst auftauchend. "Es tut mir leid, dass ich es auf diese Weise tun muss, Seb. Wenn sie einfach gestorben wäre, wäre es viel einfacher. Aber jetzt müsst ihr beide gehen."

"Du bist verrückt geworden!" Seb spuckte, die Flüssigkeit zischte gegen mein Feuer.

"Ich wollte das Beste für die Gruppe. Für alles, was wir getan haben. Und du warst mondsüchtig wegen einer dummen Schlampe, die uns im Stich gelassen hat." Er holte die gleiche Waffe hervor, die er mir in den Nacken gedrückt hatte und die in seinen verbrannten Händen zitterte. "Ich sage, du bist hereingestürmt, um sie zu finden, und die Campbells haben gehandelt, um sich zu verteidigen. Das mussten sie auch. Deine Schwester wird in sie einheiraten, ebenso wie Annabelle, und dann werden wir wieder stark sein. Wieder so, wie wir waren."

"Victor, sie ist dein Baby. Sie ist dein kleines Mädchen! Was tust du da?" Ich umarmte Seb fester und rutschte mit den Absätzen ab, während ich versuchte, nicht zu weinen. Wenn er uns wirklich erschießen wollte, konnte ich Seb in die eine und mich in die andere Richtung schubsen. Das Feuer würde keinen von uns verletzen, und zwei Ziele waren schwieriger zu treffen als eines. Wir könnten immer noch kämpfen.

"Sie muss sicher sein, und das bedeutet ein starkes Rudel. Wir werden niemals stark sein, wenn wir einen Anführer haben, der irgendeinem erbärmlichen Menschen mit auffälligen Tricks und der Fähigkeit, den Wolf aus uns herauszuziehen, schmeichelt!" Sein Gesicht färbte sich rot, grell im Licht des Feuers, und der Funke, den ich ihm gestohlen hatte, wirbelte in mir herum, als mein Zorn aufstieg.

"Seb, wenn ich dich schubse, musst du rennen, okay?" flüsterte ich.

"Bleib bei mir, meine Schöne. Ich werde dich beschützen." Seb drehte sich um und schmiegte sich an mich, als Victor brüllte.

Kapitel 30

Ein dröhnender Schuss ertönte, und ich schrie auf, mein eigenes tierisches Heulen im Angesicht des Ganzen, aber es kam kein Treffer. Kein Aufprall, kein Einsturz von Seb in mich, kein Blut.

"Bist du getroffen?" Ich sah zu Seb auf, der immer noch seine Arme um mich gelegt hatte und sich kopfschüttelnd umsah. Ein nasses Klatschen ertönte, als Victor auf dem Boden aufschlug, gefolgt von einem gurgelnden Keuchen, als er sich auf den Rücken rollte. Mein Feuer erlosch.

"Seb." Will Campbell tauchte aus den tiefen Schatten an der Seite des verlassenen Hauses auf, richtete eine Schrotflinte auf Victors Gesicht und feuerte erneut. Ich wimmerte und drückte mich an Sébs Gestalt, als Victors ganzer Körper zusammenzuckte und dann stillstand.

"Will", sagte Seb.

"Ihr Mann hatte es auf Sie abgesehen. Das haben Sie vielleicht gemerkt." Will spannte das Gewehr auf und schoss Patronen ab, bevor er weitere nachlegte.

"Ich habe gesehen, wie du ihn erschossen hast."

"Hat ihn davor bewahrt, dich zu erschießen. Kat, ich glaube, ich habe dir gesagt, du sollst drinnen warten."

"Victor hat Josh erschossen. Er ist auf der Rückseite eines Hauses, zwei Wege in diese Richtung." Ich zeigte mit dem Daumen hinter uns und versuchte, das Blut zu ignorieren, das aus der Stelle floss, wo Victor lag. Das konnte er auf keinen Fall überleben. Er würde nicht wieder aufstehen. Ich konnte nicht aufhören, ihn zu beobachten.

"Ah, das ist bedauerlich. Atmete er noch, als Sie ihn fanden?"

"Ja." Ich nickte und zog meine Augen hoch, um Wills Blick zu treffen.

Er neigte den Kopf zu einem leichten Nicken. "Ich werde Irene zu ihm bringen. Ein fairer Tausch, in diesem Fall werde ich darüber hinwegsehen, dass du meine Anweisung ignorierst."

"Du kannst sie nicht belehren", sagte Seb.

"Deine auch nicht. Sie ist ihr ganz eigenes Ding." Will zwinkerte, zeigte wieder seine Zähne und klappte die Waffe zu. "Jetzt sind wir in der Klemme, Seb."

"Haben wir?" fragte Seb.

"Das tun wir. Ich habe euren Mann getötet." Will hielt inne und spuckte auf Victors Körper. "Und er hat meinen zweiten erschossen. Man kann nicht sagen, dass das alles aus gutem Willen geschah."

"Victor hat dich angelogen", sagte ich. Beide Männer drehten sich um und sahen mich an. "Ich habe gehört, wie er sagte, dass er dir gesagt hat, du sollst mich töten."

Will lachte und sog die Luft durch seine Zähne ein, bevor er sich über die Unterlippe leckte. "Stimmt, das hat er. Allerdings habe ich meine Meinung nach deinem Auftritt auf der Hochzeit geändert. Lebendig machst du viel mehr Spaß."

"Du hattest vor, sie bei unserer Hochzeit zu töten?" Das Knurren des Wolfes war deutlich in Sébs Stimme zu hören und ich legte eine Hand auf seine Brust und schüttelte den Kopf.

"Frieden, Seb. Ich bin noch da."

"Victor hat mit uns beiden gespielt, wie es scheint. Und wir sind beide im Moment im Nachteil. Ich habe Ihre Gastfreundschaft missbraucht. Ich habe versucht, dir deine schöne Frau zu stehlen, und ich würde es wieder tun." Will zwinkerte mir zu, viel zu sanft, und ich verfehlte mein Messer erneut. "Aber ich stehe hier auch mit einer Schrotflinte. Ich denke also, wir sind ungefähr gleich stark."

Seb nickte. "Und was machen wir jetzt?"

"Du verpisst dich zurück in den Schlamassel, den du hinterlassen hast, und kommst ohne Verstärkung her, und ich werde das hier loswerden." Will trat auf Victors Körper ein.

"Einfach so?"

"Wir kommen in ein paar Tagen wieder an den Tisch. Eine ordentliche Diskussion, nicht dieser posierende Schwachsinn, den wir hatten. Und du bringst Kat mit. Irene wird mir nie verzeihen, wenn sie Kat nicht selbst kontrollieren kann, und ich mag ihre Gesellschaft lieber als deine."

Ich blinzelte Will an und schaute mich um. "Ist das dein Ernst?"

"Ja. Ich habe heute Abend sehr hart gearbeitet, um meinen Wolf drin zu behalten. Ich hätte gerne eine Ausrede, um etwas zu zerreißen."

"Wir geben euch keine Frauen. Keine Zwangsheiraten", sagte ich.

"Ich will keine Frau, die mich hasst. Das habe ich dir schon gesagt", sagte Will.

"Gut. Drei Tage." Seb streckte seine Hand aus, und Will schüttelte sie. Ich beugte mich hinunter, um den Dolch zu ergreifen, der noch immer blutverschmiert war, und versteckte ihn wieder in der ruinierten Strickjacke. "Wir treffen uns in unserem Wald, da können wir auch gleich das Zelt benutzen, denn die ganze Mühe, es für heute Abend aufzubauen, ist umsonst gewesen."

Will nickte. "Ich sehe dich dann. Hoffentlich mit Josh, um den ich mich kümmern muss."

"Wir sehen uns, Will." Seb stieß uns von der Wand ab, und ich lehnte mich an ihn, um ihn zu stützen, während wir zum Parkplatz gingen.

"Versuchen Sie nichts, bevor wir uns treffen", rief Will. "Und ich behalte die Waffe."

"Gut." Seb winkte mit einer Hand über seine Schulter und schüttelte den Kopf. "Ich will die verdammte Waffe nicht."

"Wo ist das Auto?" fragte ich.

"Das Ende ihrer Einfahrt. Kannst du so weit barfuß laufen?"

"Für dich würde ich meilenweit laufen." Ich drückte ihm einen Kuss auf die Wange und zog ihn näher zu mir.

~

Die Rückfahrt verlief langsam, denn die Verletzung an Sébs Arm bedeutete, dass er mit dem Auto vorsichtig umgehen musste. Die Stille um uns herum war so bedrückend wie die Hitze am frühen Abend, und ich fummelte an dem Messer herum, während ich versuchte, die Kluft zwischen uns zu überbrücken.

"Wollen wir darüber reden, was passiert ist?" fragte ich in die Düsternis hinein.

"Er hat deinen Vater getötet."

"Unsere beiden Väter".

"Ja." Seb nickte, den Blick immer noch auf die Straße gerichtet. "Unsere beiden Väter."

Ich schluckte, die Worte lagen mir schwer auf der Zunge. "Er wollte, dass du Annabelle heiratest."

Seb würgte und schüttelte den Kopf. "Sie ist ein Kind. Sie hat gerade erst angefangen, mit uns zu laufen. Das ist Wahnsinn."

"Er sagte, Rose hätte versucht, sich nach Michaels Tod umzubringen. Ich glaube... ich glaube, er ist in seiner Trauer durchgedreht."

Seb blickte hinüber und ließ den Schaltknüppel los, um meine Hand zu fangen. "Das sehe ich auch so."

"Dafür sollten sie nicht bestraft werden. Rose und Annabelle, meine ich."

Seb nickte. "Wir werden uns um sie kümmern. Wir werden sie nicht wegschicken."

"Vielleicht wollen sie gehen." Das hatten wir, meine Mutter und ich. Ich glaube nicht, dass meine Mutter wusste, dass Victor für den Tod meines Vaters verantwortlich war. Ihre Wut galt dem Rudel, aber wir waren trotzdem gegangen. Ich konnte sehen, wie sich alles wiederholen würde, eine verängstigte Frau mit einem toten Ehemann, eine Tochter, um die sie sich fürchtete. Sie hatten etwas Besseres verdient als dieses Leben voller Angst und Schmerz.

"Ich hoffe nicht. Victor starb im Dienste des Rudels, auf eine gewisse Art und Weise. Wir werden ihr alles geben, was wir auch jedem anderen geben würden", sagte Seb.

"Was werden wir ihnen sagen, was passiert ist?"

Seb seufzte und schüttelte den Kopf. "Nein. Er hat Josh erschossen. Darin sind wir uns alle einig. Will kann seine Männer genauso verteidigen wie wir. Neutraler können wir es nicht darstellen. Die Wahrheit wird weder Rose noch Annabelle helfen. Es gibt zu viele Geheimnisse, die besser tot geblieben wären. Victor unter ihnen zu begraben, bringt nichts Gutes."

"In Ordnung."

Wir schwiegen noch ein paar Minuten, Seb leckte sich die Lippen, bevor er wieder sprach. "Und was ist mit dir?"

"Was meinst du?"

"Ich habe gesehen, was du mit ihm gemacht hast. Als er sich verwandelt hat. Ich war selbst schon dabei, mich zu verwandeln, um ihn von dir loszuwerden."

"Oh." Ich lächelte, zu müde und zu erschöpft von der Angst, um noch viel zu tun. Keine Tränen mehr. "Die Geschenke meines Vaters an mich. Das ist das Schlimmste, was er getan hat, als er mich besser machte, meine Magie veränderte, um nützlicher zu sein. Ich bin wie Rotkäppchen ohne den Axtmann. Ich sage dem großen bösen Wolf, er soll sich umdrehen."

"Ist es dauerhaft, jemanden zu zwingen, sich zu ändern?"

"Nicht immer. Ich kann den Wolf zurückdrängen, oder ich kann ihn herausreißen. Letzteres habe ich bis heute Abend noch nie getan. Ich kann ihn immer noch spüren, hier drinnen." Ich tippte mir auf die Brust, über die Wunden von dem ersten Angriff, die nicht einmal mehr schmerzten. Es fühlte sich richtig an, dass das Zeichen von ihm unter den Wunden lauerte, die er verursacht hatte, wenn auch nur indirekt.

"Der Wolf?"

"Ja. Ein Tauziehen zum Mond."

"Okay." Er drückte wieder meine Hand und nickte mir zu. "Das ist in Ordnung, meine Schöne. Es ist kein richtiger Biss, also glaube ich nicht, dass du dich verwandeln wirst. Und selbst wenn du dich verwandelst, bist du immer noch du selbst. Keiner im Rudel wird Angst vor dir haben."

"Ich habe Angst vor mir."

"Nun, das bin ich nicht. Du bist immer noch meine Frau. Und wenn wir zurückkommen und allen erzählt haben, was passiert ist, nehmen wir zusammen ein Bad. Ich rieche das Blut an dir. Ich will wissen, dass es dir gut geht."

Ich lachte ihn aus, sein ernstes Gesicht, die Art und Weise, wie er trotz der offenen Wunde auf seiner Brust immer noch herumzappelte. "Du bist unmöglich."

"Genauso unmöglich wie du." Er zog meine Hand näher heran und drückte mir einen Kuss auf die Knöchel. "Meine unmögliche Gefährtin."

Epilog

3 Monate später

"Bist du bereit zu gehen?" Marie steckte ihren Kopf durch die Tür und grinste mich an. Auch sie war ganz in Weiß gekleidet, ein fließendes Kleid, das ihren Bauch zur Geltung brachte, ohne ihn zu erdrücken, und in ihrem Haar steckten kleine weiße und rosafarbene Blumen, die an ihr leuchteten.

"So ungefähr." Diesmal trug ich flache weiße Schuhe, keine Stöckelschuhe, und das Kleid war langärmelig und verbarg die Narben auf meinen Schultern und meinem Arm. Ich hatte einen echten Blumenstrauß, obwohl der Dolch wieder an meinem Oberschenkel steckte, ein neuer Aberglaube, den ich in der ganzen Meute fördern würde, wenn es nach mir ginge.

"Du siehst fabelhaft aus. Sogar besser als beim letzten Mal, wenn ich das sagen darf." Sie zwinkerte mir zu und betrat den Raum, um mich in eine Umarmung zu ziehen. "Ich kann nicht glauben, dass wir das tun."

"Wenn man bedenkt, wie das letzte Mal alles gelaufen ist, werde ich nichts alleine machen." Ich umarmte sie zurück und freute mich, dass ich sie so unbeschwert lächeln sehen konnte.

"Dort besteht keine Gefahr. Du bist bei uns." Sie zog sich zurück, blinzelte die Tränen weg, und verschränkte die Arme ineinander. "Lass uns gehen."

Als wir aus ihrem Haus kamen, wartete bereits ein Auto, dessen Türen für uns geöffnet waren, und Gillian saß schon da und trug Maries Blumenstrauß. Wenn sie Tränen in den Augen hatte, taten wir so, als ob wir es nicht sehen würden, und plauderten über die Musikauswahl und die Zeitplanung und darüber, wie wir hofften, dass der Sonnenschein auch in der herbstlichen Ungewissheit anhalten würde.

Als wir in der Halle ankamen, stieg Gillian als Erste aus dem Auto, öffnete uns die Türen und gab Marie ihre Blumen. Sie zog uns beide in eine kurze Umarmung, wobei sie ihren Körper an meinen drückte, damit sie nicht an Maries Beule stieß.

"Ihr seht beide wunderbar aus. Sie sind beide so glücklich." Sie nickte und wischte sich schnell über das Gesicht, dann drehte sie sich um und ging vor uns hinein. Damit ging die Musik los, und ich stieß mit meiner Hand an Maries nackte Schulter.

"Zeigen wir ihnen, was wir drauf haben." Ich zwinkerte ihr zu.

"Aber ja."

Wir betraten den Saal Seite an Seite, gleich in unseren Kleidern und in unserer Haltung, und waren beide fast erstaunt, als wir Seb und Daniel am anderen Ende des Ganges auf uns warten sahen. Irene stand zwischen ihnen, in einem leuchtend rosafarbenen Rockanzug, der alles andere durch seine schiere Ausstrahlung zum Leuchten brachte, und sie lächelte wie der Wolf, der sie nicht war, als sie uns beide entdeckte.

Marie und ich gingen langsam auf die Männer zu, nickten denjenigen zu, die sich wieder für uns versammelt hatten, und lächelten ihnen zu - Mrs. Wilson in einem wunderschönen grünen Kleid, die übrigen Mitglieder der Campbells, die sich beim letzten Mal lieber versteckt hatten, als die erwartete Gewalt zu riskieren. Ich nickte sogar Will zu, der seinen Kopf zu mir neigte, obwohl Josh seinen Blick streng nach vorne gerichtet hielt. Ich wusste nicht, ob er mir jenen Morgen im Wald jemals verzeihen würde, aber ich hatte ihm seine wilde Seite nicht gestohlen, also war es nicht schlimm, wirklich. Zumindest nach meinen Maßstäben.

Als wir mit unseren Bräuten zusammen waren, eröffnete Irene die Zeremonie und führte uns durch dieselben Versprechen an den Mond, die Victor vor Monaten gegeben hatte. In ihren Worten lag weniger Angst, weniger Verurteilung, und während ich Seb ansah, konnte ich nur daran denken, wie viel mehr ich ihnen jetzt glaubte. Wir wussten, dass wir uns gegenseitig aufrichten würden. Wir wussten, dass wir uns lieben würden. Und wir wussten, dass wir füreinander töten würden, auch wenn die Schrotflinte während der Verhandlungen schließlich zu uns zurückgekehrt war.

"Ihr dürft jetzt beide eure Braut küssen."

Seb und ich traten näher zusammen, und Daniel trat geschickt an Maries Seite, und wir beide küssten uns unter dem tosenden Beifall unserer Freunde und Familie.

"Beim zweiten Mal ist es viel besser", flüsterte ich Seb zu, als wir uns trennten.

"Ich stimme zu." Er drückte mir kleine Küsse auf die Lippen, sein Grinsen war breit und gutaussehend. "Vielleicht sollten wir es ein drittes Mal machen, um sicherzugehen?"

"Ich habe den Dolch getragen, weißt du. Ich verspreche nicht, ihn nicht an dir zu benutzen, nur weil er ein Geschenk war."

Er kicherte und drehte sich, um mich in eine Senke zu lehnen. Ich kreischte vor Lachen und küsste mich erneut. Als wir wieder hochkamen, lächelte er mich an und rümpfte die Nase so liebevoll, dass ich hätte dahinschmelzen können. "Ich liebe dich, du unmögliche Frau."

"Ich liebe dich auch."

"Genug geküsst. Lasst uns zur Party gehen", sagte Daniel und deutete auf die Türen.

"Ja." Marie schlüpfte neben mich, schloss unsere Arme und ergriff dann auch Daniels, so dass wir eine kleine Vierergruppe bildeten. "Lass sie uns umhauen."